C   D0865402

Van Alice Boots en Rob Woortman verscheen eerder

Anton de Kom

ALICE BOOTS EN ROB WOORTMAN

COTTON CLUB

DE BEWOGEN GESCHIEDENIS VAN EEN CAFÉ

Uitgeverij Atlas Contact
Amsterdam/Antwerpen

Omslagontwerp en typografie binnenwerk Zeno Carpentier Alting,
Amsterdam
Omslagbeeld Ed van der Elsken
Foto auteurs Merlijn Doomernik
Drukkerij Wilco, Amersfoort

ISBN 978 90 450 2624 4
D/2014/0108/567
NUR 740

www.atlascontact.nl

INHOUD

The New Cool Collective voor de Cotton Club. Nauwkeurig geënsceneerd naar voorbeeld van de foto van Ed van der Elsken uit 1961. Voor de kleding is speciaal naar vintagekleding gezocht.

GEBROKEN SPIEGELS

Twee hoge klapdeuren geven toegang tot een smalle pijpenla. De ruimte is zo smal dat er tegenover de bar alleen maar plaats is voor een enkel halfrond wandtafeltje en wat barkrukken. Achter in de zaak loopt de ruimte wat breder uit zodat er nog net een grote pooltafel en een paar tafeltjes met stoelen in passen. Het is hier donker en een kleine schijnwerper verlicht de achterwand, behangen met foto's van dansende en drinkende mensen. Naast de gang die naar de toiletten leidt, geeft een glazen deur toegang tot een kleine ruimte die uitkomt op een binnenplaats. Een ruimte voor rokers, ook al behangen met tientallen foto's.

Boven de klapdeuren bij de ingang zijn in het hout drie spiegels aangebracht, waarachter zacht roze licht brandt. De spiegels zijn beschilderd met voorstellingen van danseresjes die met guirlandes zwaaien. Langs de zijmuur, boven de houten lambrisering, hangen ook al beschilderde spiegels, vrijwel allemaal gebarsten of gebroken. Het zijn afbeeldingen van een door palmbomen omgeven Caribische schone, het Vrijheidsbeeld met wolkenkrabbers op de achtergrond en een blik op de Nieuwmarkt met de Waag. Naast de spiegels hangen tientallen ingelijste familiefoto's. In de rookruimte hangt een foto van een zevental mannen met een donkere huidskleur, gestoken in kostuum en glimmende puntschoenen. Zij staan voor de ingang van het café. Enkele mannen hebben een zonnebril op en de achterste twee dragen een diep over de ogen getrokken gleufhoed. Aan de muur ertegenover hangt een gelijksoortige afbeelding. Alleen zijn het dit keer blanken die perfect gekleed voor de openslaande deuren van de kroeg staan. Zij zien er zo nog dreigender uit dan hun donkergekleurde tegenhangers: echte maffiosi. Een stamgast, die op een lage houten bank zijn sigaretje rookt, weet te vertellen dat het de leden zijn van de band The New Cool Collective, die ooit in de Cotton Club hebben gespeeld.

Achter de bar staat een jonge vrouw met lang bruin haar, die de klanten vriendelijk groet. Een vrouw aan de bar bestelt een witte wijn. Het barmeisje schenkt een limonadeglas tot aan de rand vol. 'Dat is flink,' zegt de vrouw. 'Ja, hoor eens, anders vind ik er niks aan,' is het antwoord. Als het barmeisje wegloopt om het terras te bedienen staat een lange man op van een van de tafeltjes achter in de kroeg. Hij draagt een mouwloos t-shirt dat twee getatoeëerde armen bloot laat. Zonder op of om te kijken stapt hij achter de bar, pakt een sleuteltje dat naast het in glas-in-lood uitgevoerde buffet hangt en loopt ermee naar de pooltafel. Daar opent hij het luikje in de tafel en haalt de biljartballen tevoorschijn. Als hij terugloopt om het sleuteltje weer op te hangen, komt het barmeisje net weer binnen. Zij groet de brutale klant, die samen met zijn maat een partijtje begint te poolen. De pooltafel staat er als tijdverdrijf, niet als winstobject.

Even later, als het barmeisje weer naar het terras loopt, roept een klant aan een van de tafeltjes om vier bier. Een kleine rossige vrouw, duidelijk ook een gast, staat op, loopt naar de tap, schenkt vier bier in, brengt die naar het tafeltje, rekent af, loopt naar de kassa en deponeert het geld in de la. 'Ach, als het druk is, dan wil ik die kleine nog wel eens te hulp schieten.'

Dit is dus de Cotton Club. De kroeg die in de jaren zestig tot ver in de provincie bekendstond als een tent waar je aan wiet kon komen. Een zaak waar mensen met een boog omheen liepen. Talloos zijn de verhalen die jaren later nog over die tijd de ronde doen. Zo weet een stamgast te vertellen hoe een vriendin

Kogelgaten in een spiegel?

van hem in de jaren zeventig op de Nieuwmarkt op de bushalte stond te wachten. Uit de Cotton Club kwam een donkere man die een gezellig gesprekje met haar aanknoopte. Thuis kwam zij tot de ontdekking dat haar portemonnee gerold was. Haar vriend reageerde woedend: 'Bij de Cotton Club! Hoe kon je zo stom zijn daar te gaan staan.'

Zo te zien is het interieur sinds die tijd niet meer veranderd. De barkrukken zijn bekleed met versleten, rood kunstleer. De granieten vloer heeft zijn beste tijd gehad. Van de groengele glas-in-loodraampjes van het buffet zit er een los en is met plakband vastgezet. Hier lijkt de tijd te hebben stilgestaan. Het barmeisje blijft in de deuropening staan om een sigaret te roken, een poolbal stuitert op de granieten vloer. Niemand kijkt

9

op. Als het barmeisje terug is, wijst de vrouw aan de bar op een spiegel die tegenover het biljart aan de muur hangt. Vanuit drie kleine ronde gaatjes trekken vele barsten door de spiegel. Het lijken wel kogelgaten. Op de spiegel zijn de portretten van drie mensen aangebracht met daaronder geschreven: 1940 – 50 jaar – 1990. En daaronder: *Aangeboden door de klanten van de Cotton Club*. 'Wie zijn dat?' vraagt de vrouw aan het barmeisje. 'Dat zijn mijn betovergrootmoeder, mijn overgrootvader ome Frits en dat jonge meisje met het korte blonde haar is de zus van mijn grootmoeder, dat is Annie Smit.'

HOOFDSTUK 1

TEDDY

1947-1954

Het is 1947 en sinds een klein jaar werkt Annie in de kroeg van haar vader. Dat komt hem goed uit, want achttien jaar in het stratenmakersvak hebben ervoor gezorgd dat zijn knieën zijn versleten. Daarom staat hij zelf weinig achter de bar, maar zit hij de hele dag op zijn kruk dicht bij de ingang. Het café aan de Nieuwmarkt nummer 5 is een stamcafé voor buurtbewoners: timmerlieden, fabrieksarbeiders, kolenboeren, glazenwassers en sjouwers in de haven, werklieden die elke ochtend naar de kaden gaan om te kijken of er werk is. Bezoekers die het schemerige café binnengaan, komen via een glazen tussendeur waar glasgordijnen voor hangen terecht in een wolk van tabaksrook en geroezemoes. Af en toe komt er een buitenlander, een zeeman, die is komen lopen vanaf zijn schip dat in het IJ ligt. Annies vader, Frits, schenkt koffie, pils, oude en jonge jenever en af en toe een likeurtje. Zijn vrouw Da is meestal achter, in het woongedeelte. Zij doet het huishouden en zorgt voor de vier kinderen. Naar de drie dochters heeft zij weinig omkijken, maar behalve dat zij zwanger is, heeft zij ook nog de zorg voor Fritsie, een jongen van nog geen vier jaar. In januari 1948 wordt het vierde meisje geboren, Riekie.

Een deur pal naast de toiletten achter in het café geeft toegang tot de woning van het gezin. Een trapje leidt naar een iets lager gelegen keuken met twee smalle ramen die uitzicht bieden op de binnenplaats. Aan het einde van de keuken is weer een trapje van enkele treden dat toegang geeft tot de kleine

Het binnenplaatsje van de Cotton Club (Koningsstraat 10). Via het platte afdak boven de deur klommen de meiden uit het raam van hun kamertje (links).

huiskamer met aan de linker muur een groot raam dat uitkijkt op diezelfde binnenplaats. Da, die verzot op vogeltjes is, heeft in de huiskamer onder de uitbouw van de trap naar de eerste verdieping haar volière staan. De toegang tot die trap bevindt zich in de keuken. Op de eerste verdieping en de zolder zijn de slaapkamers voor het gezin. Volgens het kadaster staat de woning in de Koningsstraat nummer 10, en inderdaad is de binnenplaats achter het café, die aan de woning grenst, door een smalle steeg verbonden met de Koningsstraat.

In de eerste maanden na de oorlog was er maar weinig te doen voor de dochters van Frits en Da. Annie en haar zusjes verveelden zich stierlijk. De drie meisjes, toen nog veertien, twaalf en tien, vermaakten zich met 'hoertje spelen'. Het was de wereld die de meiden goed kenden van de overkant van de Nieuwmarkt. Alie en Willy zaten opgetut achter het raam van de huiskamer en keken uit op de binnenplaats, waar Annie stoer rondliep. Zij was de pooier en zij herinnert zich later dat Willy altijd kwaad werd omdat die geen pooier mocht spelen. Annie zei dan steevast tegen haar ruim drie jaar jongere zusje: 'Daar ben jij nog te jong voor.' Annie mag van haar vader 's avonds de straat niet op. Na verloop van tijd vindt zij daar een oplossing voor: ze klimt vanuit een raam op de eerste verdieping op het dak van de woonkamer en springt vervolgens de binnenplaats op. Zij loopt door het steegje de Koningsstraat in en vandaar naar de binnenstad. Frits heeft niets in de gaten. Hij is druk met zijn klanten, zijn glas bier staat altijd onder handbereik.

Als Annie eenmaal zestien is en in de kroeg werkt, is zij vrij om te gaan en te staan waar zij wil en is zij 's avonds laat vaak in de Casablanca te vinden. Die dansgelegenheid, waar vooral donkere muzikanten spelen, is vlakbij op de Zeedijk. Het danslokaal is een jaar eerder geopend door Marie Wagenaar en haar man Hans Suijkerbuijk, een donkere uit Curaçao afkomstige man. Rond 1900 wemelde het op de Zeedijk nog van de danstenten en cafés-chantants, zogenaamde tingeltangels. Maar in de loop der jaren sluit de gemeente steeds meer van deze gelegenheden wegens overlast. Als er dan in de oorlog ook geen zeelui meer komen, is het afgelopen met de Zeedijk als uitgaansgebied.

Marie dreef voor de oorlog vanaf haar zeventiende jaar een cafeetje achter hotel Krasnapolsky. Het kleine café werd vrijwel uitsluitend door Griekse zeelieden bezocht, die haar weemoedig 'Maria' noemden. Na de bevrijding is zij aan een nieuwe uitdaging toe en zij heeft haar oog laten vallen op een pand dat op de in die dagen nogal saaie Zeedijk staat.

Met veel smaak tovert zij de ruimte waar eerst een café was gevestigd, om in een modern en exotisch danspaleisje. Voor de deur staat een zwaargebouwde portier die ongewenste gasten, meestal lieden die zich eerder hebben misdragen, de toegang verspert. Binnen houdt een minder opzichtige bewaker de zaak nauwlettend in de gaten. Hij is beleefd en spreekt zijn talen. Marie zelf, een stevige vrouw, waart als een generaal door de zaal en is niet te beroerd om als het nodig is eigenhandig een te opgewonden klant de deur uit te zetten.

In de smalle ruimte is voorin een aparte bar met op de muur afbeeldingen van kamelen, palmbomen en moskeeën. Daarachter bevindt zich de smalle dansruimte. Hoge antieke Chinese vazen, die Marie voor de oorlog op een veiling gekocht heeft, sieren de nissen in de wand aan weerszijden van het podium waarop de donkere muzikanten jazzmuziek spelen. De musici zouden uit de Verenigde Staten komen, maar hoewel er een enkele keer bekende Amerikaanse combo's in de Casablanca hebben gespeeld, waren de reguliere musici voornamelijk Surinamers. Langs de wanden staat aan iedere zijde een rij tafeltjes waaraan het publiek zit. De ruimte die overblijft voor de dansvloer is uiterst smal, maar altijd vol met dansende paren. De Nederlandse bezoekers zitten rustig aan hun tafeltje en vergapen zich aan de dansparen die de jive of de jitterbug dansen op de muziek van de jazzcombo's. 'Je kon er over de hoofden lopen als we daar speelden, een uur na de opening zat de tent al stampvol,' vertelt een bassist die daar regelmatig speelde.

Nederlandse mannen die niet tot de vaste clientèle behoren, kijken hun ogen uit en zijn heimelijk jaloers op de donkergekleurde dansers, die soepel draaien en na een slotwerveling hun dame moeiteloos optillen. 'Zoals de neger kon dansen, met hoed op 't hoofd, kauwgom tussen de kaken en een zwabberend sigaretje aan de onderlip gekleefd, zo zou de blanke het nooit kunnen,' schrijft Henk van Gelder in 1949 in *Elsevier*. In tegenstelling tot wat door de burgerij wordt beweerd, heerst er in de Casablanca een 'strenge tucht'. Boven de zaak wonen geen dieven, helers of marktkooplui zoals Simon Vestdijk in zijn roman *De dokter en het lichte meisje* schrijft, maar het echtpaar Suijkerbuijk zelf. Hun dochtertje Jetje, dat daar opgroeit, luistert 's avonds in bed naar de muziek.

Het danslokaal wordt bezocht door mensen uit de stad,

Annie als zij twintig jaar oud is

maar ook door zeelieden uit alle werelddelen. Het volk in de buurt praat over het exotische publiek: je kunt niet zien waar ze vandaan komen, misschien zijn ze wel gevaarlijk, het schijnt dat oudere vrouwen er een gigolo zoeken en dat er hoertjes komen, niet om een man te versieren, maar om in hun vrije uurtjes mooi opgedoft te dansen.

Voorbijgangers bestuderen nauwkeurig de foto's die in de kleine etalage naast de toegangsdeur hangen. Nette, blanke meisjes horen niet in een tent als de Casablanca te komen en ook voor Annie is de Casablanca verboden terrein. Op zekere dag meldt een stamgast vader Smit dat hij Annie op een van de foto's heeft gezien. Het leidt tot een flinke ruzie tussen Annie en haar ouders. Maar Annie laat zich niet weerhouden. Ze wil dansen op het snelle ritme van een band. In de stad zijn maar weinig cafés waar dansmuziek wordt gespeeld en op dansscholen is het veel saaier dan in de Casablanca. De donkere jongens die daar komen, staan in de rij om haar de nieuwste danspassen te leren. Ze dragen mooie kleren en zien er veel beter uit dan die Hollandse bleekneuzen. Over gebrek aan aandacht heeft Annie niet te klagen. Zij is een mooie meid, met grote blauwe ogen in een smal gezichtje. De blonde pony en de paardenstaart geven haar iets argeloos, wat haar aantrekkingskracht op de jongens alleen maar vergroot.

Als de Casablanca dan verboden terrein voor haar is, gaat zij naar de Liberty. Dat café staat aan de kop van de Nieuwendijk naast de beruchte seksbioscoop Parisien, waar harde porno wordt vertoond, in die dagen zeer uitzonderlijk. De musicus die regelmatig als invaller voor de vaste bassist in de Liberty of de Casablanca speelde, weet nog dat er alleen maar fluisterend over de Parisien werd gesproken. De Liberty is een kleine, maar sfeervolle ruimte met een ronde dansvloer in het midden van het zaaltje. Aan de muur naast de toegang tot het etablissement hangt bij wijze van reclame een foto van de trompettist die daar optreedt: Teddy Cotton. Teddy is een donkere man met een bol gezicht, sprekende ogen en een trompet aan de lippen. Boven zijn hoge voorhoofd groeit kort kroezend haar. Hij draagt een hagelwit jasje, dat een scherp contrast vormt met zijn donkere huid.

Annie valt als een blok voor Teddy en dat blijkt wederzijds. Bijna hadden zij elkaar nog eerder ontmoet, want Teddy speelt kort na de opening ook in de Casablanca met zijn toenmalige band His Cotton Pickers. Die optredens zijn aan het eind van 1946 en dan is Annie nog net te jong om de Casablanca te bezoeken. Kort nadat Annie en Teddy elkaar in de Liberty ontmoet hebben, vraagt Teddy aan Annie waar ze werkt en al snel bezoekt hij het café van haar vader. Annie is een van de weinige Hollandse meisjes die met een kleurling omgaan. De stamgasten uit de buurt spreken Annies vader erop aan: 'Wat is er met je dochter, is die met een neger?' Haar ouders zijn er aanvankelijk niet echt blij mee. Teddy is veel ouder dan Annie, hij is geboren in 1912 en heeft al drie kinderen: een zoon bij een vrouw in Amsterdam en twee jonge kinderen in Rotterdam. In 1947, als hij Annie ontmoet, is hij alleenstaand, want zijn laatste vriendin is bij de geboorte van het tweede kind gestorven. Hij heeft de kinderen bij familie ondergebracht en is naar Amsterdam getrokken.

Teddy is een vurig bewonderaar van Amerikaanse musici als Duke Ellington en Louis Armstrong. In de tijd dat Teddy zelf in verschillende bands in Den Haag en Rotterdam speelt, ziet hij Armstrong optreden tijdens een van diens concerten in de Residentie. Later imiteert Cotton zijn idool tijdens zijn optredens met veel succes. Zo wist hij na een solo net als Armstrong omstandig het zweet van zijn voorhoofd met een grote, witte zakdoek. Teddy weet dat een Amerikaanse musicus in Nederland meer indruk maakt dan iemand die uit Suriname komt. Daarom maskeert hij zonder veel problemen al in het begin van zijn artiestenloopbaan zijn Surinaamse afkomst. Een affiche van het Rotterdamse Negro Palace Mephisto in 1936 kondigt Cottons band aan als Negro-Show-Band uit New York, en rond 1943 laat hij waarschijnlijk zelf de reclamefoto maken waarop in onhandig geschreven letters staat: *Bezoek café Liberty, Nieuwedijk 63 Amsterdam, Teddy Cotton, Foto Hollywood 1072*. Maar Teddy is, wat de tekst ook mag suggereren, nooit in de States geweest. Geboren als Theodoor Kantoor is Teddy, net als de saxofonist Kid Dynamite, in 1928 als verstekeling met de boot naar Nederland gekomen. Een jaar later breekt de crisis uit en slaat de werkloosheid toe.

Werkgevers hebben personeel voor het uitkiezen en in zo'n situatie valt de keuze niet op een kleurling. Maar op zijn tijd vinden Nederlanders een zwarte man wel interessant. Dezelfde werkgever die overdag al nee schudt voordat een donkere man hem om werk heeft kunnen vragen, kijkt 's avonds ademloos

Afbeelding van Teddy Cotton

naar de bokser Battling Siki. Deze Senegalees, die met een Rotterdams meisje is getrouwd, is in de jaren twintig ongekend populair en wordt verschillende malen geschilderd door Isaac Israëls. Dat succes maakt dat ook enkele Surinamers zich in de ring begeven. De meesten van hen laten gewoon een act zien, maar het publiek heeft niet in de gaten dat de bokswedstrijd doorgestoken kaart is. De man uit het publiek die ingaat op de uitnodiging van de ceremoniemeester om 'met de kampioen van Zuid-Amerika' te strijden, is een vriend van de bokser. Het publiek huivert bij de rake klappen die de uitdager lijkt te krijgen, maar het bloed is nep en de verwondingen stellen niet veel voor.

Een donkere man die enigszins muzikaal is, of over voldoende showtalent beschikt, kan in die tijd redelijk gemakkelijk aan de slag als tapdansende en zingende kelner of als muzikant in een jazzband. En talent voor show, dat heeft Teddy. Het verhaal gaat dat zijn collega, de saxofonist Arthur Parisius, begonnen is in een circus, waar hij als vuurvreter en danser optreedt en zich Kid Dynamite laat noemen. Het zijn verhalen die na al die jaren moeilijk te verifiëren zijn, maar het staat vast dat zowel Kid als Teddy begonnen is als variétéartiest. Rond 1935 zou Teddy een trompet gepakt hebben en begonnen zijn met spelen. In de eerste tijd brengt hij er maar weinig van terecht, maar hij heeft onmiskenbaar aanleg.

Als artiestennaam voldoet Kantoor natuurlijk niet. Teddy wil een naam met een meer Amerikaanse uitstraling en hij verandert het stijve 'Theodoor' in Teddy. 'Kantoor' wordt Cotton, een naam met een bekende klank. Op de *cotton fields* in de Zuidelijke Staten van Amerika probeerden de slaven jaar na jaar hun eentonige werk te verlichten door het samen zingen van liederen. Daaruit waren de blues en later de jazz voortgekomen. In de jaren dertig krijgen uitgaansgelegenheden in de grote steden waar Afro-Amerikanen jazz spelen daarom vaak de naam 'Cotton Club'. Louis Armstrong, Teddy's grote voorbeeld, noemt rond 1930 zijn band de Sebastian New Cotton Club Orchestra, naar een zaak waar hij op dat moment speelt. Een paar jaar later krijgt hij een engagement in de befaamde New Yorkse Cotton Club.

De club, gelegen in de wijk Harlem, is in 1923 door een beruchte gangster, Owney 'the killer' Madden, overgenomen om er zijn drank te kunnen afzetten. Buiten geven grote lichtreclames de naam van de show aan; aan de rand van de stoep waar de gasten hun luxeauto's parkeren, staan zwarte portiers. Binnen spelen donkere artiesten gedisciplineerd hun rol in een show vol swing, dans en variété-acts, terwijl de gasten, in deze tijd van rassenscheiding uitsluitend blanken, in de weelderig ingerichte ruimte drinken, dineren en dansen. Aan de danseressen worden andere eisen gesteld dan aan de musici, de meisjes mogen niet te donker van huidskleur zijn. Het verhaal gaat dat de meisjes bij hun sollicitatie een bruine papieren zak naast hun gezicht moeten ophouden. Is de tint van hun gezicht donkerder dan de zak, dan krijgen ze geen contract. Uit bewondering voor Armstrong kiest Teddy de naam Cotton, naar de Cotton Club waar Armstrong optrad.

Hoe relatief succesvol musici als Teddy Cotton en Kid Dynamite ook zijn, niet iedereen voelt zich gelukkig met de jazz van de donkere muzikanten. Zo schrijft het hoofd van de Amsterdamse politie, de NSB'er Tulp, over hen dat 'zij een funeste invloed uitoefenen op jeugdige meisjes die zich eensdeels aangetrokken voelen tot de zwarte huidskleur van deze lieden, en zich anderdeels laten meeslepen door hun barbaarse muziek'. Tulp overlijdt in 1942. Hij zou zich in zijn graf omdraaien als hij wist dat een paar jaar later Hollandse meisjes in dansgelegenheden bij de donkere, uit Suriname afkomstige jongens op schoot kruipen. Als ze pas in Nederland zijn, laten de jongens die vrijages beduusd over zich heen komen. In Suriname kwamen ze nauwelijks met blanke meisjes in aanraking. Vaak was contact tussen een creoolse Surinamer en een blank meisje *not done*. Hier in Nederland zijn de meisjes echter veel vlotter en vallen niet zelden op de in hun ogen exotische, zwarte mannen. 'Dat ik dat mocht meemaken, het was een droom,' zegt een Surinaamse timmerman vele jaren later, in 1994.

Ondanks de mening van mensen als deze Amsterdamse politieman kan Teddy vrij spelen, totdat het hem in 1943 door de Kultuurkamer verboden wordt om nog op te treden. Zwarte mensen behoren in de ogen van zowel de Duitse bezetters als de NSB tot een inferieur ras. Het is een ironisch toeval dat het enige bewegende beeld dat van Teddy bewaard is gebleven, een propagandafilm van de NSB is, die deze ontaarde muziek aan de kaak stelt. Teddy en Kid Dynamite zijn daarop welgeteld een minuut te zien. Het is niet duidelijk of de muziek bij de film ook van Teddy en Kid afkomstig is. Verder is er geen enkele geluidsopname van Teddy Cotton bewaard gebleven. Het enige wat door vrienden over Teddy's spel gezegd werd, is dat het vooral hard was. Toch worden Teddy's zuivere toon en volume later legendarisch. 'Het geluid van zijn trompet was over de hele Nieuwmarkt te horen,' heeft Gerrie van der Velden van café De Zon zich laten vertellen. 'En,' voegt hij er nostalgisch aan toe, 'er was niemand die klaagde over overlast in die tijd.'

In de loop van 1947 komen in het kielzog van Annies vriend Teddy de Surinamers Eddy Faithfull en Berie Helder mee naar het café van Frits Smit. Eddy is een ware dandy die zoals zoveel Surinaamse mannen zwierig door het leven gaat. In Paramaribo droomde hij ervan de kost te verdienen als kapper. Omdat hij daarnaast belangstelling heeft voor alles wat met kunst te maken heeft, ziet hij zichzelf eerder als een toekomstige haarartiest dan als een doodgewone kapper. Het leven in Suriname biedt hem te weinig perspectief om zijn artistieke aanleg verder te ontwikkelen en hij monstert aan op een boot naar Nederland. Zo belandt hij net als de meeste zeevarenden die Amsterdam aandoen in een onderkomen in de buurt van de Zeedijk. Eenmaal gesetteld probeert hij het kappersvak op te pakken. Hij verwacht dat hij in deze mondaine stad zijn ambities als haarartiest kan waarmaken, maar komt daarbij bedrogen uit. De Nederlander wil niet door zwarte handen geknipt worden. Het is een teleurstelling die Eddy maar moeilijk kan verwerken. Maar hij zit niet bij de pakken neer en met zijn aangeboren flair weet hij toch op geheel eigen wijze een bestaan op te bouwen.

Zijn vriend Berie, ook uit Paramaribo, is een avontuurlijk ingestelde zeeman, die net als Eddy in Amsterdam is blijven hangen. Algauw bezoeken beide mannen regelmatig de Casablanca, waar Teddy optreedt. Hoewel Teddy het niet zo heeft op andere Surinamers die naar Nederland komen – het zijn volgens hem vooral goedkope avonturiers of armoedzaaiers – kan hij het wel goed vinden met Eddy en Berie.

Als café Smit na verloop van tijd voor beide vrienden een vertrouwde plek begint te worden, vraagt het drietal zich af hoe zij meer donkere klanten naar de kroeg kunnen halen. Geen van drieën denkt daarbij aan andere Surinamers, die in het al-

Teddy in de Cotton Club, links van hem Annie. Rechts, met schort, Willy

gemeen maar weinig te besteden hebben. Hun gedachten gaan vooral uit naar de vele donkere Amerikanen die na de oorlog in Duitsland zijn gelegerd. Het zijn nette kerels, ze zien er overwegend goed uit in hun keurige uniform en zij hebben veel te besteden. De Amerikanen, gewend aan Amerikaanse afstanden, komen in de weekeinden vanuit hun Duitse legerplaatsen graag naar Amsterdam om de bloemetjes buiten te zetten. De hotelkamers rond de Wallen zijn goedkoop, de meiden niet afkerig van donkere mannen en het bier kost bijna niets, zelfs niet voor hen die hun dollars uitgeven alsof het guldens zijn. De meeste soldaten hebben geen idee van de waarde van de Europese munten. Een mark of een gulden, het is hun om het even, en zij gaan ervan uit dat die muntsoorten ongeveer dezelfde waarde hebben als een dollar.

Gewapend met door henzelf gemaakte kaartjes waarop de drie vrienden café Smit aanprijzen, gaan zij naar het Centraal Station om de Amerikanen op te vangen. Daar staan zij tussen de hoertjes die ook al op de felbegeerde dollars uit zijn. Het drietal legt de Amerikanen uit dat het in het café op de Nieuwmarkt goedkoop drinken is en dat daar veel donkere mensen komen. Later op de avond gaan, niet ver van het café op de Nieuwmarkt, danstenten als de Casablanca open, vol met lekkere Hollandse meiden.

Als de familie Smit aan de relatie tussen Annie en Teddy begint te wennen, gaat het stel samenwonen op de Oudezijds Achterburgwal. In de kelders van de grachtenhuizen zijn kleine bedrijven gevestigd: fietsenmakers, timmerbedrijven en naai-ateliers waar regenjassen worden vervaardigd. Hier en daar zit een vrouw achter het raam van het souterrain of van de bel-etage. Iedereen in de buurt kent hen en de kinderen noemen de vrouwen 'tante'. Omdat prostitutie verboden is, maar in dit gebied gedoogd wordt, dragen de prostituees nette jurkjes of rokken tot ver over de knie met daarboven keurige jumpers met een vest.

Nadat haar dienst er 's avonds op zit, bezoekt Annie de gelegenheid waar Teddy op dat moment speelt. Wanneer hij dan later op de avond ook klaar is met zijn werk, gaan ze samen tot in de kleine uurtjes dansen. Achteraf is die tijd misschien wel de mooiste van Annies leven. Wanneer Teddy in de Casablanca speelt, verdient hij soms tweehonderd gulden per week, die hij met gulle hand uitgeeft. Vrienden die om geld verlegen zitten, kunnen altijd op hem rekenen.

Teddy is bij velen graag gezien. Ook bij de familie Veth, de familie die na de oorlog de Zeedijk en een deel van de Wallen in haar greep houdt. Samen met Annie gaat Teddy op bezoek bij Mien Veth. Mien is ooit getrouwd geweest met Jouke de Vries, die oorspronkelijk een paar tabakszaken in Amsterdam heeft. De verdiensten in deze branche zijn niet spectaculair en de sigarenkisten in de etalage ruimen al spoedig het veld voor andere, levende koopwaar. Bij Jouke krijgt Mien drie zoons, maar zij is zo beroemd, om niet te zeggen berucht als geldschietster en hoerenmadam, dat haar drie jongens niet 'De Vries' worden genoemd maar 'Veth' naar hun moeder. Teddy is bevriend met de oudste van de drie, wat heel uitzonderlijk is, omdat discriminatie de familie Veth niet vreemd is.

Mien leent geld uit aan mensen uit de buurt en vraagt daarbij een rente van 12,5 procent, wat voor die tijd een woekerrente genoemd mag worden. De rente werd zo hoog gevonden dat het in de volksmond heette dat Mien je een dubbeltje voor een kwartje leende. Wie niet op tijd afbetaalt, krijgt de broertjes Veth op bezoek, die de schuldenaar op hardhandige wijze herinneren aan hun betalingsachterstand. Meestal houdt dat in dat de lener niet alleen een ongenadig pak slaag krijgt, maar dat het café of de winkel waar het geld voor geleend is, door de heren wordt verbouwd. Die praktijken liggen echter ver buiten de horizon van de jonge Annie, en ze kan zich later zelfs niet herinneren dat zij daar ooit van gehoord heeft. Ze houdt het erop dat hun bezoekjes bij Mien gewone visites waren, waarbij een glaasje werd gedronken. Waarschijnlijk zal er echter een zakelijk kantje aan die visites hebben gezeten. De familie Veth had een dikke vinger in de pap bij de horeca op de Zeedijk, waar Teddy regelmatig optrad.

In 1952 – Annie is dan eenentwintig – pacht zij samen met Teddy café Smit van haar vader. Zij dopen de kroeg om tot de 'Cotton Club'. De Amerikaanse bezoekers van het café brengen steeds vaker hun 'eigen' muziek mee en de jukebox in het café raakt gevuld met 78-toerengrammofoonplaten van Charlie Parker, Gerry Mulligan, Fats Domino en Stan Getz. Ze introduceren nieuwe dansen en nemen whisky mee, een luxedrank die ver boven het budget uit gaat van de gemiddelde Nederlander, die zich in die jaren gelukkig prijst als hij zich een fles jenever kan veroorloven. Als de Amerikanen bij het pokeren met Frits en Faithy, zoals zij Eddy Faithfull noemen, hun dollars verloren hebben, gebruiken zij het vloeibare goud als inzet.

Soldatenmeiden, op de voorgrond Willy Smit

Als Teddy en Annie de zaak een jaar beheren, lopen de spanningen in het gezin Smit langzaam op. Het paar is doorlopend achter met het betalen van de huur. Teddy neemt het niet zo nauw met zijn plichten als uitbater en gaat vaak 's avonds stappen, nadat hij een greep in de kassa van het café heeft gedaan. De flegmatieke Frits Smit begint er zelfs langzamerhand spijt van te krijgen dat hij de kroeg aan het stel verhuurd heeft. Bovendien blijkt de aandacht van Teddy niet beperkt tot Annie en voelt hij zich overduidelijk aangetrokken tot andere, vaak nog jongere meisjes. En hoewel Frits zelf niet vies is van een slippertje, wil hij niet dat zijn dochter wordt bedrogen.

Dat Teddy oog heeft voor andere vrouwen, valt ook een vrouw op die in de band van Kid Dynamite zingt. Het is Annie Sterman, die tijdens een talentenjacht in een café door Kid is gescout. Haar lichtgetinte huidskleur beschouwt Kid als een pluspunt: zo past ze perfect in zijn band. In de Casablanca, waar Kid speelt, ontmoet ze Teddy Cotton en regelmatig komt zij ook in de Cotton Club. Op een tournee van Kids band naar de Oostenrijkse hoofdstad Wenen is ook Teddy van de partij. Zijn vriendinnetje, Annie Smit, gaat mee. Jaren later zegt Annie Sterman onomwonden over haar naamgenote: 'Het was een schatje, een groot kind vergeleken met Teddy die een stuk ouder was. Hoe kon ze in godsnaam iets in dat secreet zien? Hij had nog losse handjes ook.'

Annie Smit krijgt er op een gegeven moment zo genoeg van dat Teddy geregeld geld uit de kas neemt, dat ze op een dag zelf ook een graai uit de geldla neemt en van het geld dure kleren koopt. Na haar impulsieve daad durft ze niet goed naar haar huis op de Oudezijds Achterburgwal en slaapt ze twee nachten bij het Leger des Heils. Overdag zit zij in de bioscoop de Cineac in de Reguliersbreestraat, waar doorlopende nieuwsvoorstellingen draaien. De derde dag haalt Teddy haar op bij haar moeder. De gevreesde ruzie blijft uit. Vader Frits ziet het allemaal zwijgend aan.

HOOFDSTUK 2

DE ZWARTE PRINS

1954-1955

Halverwege 1954 komt Annie bij Da de keuken binnen en vertelt haar dat zij heeft besloten met Teddy mee te gaan naar Hamburg. Teddy kan daar goedbetaald werk krijgen in een jazzclub. De in Duitsland gelegerde Amerikanen hebben de jazz niet alleen naar Amsterdam gebracht, maar ook naar cafés in Hamburg. Net als in Amsterdam slaat de jazz daar aan. Teddy is niet de enige Surinaamse jazzmusicus die naar Duitsland vertrekt, Kid Dynamite is hem al voorgegaan. Da knikt alleen maar als zij het nieuws verneemt. Zij merkt aan Frits dat hij opgelucht is, als hij hoort dat Annie en Teddy weggaan. Wel maakt haar man zich druk over een tekort aan personeel dat door het vertrek van Annie ontstaat. De oplossing wordt gevonden door Eddy Faithfull als barman te vragen, die wel vaker invalt en het goed doet achter de tap. Naast Eddy komen nog eens twee vrouwen uit de buurt regelmatig in het café werken.

Ook nu Teddy niet meer in de stad is, blijven Eddy en Berie Amerikaanse soldaten ronselen. Rond 1951 nemen deze militairen af en toe een nieuw rookmiddel mee, dat zij marihuana noemen of wiet. Een paar handige Surinaamse jongens, Small Boy en Blackie, vaste bezoekers van de Cotton Club, weten daar algauw een extra zakcent mee te verdienen. Zij kopen de wiet van de Amerikanen en draaien er sigaretjes van die zij strootjes noemen en voor een gulden per stuk verkopen. Eddy en Berie zien daar ook wel brood in. Eddy komt op het idee om de marihuana in lege luciferdoosjes te verpakken, die hij vervolgens

Gokken in de Cotton Club

voor een paar gulden per stuk verpatst. Die extra inkomsten stellen hem, verslaafd als hij is aan gokken, in staat om in het weekend met zijn maten naar het Noord-Brabantse Baarle-Nassau te reizen. De Belgische enclave is een paradijs voor goklustigen, want de Nederlandse wet op de kansspelen is daar niet van toepassing.

In de Cotton Club wordt ook gegokt, maar dat gaat overwegend om betrekkelijk kleine bedragen. Wat grover gaat het er 's nachts aan toe in de Olofsbar, een klein etablissement in een steeg vlak bij het Centraal Station. Nadat de Cotton Club is gesloten, zoeken de klanten vertier in de Casablanca op de Zeedijk. Als ook daar de sluitingstijd is aangebroken, gaan zij naar de nabijgelegen Olofsbar. Tegen die tijd is vrijwel iedereen dronken en raakt de stemming er bij het naderen van de ochtend steeds verder uit. Niet zelden eindigen de avonden in de Olofsbar dan ook in vechtpartijen. Het is zo'n bar waar blanke voorbijgangers voor gewaarschuwd worden. Een verdwaalde gast uit de Cotton Club die een keer mee is gekomen met de Surinaamse gasten, wordt voor de deur van de zaak tegengehouden door een snorder, Frits Adriaanse. 'Daar kun jij beter niet naar binnen gaan, mijn jongen,' fluistert de later zo bekende eigenaar van café De Wereld de man toe. Eenmaal groot geworden in de Amsterdamse penoze zal iedereen de naam Adriaanse zo goed als vergeten zijn en kent men de penozebaas alleen nog maar onder de naam Frits van de Wereld.

In de zomer van 1954 brengen Amerikaanse soldaten muziek van Chet Baker mee. De platen zijn net uit en waarschijnlijk is de Cotton Club de enige plek in Nederland waar Chet Baker te beluisteren valt. Aan het eind van dat jaar wordt de Cotton Club voor het eerst bezocht door Amerikanen die in Nederland zijn gelegerd. Zij komen van de vliegbasis in Soesterberg naar Amsterdam om daar hun vertier te zoeken. Al snel vinden zij in het hartje van de stad de Casablanca, de Passagebar en de Cotton Club. Onder de kop 'Negers ontmoeten elkaar in het Hollandse Harlem' schrijft Hans Sternsdorff in *Het Vrije Volk* van 25 november 1955 een mooie reportage over de Amerikaanse soldaten die hun muziek meebrengen naar de cafés in Amsterdam. Uitvoerig beschrijft hij het interieur van de Cotton Club. De wanden zijn in die dagen bespannen met jute: 'Daarop is in zwarte verf een negerband geschilderd. Een ander tafereel toont de haven van New York met het Vrijheidsbeeld op de voorgrond. Op het volgende doek rust een neger met een gitaar onder een klapperboom. Verderop leunt er een tegen een lantaarnpaal.' Boven de bar hangt een bord met het opschrift *Ham en Egg's, f.1,50*. Daarnaast een bordje met *Hotdogs*, na de verhoging van de prijs met een dubbeltje is er een papiersnipper over de oude prijs geplakt: *0,35 ct*. Ook de deur naar de keuken is van een Engels opschrift voorzien, onder het bordje privé is een bordje met *private* aangebracht.

Over de Amerikaanse soldaten weet Hans te vertellen 'dat ze zo kunnen zijn overgewipt van Good Old Georgia, zo van de katoenplantages'. 'Maar nu,' vervolgt de schrijver van het socialistische dagblad, 'bedekt hen niet het stof van de velden. Velen van hen dragen het Amerikaanse uniform en ze krijgen nu loon naar werken. Zo'n 80 dollar per maand, rond 300 gulden in Nederlandse waarde. Kost en onderdak vrij. De tophits zijn vaak eerder in de Cotton Club te horen dan voor de radio.'

De Amerikanen vermaken zich in de Cotton Club met de Nederlandse meisjes die aan de bar zitten. Onder hen is ook Nanny, een transseksueel. Als man geboren heeft zij een innerlijke drang om als vrouw te leven, maar in de jaren vijftig is het nog niet mogelijk zich te laten opereren. Een baan of een uitkering zit er voor haar niet in, waardoor ze in de prostitutie is beland. Nanny komt regelmatig in de Cotton Club kijken of ze er een klant kan vinden, bij voorkeur een donkere militair uit Duitsland. 'Het was toen bijna de enige kroeg waar zwarte mensen kwamen. Ik zag er een enkele keer een vrouw die het – waarschijnlijk buiten medeweten van haar echtgenoot – wel eens met een zwarte man wilde proberen. Zelf heb ik nooit helemaal kunnen verklaren waar die voorkeur voor donkere mannen vandaan komt en ik heb er dan ook geen antwoord op... misschien omdat ze mooier zijn gebouwd en hun seks intenser is. Ze zijn beter gekleed en hebben een joie de vivre die gepaard gaat met een geweldige swing.'

Nanny moet haar klanten op straat of in een bar oppikken, want het huren van een raam in een hoerenkast is haar door de zedenpolitie verboden. De politie wil dat zij zich, zoals de wet dat eist, als man kleedt. Als zij zich niettemin als vrouw gekleed op straat waagt, gebeurt het niet zelden dat de dienders van bureau Warmoesstraat haar oppakken. Zij moet dan haar kleren uittrekken, die in beslag worden genomen. In plaats daarvan krijgt zij tijdelijk een zogenaamd drenkelingenpak. Het is een kledingstuk van ruwe textiel, dat gebruikt wordt voor mensen

Nanny

die in de gracht zijn gevallen en uit het water zijn gehaald, zodat zij in ieder geval iets droogs kunnen aantrekken. De agenten escorteren haar tot aan haar huisdeur, waar zij haar sommeren het kledingstuk terug te geven, zodat zij naakt de trap op moet.

Het controversiële gedrag van Nanny roept ook agressie bij de penoze op. Jaloerse hoeren jagen haar weg. Als zij op een dag over de Oudezijds Voorburgwal loopt, ziet Mien Veth haar vanuit haar huis aan het Kolkje. Aan de overkant lopen twee van haar zoons en Mien roept uit het raam: 'Hé jongens, een meier voor wie die poot de gracht in gooit!' Nanny zet het dadelijk op een lopen en weet ternauwernood aan de mannen te ontkomen. Zij is doodsbang, want de wallenkanten zijn zo hoog dat het onmogelijk is om zonder hulp uit de gracht te klimmen. Op andere momenten, wanneer zij als vrouw gekleed tippelend door een agent betrapt wordt, vlucht zij de Cotton Club binnen, waar ze zich in de huiskamer achter het café mag omkleden. Vervolgens loopt ze via de binnenplaats naar de Koningsstraat, waardoor zij onvindbaar is geworden voor de haar achtervolgende agenten.

Weinig mannen hebben door dat Nanny het lichaam van een man heeft en zoals zijzelf later in haar biografie zal schrijven, was 'het naaien ook niet zo'n probleem. Ook de oudere hoeren als Mien van Haring Arie, Parijse Leen en Zigeuner Marie, kunnen het beamen: "Echt neuken is er bijna nooit bij." Met allerlei hoerentrucs en met veel praten worden de klanten afgewerkt en komen zij klaar voordat zij zich goed en wel hebben uitgekleed.' Ervaren hoeren, en dat geldt ook voor Nanny, weten hoe zij de penis tussen hun kin en hals moeten klemmen om de klant de indruk te geven dat hij wordt gepijpt. Maar de ontmoetingen tussen Nanny en haar klanten verlopen niet altijd even gladjes. Op een dag neemt Nanny een Amerikaanse soldaat mee naar de kamer die zij dan huurt in de buurt van de Zeedijk. Boven aan de trap gekomen graait de soldaat onder haar rok en vindt daar iets wat hij niet had verwacht. Woedend pakt hij Nanny vast en smijt haar de trap af. Nanny komt er met een paar kneuzingen nog redelijk van af.

Een andere keer ligt het initiatief bij Nanny zelf, als een naieve buurtbewoner die Nanny niet goed kent, in de Cotton Club plotseling zijn hand tussen haar benen legt. Geschrokken trekt de man zijn hand terug, maar Nanny trekt haar kokerrok op en neemt de houding aan van een professionele bokser. Voor de man het weet, heeft hij een paar tikken op zijn oog en neus te pakken. Tot vermaak van de cafébezoekers weet de man niet hoe gauw hij de Cotton Club uit moet komen.

Behalve Amerikanen bezoeken ook steeds meer Surinamers de Cotton Club. Eind jaren veertig en begin jaren vijftig zijn de jonge Surinaamse mannen vol verwachting naar Nederland gekomen. Vooral diegenen die in hun land geen vak hebben geleerd, blijven vaak zonder werk. Hun huurkamer heeft zelden verwarming. Bovendien moeten zij de kleine woonruimte vaak met meer landgenoten delen. In de meeste gevallen eist de hospita van hen dat zij de kamer overdag verlaten. Voor deze jongens is de Cotton Club een huiskamer waar de lampenkapjes gezellig licht verspreiden en de kachel brandt. Bij tijd en wijle brengen ze er de hele dag door en proberen dan wat geld te verdienen met kaartspelen of dobbelen, want het lot kan je immers gunstig gezind zijn.

Naarmate de Surinamers die zich ophouden rond en in het centrum van Amsterdam langer in Nederland wonen, zoeken zij hun inkomen steeds vaker buiten het legale circuit. Discriminatie leidt ertoe dat zij maar moeilijk werk vinden en de handel in wiet is lucratief. Ook het pooierschap is een bron van inkomsten, omdat er veel vrouwen vallen op de donkere mannen. In de zomer van 1954 ergeren de bordeelhouders en de horeca-uitbaters uit de buurt zich al een tijdlang aan de Surinamers die zich op de kop van de Zeedijk verzamelen. De penoze is de toename van Surinaamse dealers op de Zeedijk een doorn in het oog. En wat hun ongenoegen nog groter maakt, is het groeiende aantal Surinaamse pooiers.

Op een avond, eind augustus 1954, trekken café-eigenaren en een deel van de Amsterdamse penoze, onder wie de broertjes Veth, gewapend met fietskettingen en loden pijpen naar de kop van de Zeedijk om het 'zwarte geteisem' van de Dijk te ranselen. De penoze kan het zich permitteren om tot dergelijke acties over te gaan. Zij kan rekenen op de sympathie van de plaatselijke kroegbazen. Bovendien heeft de penoze onder de buurtbewoners geen slechte naam. 'Je was als vrouw beschermd,' zegt een voormalig buurtbewoonster, 'de pooiers, inbrekers en gokbazen hielden hun buurt schoon.' De buurt moest veilig zijn, anders zouden de klanten van de hoeren en de gokhuizen wegblijven. Het gaf de jonge volksvrouwen op de Zeedijk een veilig gevoel.

Het handgemeen dat ontstaat tussen de 'Zeedijkers' en de

Surinamers dreigt even uit de hand te lopen. Een van de initiatiefnemers, Jaap Veth, wendt zich tot zijn boodschappenjongen en fluistert hem toe dat hij maar even naar Jaaps huis moet lopen om daar zijn pistool te halen. Het pistool wordt gehaald, maar niet gebruikt.

De boodschappenjongen is Henk Dolman, de zoon van een kleine winkelier uit de Koningsstraat. De man, die daar tijdens de oorlog een zaak in tweedehandskleding dreef, verkoopt tegenwoordig chocolade en Amsterdams zuur, wat een reden is om zoon Henk de bijnaam 'Zuur' te geven. Vrijwel iedereen is zijn eigenlijke achternaam vergeten. Hoewel hij is opgegroeid in de buurt achter de Nieuwmarkt, is Henk een jongen van de Wallen. Daar doet hij boodschappen voor de meiden, hij speelt er en wordt er volwassen.

In 1954, kort voor de rellen op de Zeedijk, banjert hij als zestienjarige jongen met een paar vrienden rond op de Wallen. De jongens worden aangehouden door Joop de Vries. De Jiddische man die later bekend zal worden als Zwarte Joop, een van de grootste penozebazen die de Wallen heeft gekend, is dan nog een kleine pooier en sjacheraar. 'Wie van jullie durft er al naar de hoeren?' Hij vraagt het deels om de jongens te plagen, deels om de meid te jennen, omdat zij het met een kind moet doen. De jongens aarzelen. 'Ik betaal!' roept Joop en hij wappert met een tientje. Henk is de enige die de moed opbrengt, hij pakt het tientje aan en gaat naar binnen.

Vele jaren later – Henk is in de zeventig en vaste klant van de Cotton Club – herinnert hij zich de gebeurtenis als de dag van gisteren. Hij lacht naar binnen gekeerd en snuift, terwijl hij twee vingers opsteekt. 'Twee! Twee trekjes en ik stond weer buiten.' De jonge Henk was zo gespannen dat de meid hem een zaadlozing had bezorgd voordat de jongen goed en wel zijn broek uit had. 'Dat heb je snel gedaan,' lacht Joop spottend. Een dag later wordt Joop bij Mien Veth ontboden. Hoe hij het in zijn stomme boerenkop durfde te halen een kind bij een van haar meiden naar binnen te sturen. 'Het is godverdomme de bedoeling dat die meiden pezen voor hun geld en niet hun tijd verdoen met kinderen.'

Henk doet al een tijdje boodschappen voor Jaap Veth, die een jongensdroom probeert waar te maken door een oude sloep om te bouwen tot een luxebootje, waarmee hij door de grachten wil varen. Henk zorgt voor het materiaal en doet de inkopen voor Jaap. Als Jaap hem tijdens de rellen op de Zeedijk vraagt zijn pistool te gaan halen, is Henk apetrots: een echt pistool, dat is me nogal wat. In die tijd, zo halverwege de jaren vijftig, zijn er vrijwel geen vuurwapens in Amsterdam te vinden. Pas in de jaren zeventig zal daar verandering in komen.

Hoe bijzonder vuurwapens in die dagen waren, wordt duidelijk uit het verhaal over een Amsterdamse crimineel die in die jaren, zo rond 1955, in het bezit is van een kaliber .22 pistool. Het is eigenlijk geen echt vuurwapen, maar een omgebouwd gaspistool, het soort vuurwapen dat in die dagen te koop was. Deze wapens waren nauwelijks gevaarlijk, wat blijkt als de man het zijne daadwerkelijk gebruikt tijdens een ruzie met een Amerikaan in café Het Witte Paard in de Utrechtsestraat. Nadat de Amerikaan een mes heeft getrokken, richt de crimineel het wapen op het hoofd van de Amerikaan en haalt de trekker over. Geschrokken van zijn eigen daad rent de schutter onmiddellijk weg van de plek des onheils. Even later krabbelt de Amerikaan met een bebloed hoofd overeind en wankelt naar buiten. Alles wijst op een schampschot. Versuft laat hij zich neerzakken op een vuilnisbak, waar hij zwaar bloedend door de politie wordt gevonden. In het ziekenhuis blijkt dat de crimineel wel degelijk raak heeft geschoten, maar dat het kogeltje in het bot van de schedel is blijven steken. Er zat te weinig kracht achter het schot om de schedel zelfs van dichtbij te doorboren.

Officieel vindt Frits het niet goed dat er in zijn zaak marihuana gerookt wordt. Maar als hij dronken is en omgeven door de rook van zijn sigaar, rookt een enkeling zijn jointje aan de bar. De meeste klanten roken hun stickie buiten, maar bij de toiletten wisselen de luciferdoosjes van eigenaar. Hoewel Frits dus niet zo heel consequent is als het om het gebruik van wiet gaat, is hij over één ding duidelijk: er mag in zijn café niet gevochten worden. Vechtpartijen kunnen lelijk uit de hand lopen, ze trekken de aandacht van de politie en je loopt als kastelein ook gevaar, vindt hij.

Op de een af andere manier dwingt zijn houding respect af bij de vaste klanten. Zelfs jaren nadat Frits is overleden, herinnert de kunstschilder Guillaume Lo A Njoe zich: 'Je zag hem nooit van zijn kruk af komen, maar hij had de zaak wel in de hand. In deze tijd hadden zij hem minister van Integratie kunnen maken, dan had dit land geen problemen gekend.' Frits heeft zo zijn eigen ideeën. Als een klant tegen hem zegt dat hij even slecht bij kas zit, loopt de kroegbaas naar de la in het buffet en pakt hij er een briefje van tien of van vijfentwintig gulden uit. Gevraagd waarom hij mensen geld leent en niet gewoon zoals andere uitbaters in de buurt een pilsje op de pof schenkt, antwoordt hij steevast dat zijn barmeiden anders hun fooi mislopen. Frits vertrouwt erop dat het geld wel weer terugkomt, waar hij niet altijd gelijk in heeft.

Zijn vrouw Da heeft het wel eens moeilijk met het vertrouwen dat Frits zijn stamgasten schenkt, wat zo nu en dan aanleiding is voor een stevige ruzie tussen beide echtelieden. Maar doorgaans bemoeit Da zich niet met de gang van zaken in het café. Haar leven draait om haar kinderen en om het huishouden. Klanten die hun kinderen even kwijt willen, lopen gewoon door de keuken naar de huiskamer, waar Da zich graag over de peuters ontfermt. 's Ochtends, als Frits nog ligt te slapen, maakt ze het café schoon, daarna doet ze boodschappen in de Koningsstraat. De smalle straat achter de Nieuwmarkt is na de oorlog weer opgebloeid. Er zijn weer veel kleine winkels voor de dagelijkse boodschappen geopend, zoals een paardenslager, een schoenmaker, kledingzaken, een wolwinkel, een bloemist en een winkel voor huishoudelijke artikelen. Over de Joodse winkeliers die zijn weggevoerd en niet meer teruggekomen, wordt weinig gepraat.

Een avond in de Cotton Club (circa 1954).
Achter de tap Bep van de Berg (Beppie) en Willy Smit. Op de voorgrond Alie Smit

Op de tijden dat Da zelf in het café zit, praat ze vooral met buurt-bewoonsters. Met hun sigaretje in de hand wisselen de vrouwen hun belevenissen uit. Het loon dat hun man thuisbrengt, is vaak niet genoeg om het gezin te onderhouden en daarom hebben sommigen van hen een paar werkhuizen. Een enkele vrouw maakt kassies schoon, zoals bordelen worden genoemd. Op een dag vertelt een jonggetrouwde vrouw aan de bar dat ze die dag vijftig gulden verdiend heeft. Haar werkgeefster had haar gevraagd de wc te doen, wat ze nogal raar vond, omdat ze die wc een uur eerder ook al had schoongemaakt. 'Ah, doe het nou. Ik hou wel van een schoon toiletje,' had haar werkgeef-ster gezegd. 'Toen ik de deur van de wc opendeed hing daar een spiernaakte kerel met zijn handen aan de stortbak gebonden.

Ik schrok me dood en gaf een gil, waarop die man klaarkwam. Toen ik dat aan mijn opdrachtgeefster vertelde, zei die: "Dat kreeg ik nou niet meer voor elkaar," en gaf me vijftig gulden. Vijftig piek, daar kan ik zeker twee weken mee vooruit,' besluit de vrouw haar verhaal. Dan kijkt zij wat onzeker om zich heen en zegt: 'Ik vraag me alleen af of ik nou de hoer heb gespeeld.'

Met de Surinaamse mannen die in het café komen heeft Da niet veel contact. Die jongens zien haar als een statige, bijna koninklijke vrouw. Met haar strakke rok, grote borsten en prachtig krullend haar is Da voor sommige klanten aantrekkelijk. Die flirten met haar en houden haar tegen als ze naar de keuken wil lopen omdat de kinderen op het eten zitten te wachten. Da wil dan wel eens wat langer aan de bar blijven zitten, het brengt per slot van rekening geld in het laatje.

Het ergert Da als Frits onder haar ogen zit te flirten met een van de twee barmeisjes, Rooie Hennie. Da vertrouwt Frits en Hennie, een alleenstaande moeder met kinderen, niet verder dan zij de twee kan zien. Ze is er bijna zeker van dat Frits en Rooie Hennie het samen doen. Het kan nooit veel voorstellen, met dat gezuip van Frits. Maar hij heeft ook nog een paar handen. Uiteindelijk doet ze of ze niets merkt, maar zij ziet liever barvrouw Beppie komen, omdat die op Surinamers en niet op blanke jongens valt. Opgevoed in de horeca, weet ze dat het voor buurtbewoners die het café bezoeken, goed is als iemand uit hun midden achter de tap staat.

De jaloezie is een opmerkelijk trekje bij de anders zo koele Da. Toen Frits een keer sigaretten ging halen en na anderhalf uur nog niet terug was, is Da bijna alle vrouwelijke klanten af gegaan om te kijken of hij soms bij een van hen was. Maar zij kon hem niet vinden. Uiteindelijk zat hij, toen ze in de kroeg terugkwam, op zijn vaste plek rustig een pilsje te drinken. Een paar dagen later bleef Frits een hele nacht weg. De volgende dag kwam hij met een slappe smoes aanzetten. Hij was op de pont over het IJ in slaap gevallen en had daar op een bankje zitten

Alie en Charles (midden). Op de voorgrond Faithfull en ome Frits. Links, naast Charles en Alie, Berie Helder

slapen, terwijl de pont de hele nacht heen en weer had gevaren. Toch denkt zij er niet over om van Frits te scheiden. Ze vindt dat je maar een keer in je leven trouwt. En natuurlijk zijn het vooral de kinderen die Da bij Frits houden.

In de weekenden dat ze in de stad zijn, leggen de Amerikaanse militairen aan het eind van de middag graag een kaartje in de Cotton Club of dobbelen ze wat met de vaste Surinaamse klanten. Het is voor veel van de Surinaamse stamgasten een mooie gelegenheid om wat bij te verdienen, vooral omdat zij behoorlijk bedreven zijn in het vals spelen. Als zij met nietsvermoedende bezoekers kaarten of dobbelen, speelt ook Frits graag een potje mee, zoals een partijtje poker met de Amerikaanse soldaten. Wanneer er vreemden in de kroeg komen, pakt Frits de beker met stenen nog wel eens en wordt er een drie-zesje gegooid. Frits is een meester in het ongemerkt kantelen van de stenen met de rand van de beker, waarmee hij zijn winstkansen aanzienlijk vergroot.

Onder de soldaten bevindt zich een knappe donkere Amerikaan. Het is Charles Lewis, en hij is gelegerd in het Duitse Wiesbaden. Als hij de eerste keer in de Cotton Club komt, is het lente 1954. Hij moet nog dienstdoen tot de herfst van het volgend jaar. Charles komt graag in de Cotton Club, want hij valt op een van de dochters van Frits. Alie voelt zich net als haar zuster Annie aangetrokken tot donkere mannen en het duurt niet lang of Alie en Charles spreken na sluitingstijd af bij de Casablanca om daar te gaan dansen. Charles voelt zich gelukkig nu hij een vriendin heeft zo ver van huis. Maar hij ziet Alie slechts een enkele keer in het weekend en is daarom niet de enige met wie Alie uitgaat.

Een paar maanden later ontdekt Alie dat zij zwanger is. Zij is er vrijwel zeker van dat het kind van haar Amerikaanse vriendje Charles is. Het is haar jongere zusje Willy die bedenkt dat zij het beste naar Wiesbaden kunnen reizen om hem met de feiten te confronteren. De treinreis is duur en dus besluiten de meiden te gaan liften. Omdat het met z'n drieën veiliger lijkt dan met z'n tweeën, vragen zij aan een van de barmeisjes of zij met hen mee wil gaan. Charles reageert positief op het bericht, want hij valt op de mooie Alie. Bovendien is zij een blanke vrouw, wat hem status geeft en hij stemt toe om met haar te trouwen. Aan het eind van het jaar 1954 is de Cotton Club enkele dagen gesloten. De familie is voor het huwelijksfeest van Alie en Charles Lewis afgereisd naar Wiesbaden.

De militaire basis waar de strijdkrachten wonen is een complete, zelfvoorzienende plaats en beschikt over een eigen ziekenhuis. Op 18 april 1955 wordt daar een meisje geboren. Omdat de basis officieel Amerikaans grondgebied is, krijgt ze de Amerikaanse nationaliteit. Het meisje wordt vernoemd naar Charles' moeder, die Marion heet. Alie had dadelijk met de keuze van die naam ingestemd, je kon die naam immers ook op zijn Nederlands uitspreken.

Uit een brief die Alie twee weken na de geboorte van haar dochtertje aan haar onbekende Amerikaanse schoonmoeder schrijft, blijkt hoe gelukkig ze is: Charles is heel zorgzaam, schrijft zij. Het is mooi weer zodat ze elke dag naar buiten kan met de kinderwagen die Da en Frits haar gegeven hebben. Iedereen vindt haar 'poppetje' dat in het wagentje ligt even lief. Enkele maanden later zit de diensttijd van Charles erop en reist Alie met haar donkere prins af naar Los Angeles. Haar sprookje ziet er compleet anders uit dan de beelden die kranten en tijdschriften in die jaren voorschotelen: jonge vrouwen van adel aan de hand van een rijke erfgenaam, Amerikaanse filmsterren, blond en mooi, met hun nieuwe minnaar, gracieuze prinsessen op reis of op wintersport: elke foto nodigt uit om weg te dromen en alle afgebeelde mannen en vrouwen zijn blank.

De jonge Frits Smit (tweede van links met hoed) voor het café van zijn schoonouders op de Oudeschans

HOOFDSTUK 3

CAFÉ ACHTER PRIKKELDRAAD

1940-1956

'Eigenlijk heeft mijn Da veel meer met het caféwezen dan ik. Zij is in de horeca opgegroeid. Haar ouders hadden ook een café of liever haar moeder. Haar vader was van huis uit sigarenmaker, al zei hij dat hij zilversmid was geweest, maar dat was gelogen. Nu was sigarenmaker ook geen beroep om trots op te zijn. De grootouders van Da zaten ook al in de horeca, dus het zit haar echt in het bloed, terwijl ik een stratenmaker ben en mijn vader eerst los-vast arbeider was en later bij de gasfabriek werkte.

Ik heb Da leren kennen toen haar ouders een kroeg pachtten op de hoek van de Korte Koningsstraat en de Oudeschans, hier in de Nieuwmarktbuurt. In die dagen woonde ik op de Kromboomssloot. De ouders van Da woonden op de Lindengracht en als echte Jordanezen dachten zij er niet over om naar de Nieuwmarktbuurt te verhuizen. Iedere nacht liepen zij na sluitingstijd naar de Jordaan terug. Ik ontmoette Da voor het eerst in het café van haar ouders en vond haar dadelijk een echt leuke meid. Het eerste wat me aan haar opviel was dat zij net als ik van gezelligheid hield. Ze zit het liefst binnen samen met familie en vrienden. Hoe meer zielen, hoe meer vreugd. En iedereen is welkom. Een babbel, een kopje koffie of mee-eten met wat de pot schaft. Van het een kwam het ander en voordat je het wist hadden we een dochtertje en waren we getrouwd.

Niet lang nadat onze oudste, Annie, was geboren, verkasten mijn schoonouders naar een kroeg op de hoek van de Tweede

Goudsbloemdwarsstraat in de Jordaan. Wij konden een verdieping naast het café op nummer 80 huren. Daar zijn onze dochters Alie en Willy geboren. Ik heb in die woning het Jordaanoproer nog meegemaakt. Ik herinner mij dat het juli 1934 was, toen ze pal onder ons raam de straat openbraken om een barricade op te werpen, want Da was toen hoogzwanger van onze Willy.

Die Jordanezen hadden in mijn ogen wel gelijk. De uitkeringen gingen steeds verder omlaag en er waren ik weet niet hoeveel werklozen. De regering was er alleen maar voor de rijken en wij, arbeiders, konden barsten. Toch wilde ik niet aan die rellen meedoen. Da was in verwachting en ik hield mijn hart vast, want er werd dagen lang behoorlijk gevochten. Bovendien stond van tevoren vast dat die jongens een verloren strijd streden. Je wint het niet met een paar stoeptegels tegen pistolen en geweren. Ik heb lak aan de overheid en probeer mijn eigen leven te leiden, maar dat is makkelijker gezegd dan gedaan. Toen helemaal, want ik was nog stratenmaker. Dat beroep had natuurlijk voordelen, want je was ambtenaar en kreeg dus ook pensioen, maar het was vooral een zwaar beroep. Ik was op mijn dertiende begonnen, je reinste kinderarbeid, en zat alweer meer dan tien jaar in het vak. Dat ga je aan je knieën voelen en daarom liep ik, als het maar even kon, in de ziektewet. Bij ziekte moesten we ons melden bij de Raad van Arbeid. Er zat daar zo'n mokkel achter de balie dat je naam opschreef en je klacht noteerde. Ik kon wel aan haar merken dat ze me voor geen meter geloofde als ik me weer eens ziek kwam melden, maar ze kon er niets van zeggen.

Toen ik ten tijde van het oproer die rotzooi op straat zag, dacht ik bij mezelf: straks mag ik weer op mijn knieën om die teringzooi op te ruimen. Dat bleek later niet nodig, want om te voorkomen dat ze nog eens de stenen uit de straat zouden trekken, zijn de straten in de Jordaan in één keer allemaal geteerd. Maar ik had me in die dagen voor het eerst voorgenomen om met dat rotvak te stoppen zodra zich een kans voordeed.

De opening van café Smit (het oude café De Bezem en de latere Cotton Club), 8 juni 1940. Da en Frits en hun oudste drie dochters (Annie, Alie en Willy)

Uiteindelijk heb ik het aan de moeder van Da te danken dat ik in de horeca terecht ben gekomen. Als ik me het goed herinner was het eind februari, misschien begin maart 1940, dat mijn schoonmoeder onverwachts bij ons voor de deur stond. Ze was helemaal over de rooie en het duurde even voordat Da haar enigszins gekalmeerd had. Zij kankerde aan een stuk door op mijn schoonvader, die haar weer eens 'besodemieterd' had en schreeuwde dat dit de druppel was die de emmer deed overlopen. Nu waren we dergelijke uitbarstingen wel van haar gewend. Het was niet de eerste keer dat zij van Johan wilde scheiden, omdat het huwelijksbed niet altijd het enige bed was waarin hij de liefde bedreef. Maar dit keer leek het er toch op dat zij het meende: ik had haar nog nooit zo kwaad gezien.

Ze wilde zonder Johan voor zichzelf beginnen en had een kleine kroeg, De Bezem, op het oog op de Nieuwmarkt. De eigenaar van De Bezem was er een paar maanden eerder mee gestopt, die leefde van zijn geld niet ver van zijn oude café op de Geldersekade. Het was een gunstig aanbod: mijn schoonmoeder kon het café inclusief vergunning van de brouwerij pachten voor nog geen vierhonderd gulden. Bovendien was zij bekend met de buurt, want haar ouders hadden daar immers al eerder een café gedreven. Ze had alleen geen vierhonderd gulden, daarom had ze bedacht dat ik als ambtenaar voor haar het geld kon lenen bij de bank.

Logisch dat ik het café eerst wilde zien voordat ik zomaar vierhonderd gulden voor mijn schoonmoeder ging lenen. Het café bleek een pijpenla op de Nieuwmarkt nummer 5 en er zat een mooie woning achter die met een steeg verbonden was met de Koningsstraat. Onder het café was een grote kelder, waar je onder meer het bier kon stallen. Eerlijk gezegd vond ik het geen gekke investering.

Hoewel een maand daarvoor de oorlog was uitgebroken, zaten de ambtenaren gewoon op hun post, en was het vrij gemakkelijk om die vierhonderd gulden te lenen. Maar net toen ik alles geregeld had, stonden mijn schoonouders samen op mijn stoep. Ze hadden het weer bijgelegd. Het zou de laatste keer niet zijn en in de jaren vijftig zijn ze zelfs echt gescheiden, maar ook dat weerhield hen er niet van om weer bij elkaar te komen.

Nu de moeder van Da het geld niet meer nodig had, bedacht ik me dat ik zelf het café zou kunnen kopen. Het was eigenlijk een mooie gelegenheid om uit het stratenmakersvak te stappen. Zo kwam het dat ik 8 juni 1940 het contract met de brouwerij tekende en voor 393,64 gulden de trotse eigenaar van een café met vergunning werd. Aanvankelijk had Da er niet zoveel zin in. Zij kende het kroegleven te goed en vond het niet de ideale omgeving voor jonge kinderen om op te groeien, maar uiteindelijk stemde zij er toch mee in, zolang ik maar beloofde dat ik ervoor zou zorgen dat de meisjes niet in het café kwamen.

Ik kende de Nieuwmarkt nog uit de tijd dat het een echte markt was. Het was er druk en gezellig en vooral op zondag leefde de buurt, dan kwam de halve stad op die markt af. Er stonden honderden kramen. Naast de Waag stond nog een hal, zo'n ouderwets gebouw, daar verkochten ze kip. Verse vis kon je d'r ook bij de vleet krijgen. Die hielden ze goed in van die schommelkarren: met zink beklede bakken met water erin. Daar dreven vissen in en dan stond een knulletje voor een paar centen de hele dag met die kar te schommelen, zodat het water in beweging bleef. Daar hield je de vis vers mee: bleef ze een beetje leven. Een levendige markt leek me een goede plek voor een kroeg. Het was een echte arbeidersbuurt, veel rooien, uiteraard. In de ruimte naast mijn café zat op nummer 7 een vergaderruimte van de partij van die communist, Henk Sneevliet. Die is later door de moffen doodgeschoten.

Je zag er overal Joden venten met handkarren en in de Koningsstraat woonden veel Joodse mensen die een winkel hadden. Ze zaten bijna allemaal in de handel. De buurman op driehoog naast ons stond hiertegenover op de markt met haring en zuur. Boven nummer een, wat nu het café van Gerrit Fokke is, woonde ook een koopman, die stond op Uilenburg met kousen en sokken. De Sint Antoniesbreestraat zat vol met kleine stoffenzaken. Dat waren mooie winkels die stuk voor stuk door Joden werden gedreven. Op de hoek van de Nieuwmarkt en de Antoniesbreestraat stond toen al dat grote gevaarte waarin het textielbedrijf van Flesseman was gevestigd. Die Flesseman was een schatrijke textielhandelaar die ook nog een groot bedrijf in Rotterdam had.

Misschien was het stom om dat café te kopen net nadat de oorlog was uitgebroken, maar kort na de inval van de Duitsers in mei ging het leven gewoon door en leek er weinig veranderd. Dat was slechts van korte duur. Begin 1941 ging het langzaam

De Nieuwmarkt begin jaren twintig voordat het nieuwe gebouw van de firma Flesseman werd gebouwd (Foto: Jacob Olie)

aan steeds slechter. Het werd moeilijker om aan sterkedrank te komen, die toch al op rantsoen was. Op een gegeven moment moest ik een bordje neerzetten: *Voor Joden verboden*. Wat mij betreft had er een bordje *Voor Duitsers verboden* naast moeten hangen. Maar bij mij kwamen niet zoveel Joodse mensen. Die gingen naar Hartlooper een paar huizen verderop, op de hoek van de Keizersstraat, dat was zelf een Jodenman.

In februari 1941 ging het echt mis, toen een stel van die bruin-hemden naar het Waterlooplein waren gekomen om rotzooi te trappen. De Joodse kooplieden pikten het niet en begonnen terug te slaan. Die kooplieden hebben tijdens dat gevecht een van die landverraders, een zekere Hendrik Koot, doodgeslagen en dat namen de moffen niet. De volgende dag hebben ze de bruggen rond de wijk opengezet en begonnen zij het hele gebied af te zetten met prikkeldraad. Dat liep vanaf de Amstel over de Kloveniersburgwal naar de Nieuwmarkt. Voor mijn kroeg sloegen zij een paal in de grond waar het prikkeldraad aan vast werd getimmerd. Het was een rotgezicht en ik kon de tent net zo goed sluiten.

Na een paar dagen haalden de moffen het meeste prikkeldraad weer weg, maar de markt rond de Waag werd afgezet. Dat was wel zo'n beetje het einde van mijn omzet. In die dagen zag je het slechtste in de mens bovenkomen. De politie deed gewoon mee aan die razzia's. De top was verrot en de meeste mensen die daaronder zaten, deden mee, omdat zij hun baantje wilden houden. We probeerden allemaal te overleven, daardoor was het ook niet zo duidelijk wie er nu goed of fout was. Je had zo'n penozejongen, Prenger, de ene keer belazerde hij de moffen en stal van ze wat hij kon krijgen. Dat deed hij samen met een Jodenjongen, die later in sloopgoed deed. De andere keer lichtten zij samen Joodse mensen op door zogenaamd hun kostbaarheden in bewaring te nemen. Daar deed die Joodse vriend van hem dus vrolijk aan mee. Na de oorlog hebben zij die penozejongen opgepakt, maar ze wisten niet goed wat ze met hem aan moesten. Het was niet duidelijk of hij wel of niet fout was geweest. Hij heeft wijselijk de benen genomen en van zijn zoon Jef hoorde ik later dat hij in België beurtschipper was geworden, waar hij regelmatig rotzooide met de lading van zijn schip. Hij zou ooit een heel schip hebben laten zinken om te verdonkeremanen dat hij te veel van de lading had verkocht en hij zou later zelfs nog geld van de verzekering hebben gebeurd om een nieuw schip te kopen. Maar ik weet niet wat daar allemaal van waar is.

Niet veel later begonnen de razzia's en werden de Joden een voor een opgepakt. Ook die rijke Flesseman ontsprong de dans niet. Nadat hij en zijn vrouw en dochter waren opgepakt, kwam er een Duitse zetbaas in het bedrijf, die moest kijken of de moffen er iets uit konden halen. Na de oorlog zijn die stoffenwinkels nooit meer teruggekomen en Flesseman zelf is omgekomen in Auschwitz. Zijn beide zoons hebben de oorlog overleefd, omdat zij al eerder naar Zwitserland waren gevlucht. Na de oorlog hebben die jongens het bedrijf voortgezet.

Op den duur kon je nauwelijks nog aan kolen komen en als een zaak niet warm is, dan houdt het gauw op. Er was niks meer te krijgen, zelfs de surrogaatkoffie kwam op de bon. Je had weinig aanloop want de markt was weg. De haven lag op zijn gat, dus er kwamen geen zeelieden meer en de Wallen waren bijna helemaal voor Duitsers verboden. 's Avonds viel er ook niks te verdienen, want na spertijd mocht niemand over straat. Ik kreeg nog steeds een vat bier van de distributie. Dat verkocht ik door aan jongens die hun kroeg openhielden op de Zeedijk.

Zelf ging ik ook niet helemaal vrijuit. Ik ben opgepakt toen ik inbrak in de leegstaande snoepfabriek van Sajet in de Koningsstraat 13. De familie Sajet was al eerder weggehaald. In de kelder van die fabriek vond ik snoep en chocola. Maar voor ik het wist stond de politie bij me op de stoep. De boel was door iemand verraden, maar ik ben er nooit achter gekomen door wie. De volgende dag stond er een stukje in de krant met de kop *Luilekkerland onder de grond*: was het maar waar geweest. Dat was in begin '44 toen Da zwanger was van Fritsie, wat eerlijk gezegd niet de bedoeling was. Haar moeder had indertijd al eens tegen mij gezegd: "Die hoeft de deurknop maar beet te pakken of ze is zwanger." In oktober kwam de vierde, eindelijk een jongen.

In datzelfde jaar kon ik met een paar maten valse bonnen op de kop tikken. Die brachten in ieder geval nog wat geld of eten op. Dat ging goed, totdat eind oktober ineens die foute smerissen weer voor mijn deur stonden en ik mee moest komen. Dat was de tweede keer dat ik verraden was en ook dit keer ben ik er nooit achter gekomen wie me dat geflikt heeft. Ik heb toen nog een paar maanden in Veenhuizen gezeten. Geen pretje, maar ik kreeg in ieder geval mijn natje en mijn droogje.

De enigen die zich aan het eind van de oorlog nog een beetje wisten te redden waren de Chinezen hier in de buurt. Een zus van Da woonde in de Binnen Bantammerstraat. Daar brachten we Willy wel eens naartoe. Die zus had geen kinderen en was gek op Willy; ze wilde haar graag houden, maar daar moest Da natuurlijk niets van weten. Haar kind! Mijn schoonzus kon goed met die Chinezen opschieten. Die hadden rijst en daar handelden ze mee op de zwarte markt. Het schijnt dat het ook langer duurde voordat rijst op de bon was, zodat ze hun restaurants niet dicht hoefden te doen. En de moffen konden daar gewoon komen zonder dat ze werden weggekeken. Het waren vooral militairen die daar kwamen en volgens mij zagen ze die Chinezen aan voor jappen en die stonden toch aan hun kant.

Toen de oorlog eindelijk was afgelopen, stond mijn café in een heel andere buurt. De Joden waren vrijwel allemaal weggehaald en een groot deel van hun huizen was gesloopt of alweer door anderen bewoond. Ik hoorde een klant ooit zeggen: "Als de Joden er door de voordeur waren uit gehaald, kwamen er voordat je pap kon zeggen, nieuwe bewoners via het achterbalkon naar binnen." De gemeente deed helemaal niets om de buurt op te knappen en sommige huizen werden afgebroken zonder dat er iets voor in de plaats kwam. De markt, die voor de oorlog goed was voor het inkomen van de cafés rond het plein, kwam niet meer terug.

Er mag dan veel veranderd zijn, de Nieuwmarkt blijft een volksbuurt. En waar volksmensen wonen, is altijd plaats voor een café. Goede muziek, een biertje en een kop koffie en je kunt je huiskamer ombouwen tot een kroeg. Een paar maanden na de oorlog was er alweer koffie te krijgen, hoewel veel goederen nog altijd op de bon waren en je op de zwarte markt nog goede zaken kon doen. Annie, net veertien toen de oorlog voorbij was, leefde helemaal op. Het brutale nest versierde bij de Chinezen pindakoekjes, vraag me niet hoe, die zij wist te ruilen voor sigaretten die ze op de zwarte markt verkocht. Een jaar later wilde zij uit om te gaan dansen. Haar kleren waren tot op de draad versleten en voor nieuwe kleren was nauwelijks geld, maar handig als zij was, naaide zij een dansjurk uit een oud laken. Die kleine wist zich altijd al te redden.

Langzaam begon het café te lopen, eigenlijk voor het eerst sinds ik het in juni 1940 had gekocht. Buurtmensen kwamen een kaartje leggen. Ik organiseerde op zondag bingomiddagen. Zo raakte ik oude troep kwijt, die dan als prijs voor een gewonnen bingo de deur uit ging en meestal de volgende dag in de gracht werd teruggevonden.

In het begin dacht ik er niet over om de meiden mee te laten werken. Zij waren daar nog te jong voor, maar toen Annie zestien werd, bleek dat zij haar draai maar niet wist te vinden. Eerst ging zij nog naar de modevakschool, maar zij kon de discipline om te leren niet meer opbrengen. Daarom zocht ze werk, wat zij vond bij een snoepfabriek, maar dat was ook niks voor haar. Er zat weinig anders op dan haar bij me in de zaak te nemen en dat was nou precies wat zij altijd gewild had. Als kind al zat ze met een borrelglaasje met water en een pijpje krijt als sigaret aan tafel. Het kwam me niet slecht uit dat Annie bijsprong, want kort daarop werd Riekie geboren en kon Da niet meer in de kroeg helpen.

Annie deed het goed achter de tap, maar 's avonds als haar dienst erop zat, moest ze zo nodig dansen in de Casablanca, op de Zeedijk. Ik verbood het haar eerst, je hoorde toch rare dingen over die danstenten. Niet dat het veel hielp, want ze verkaste naar de Nieuwendijk waar ook een danstent zit, waar net als in de Casablanca veel kleurlingen kwamen. Dat was wat verder weg en daarom dacht ze dat ik het niet door zou hebben. Toen zij merkte dat ik er niets meer van zei begon zij die donkere jongens ook mee te nemen naar mijn kroeg. Algauw kwam zij toen met Teddy aanzetten. Ik moest daar wel even aan wennen, maar hij zorgde voor nieuwe klandizie, vooral donkere Amerikanen.

Van het een kwam het ander en voor je het wist had ik zo'n

Ome Frits achter de tap

jukebox gekocht. Een rib uit mijn lijf dat ding, 690 gulden, en dat was meer dan ik voor het hele café betaald had in 1940. De yanks stopten die jukebox vol met jazzmuziek. Nu ben ik niet zo vreselijk gek op die muziek, maar het trok in de weekenden veel Amerikanen. Bovendien waren zij gek op pokeren en dat gaat niet zo goed met een flinke slok op. We lieten die jongens behoorlijk leeglopen, maar daar zat ik niet mee, want ik kreeg de indruk dat zij toch niet wisten wat zij hier in Europa met hun geld moesten doen.

Tot mijn stomme verbazing bleef Annie bij Teddy en na verloop van tijd stelden zij mij voor om het café te pachten. Voor mij braken gouden tijden aan. Overdag aan de bar achter een pilsje. Vanuit de kroeg heb ik een mooi uitzicht op de Nieuwmarkt. Ik kijk recht op de Waag. Achter de Waag, aan de overkant, zit café De Passage. In dat café komt vooral veel penoze. Schuin hiertegenover op de hoek van de Zeedijk ligt het piepkleine café De Zon met daarboven een al even kleine woonruimte. Daar woont Bram met zijn vrouw Wies en hun tien kinderen. Hoe zij het in godsnaam voor elkaar krijgen in dat hok met z'n twaalven te leven, is voor de hele buurt een raadsel. Bram was in zijn jonge jaren een zeeman die in een kroeg op de Zeedijk tegen Wies aan liep, die daar een café had. Wies is net zoals mijn Da afkomstig uit de Jordaan. Bram en Wies kregen wat samen en zijn hier op de Nieuwmarkt een café begonnen.

Ze vertellen daar in De Zon sterke verhalen. Zo zou er een verschil zijn tussen de kant van de Nieuwmarkt waar zij zitten, dat is de kant van de Wallen en de Zeedijk, en daartegenover, waar ik zit. De penoze hoort volgens hen aan hun kant en niet aan mijn kant, daarom noemen ze mijn kant burgerlijk. Dat komt volgens hen omdat hier vroeger midden over de markt de oude Amsterdamse stadsmuur liep. De Waag was toen de toegangspoort tot de stad. Aan hun kant van de muur was de stad en tegen de muur aan woonden de hoeren en de strottensnijders. Buiten de muur woonden het boerenvolk en ambachtslieden, later kwamen daar ook de Joden bij. Dat verschil bestaat nog altijd en je zou het zelfs kunnen voelen.

Toch komen de jongens van de Zeedijk en de Wallen niet alleen in De Passage en De Zon, maar ook aan mijn kant, vooral bij mijn buurman Henk Kratis in café Populair, twee huizen verderop. Henk is een goeie gozer, met wie ik nog wel eens ga vissen en een enkele keer gaan we samen stappen. Hij wordt 'de operazanger' genoemd, omdat hij altijd uit volle borst de opera's die in zijn kroeg gedraaid worden, meebrult. Dat de penoze, die voornamelijk uit pooiers bestaat, niet bij mij komt, is omdat in mijn café kleurlingen komen en de penoze heeft nou eenmaal niets met die donkere jongens op.

Nadat Henk had gehoord dat een stel van die pooiers, Parijse Jan en de broertjes Veth, wel van vissen hielden, kwam hij op het lumineuze idee een visclub op te richten. Eén keer per maand trokken we er met twee van die pooierbakken op uit om in de buurt van Medemblik onze hengels uit te werpen, wat er overigens zelden van kwam. Meestal zetten we de bloemetjes buiten in een gezellig plaatsje als Hoorn. Ik herinner me zo'n dag dat we een hoop plezier hadden in dat stadje. We hadden kennisgemaakt met een paar leuke meiden en het werd nog een mooie middag. We hadden natuurlijk geen vis gevangen en dat was niet de eerste keer. We konden niet weer met lege handen thuiskomen. Parijse Jan kwam op het idee nog even langs Volendam te rijden om daar vis te kopen.

Jan hing een paar van die vissen aan de haken van onze hengels en toen we met beide auto's de Zeedijk op reden, hadden we de linnen daken van de auto's opengedaan en stond Jan op de achterbank van de tweede auto, letterlijk behangen met vissen. Toeterend en schreeuwend reden we over de Dijk. Het werd nog een dolle avond, want bij iedere kroeg stond het bier al klaar. We gingen zonder ook maar een cent te betalen kroeg in kroeg uit, want we trokken heel wat publiek en het bier stroomde volop. Eenmaal op de Nieuwmarkt aangekomen waren we allemaal dronken. Maar Da kon niet mopperen, zij kreeg een portie vis om te bakken. Vers gevangen bij de visboer.

Da was niet overtuigd van de bedoelingen van de visclub. Dat merkte ik toen ik bij toeval een gesprek opving tussen haar en een van mijn klanten. Het was een Surinaamse kunstenaar met wie ik later nog wel eens heb gevist, aardige jongen. Hij was nieuwsgierig naar de visclub en wilde weten op wat voor vis wij eigenlijk visten: brasem, karper of snoekbaars. Voor iedere soort heb je namelijk een andere hengel nodig. Ik hoorde Da toen een beetje kribbig antwoorden: "O, van die blonde met blauwe ogen."

Toen na Annie ook Alie het huis uit ging, kwamen we in het café handen tekort. Gelukkig waren er naast die trouwe Eddy Faithfull twee meiden uit de buurt die voor een goede vervanging zorgden, bovendien was een van die twee een lekker mokkel, zodat ik ook nog een beetje aan mijn trekken kwam.

Nu er weer personeel genoeg was, gaf mij dat de gelegenheid ook eens een avondje te gaan stappen. Niet dat ik daar vaak de kans toe kreeg, want na sluitingstijd, als de deuren op slot gingen, bleef een deel van de vaste klanten vaak zitten om nog wat door te zakken. De enkele keer dat er geen klanten bleven hangen, ging ik nog wel eens sigaretten halen in het Stuivertje op het Waterlooplein. Dat was in die dagen zo'n beetje de enige nachtkroeg in Amsterdam. De kroeg ging open als de andere cafés sloten en bleef open tot na zevenen in de ochtend. Meestal vond je daar alleen nog maar penoze en een paar notoire zuiplappen of een enkele kroegbaas zoals Henk of ikzelf.

Op een avond toen ik nog even bij het Stuivertje binnenwipte, zat daar zo'n beetje de hele visclub. Verder waren er nog een paar sporters die naar Amsterdam waren gekomen voor een of andere finale. Zij hadden de laatste trein naar Utrecht gemist en waren naar het Stuivertje verwezen om daar te wachten op de eerste trein van de volgende morgen. Een van die jongens, een lange vent, zat ver onderuitgezakt achter een pilsje aan een tafeltje. Buck Jones stond hem een beetje te jennen, maar de slungel reageerde niet op de bikker, totdat Jones wat begon te trekken en te duwen. Toen kreeg die jongen er kennelijk genoeg van en begon overeind te komen. Het was werkelijk niet te geloven, die gozer bleef maar overeind komen. Toen hij eindelijk stond rees hij ver boven Buck Jones uit en breed dat die vent was, ongegeneerd, en met een paar handen als kolenschoppen. Het was de eerste keer dat ik Jones bang zag worden, hij trok letterlijk wit weg. Hij begon te stamelen en te mompelen dat het een geintje was en alles liep nog met een sisser af. Later hoorden we dat die knul hartstikke beroemd is geworden, hij heette Geesink, geloof ik, Anton Geesink.

Ik kwam pas de volgende morgen vroeg weer thuis. Da was natuurlijk achterdochtig en na dat gedoe met de visclub leek het me beter een smoes te verzinnen dan op te biechten dat ik de hele nacht in de kroeg had gezeten. Dat zou ze zeker niet geloven, want voor haar liggen de dingen nu eenmaal simpel. Wat had ik te zoeken in een kroeg, als ik er zelf een had. Dus zei ik maar dat ik nog iemand naar Noord had gebracht en ik op de terugweg op de pont in slaap was gevallen, terwijl die pont de hele nacht heen en weer voer. Dat geloofde zij natuurlijk ook niet, maar ik kon niks beters bedenken.'

Berie Helder op de kermis met Riekie (met toeter) en een vriendinnetje. Riekie mocht Berie niet zo erg, want als hij de kroeg binnenkwam, moest haar moeder aan de bar komen. Zij bleef dan zitten en werd langzaam dronken tot ergernis van Riekie en Fritsie, die op hun eten zaten te wachten. Uiteindelijk was Da niet meer in staat om te koken en werd er nasi gehaald bij de chinees.

HOOFDSTUK 4

WITTE PENOZE, ZWARTE PENOZE

1956-1959

De Surinamer Max Zeegelaar gaat altijd goed gekleed, strak in het pak met zwierige hoed. Hoewel hij geen rijbewijs heeft, rijdt hij in een grote, open, witgespoten Cadillac, een automerk dat erg geliefd is onder de Amsterdamse penoze. Max kan zich die dure auto permitteren omdat hij zich met criminele activiteiten een goed inkomen weet te verwerven. In de tweede helft van de jaren vijftig weet hij een blank meisje voor hem te laten werken. De bezoekers van de Cotton Club kennen haar als Tony. Zij is als een blok voor de knappe zwarte verschijning gevallen. Max verwent Tony met allerlei cadeautjes, maar als zij zich met zijn zaken bemoeit of naar zijn smaak te weinig binnenbrengt, beschuldigt hij haar ervan dat zij geld achterhoudt en slaat hij er hard op los. Daarin verschilt hij niet van de blanke pooiers.

Max is niet de enige Surinamer die op de pooiertoer is. Achteraf zal vrijwel geen van hen toegeven dat hij ooit gepooierd heeft, maar het tegendeel is waar. In die leugen worden zij gesteund door de Amsterdamse penoze die steevast bleef ontkennen dat zich onder de Surinaamse jongens serieuze pooiers bevonden, waarmee zij bedoelden dat zij daadwerkelijk een vrouw achter het raam hadden zitten. Het is hun eer te na dat donkere jongens concurrentie zouden kunnen betekenen voor de stoere Hollandse binken. Maar de bediening van de Cotton Club weet wel beter. Eerder nog dan Max, was Berie Helder al actief in de prostitutie.

Max pooiert niet alleen, hij dealt daarnaast betrekkelijk groot-schalig in marihuana. Dealen in marihuana is rond 1956 een riskante onderneming geworden. Sinds het middel verboden is, jaagt de narcoticabrigade op opium en marihuanadealers en gebruikers. Max is daar niet erg gevoelig voor. Hij is niet al-leen een dealer, hij is ook een echte oplichter die er niet voor terugschrikt zijn leveranciers te belazeren. Zo doet nog altijd het verhaal de ronde hoe hij een stel West-Afrikaanse zeelieden in het havengebied heeft weten te tillen. Het gaat om een paar kilo wiet die door de zeelui aan Max geleverd zou worden. De afspraak vindt plaats in de haven, waar Max zijn auto bij een van de loodsen laat parkeren. Ontspannen loopt hij de han-delaren tegemoet tot er plotseling bij een van de loodsen een hels kabaal losbreekt. Het lijkt wel of er pistoolschoten klinken en iemand roept luid: 'Politie, politie!' De Afrikanen laten hun handel vallen en nemen ijlings de benen. Max loopt op zijn dooie gemak naar de achtergelaten tassen met wiet, pakt ze op en loopt terug naar zijn auto waar zijn chauffeur, die voor het kabaal heeft gezorgd, op hem wacht.

Niet alle acties van Max zijn even 'ludiek'. Hij is onbereken-baar en levensgevaarlijk. Als er een vechtpartij uitbreekt op de Nieuwmarkt, duwt Max een jonge Surinamer een groot mes in zijn handen, wijst op een van de vechtenden, een handelaar die hij nog iets schuldig is en fluistert de jongen sissend in het oor: 'Hij daar, steek hem dood. Loop naar hem toe en steek hem hartstikke dood.' Tijdens het gevecht komt een man door mes-steken om het leven. Het is niet duidelijk wie de dader is, de chaos is te groot. Maar Max heeft een schuldeiser minder.

Slim als hij is, rijdt Max zijn dure Cadillac niet zelf. De kans dat de politie hem aanhoudt en hem bij toeval te pakken krijgt, is hem te groot en hij huurt daarom een chauffeur in. Meestal vindt hij die onder de nieuwkomers in de Cotton Club. Zo'n jongen rijdt dan enige tijd voor hem tot hij erachter komt hoe gewelddadig en gevaarlijk Max is, om daarna wijselijk ander werk te zoeken.

In 1956 opent een kleine kroeg zijn deuren, recht tegenover de Cotton Club op de hoek van de Monnikenstraat en de Nieuwmarkt. Het is café De Passage, eigendom van Dirk Smit, die eerder een café had op de Kloveniersburgwal 30. Zijn nieuwe kroeg loopt goed, zo goed dat vader Smit zijn zoon Jan vraagt om bij te springen. Jan heeft sinds kort een baan als timmerman. Het is een vak dat hij altijd ambieerde en als hij belooft zijn vader te komen helpen, is dat met grote tegenzin. Hij houdt van het handwerk en voelt niets voor het horecavak, dat eerder weggelegd lijkt voor zijn jongere broer. Maar deze heeft onlangs na zijn diensttijd bijgetekend als officiersbediende. Jans vader is dik tevreden met zijn hulp, want een gelukkige bijkomstigheid is dat Jan net is getrouwd met een vrouw met enige horeca-ervaring. Zij heeft in een van de fameuze lunchrooms van Heck's gewerkt en als het erg druk is, valt ook zij in achter de tap van De Passage.

Al scheelt het maar een paar honderd meter, de verhuizing van de Kloveniersburgwal naar de Nieuwmarkt brengt het café van Jans vader veel dichter bij de rosse buurt. In zijn café, dat weliswaar officieel De Passage heet maar altijd Smitje genoemd wordt, komt veel penoze. Het zijn voornamelijk pooiers. Het aantal vrouwen die in die jaren hun inkomsten voor zichzelf willen houden, is nog op één hand te tellen. Vette Lap, Willy de Bokser, Parijse Jan, Buck Jones, Jan kent ze allemaal.

De bikkers, zo werden de pooiers genoemd, vertelt Jan, hadden stuk voor stuk een eigen bijnaam. Zo had je Willy de Bokser, een schriel mannetje, maar levensgevaarlijk in een straatgevecht. Ooit had hij zijn kop uit een foto geknipt en die op een foto van een of andere bodybuilder geplakt. Sindsdien heette hij Willy de Bokser. Sommige pooiers ontleenden hun bijnaam aan de vrouw die voor hen werkte, waaruit blijkt dat de vrouwen vaak bekender waren dan hun 'beschermers'. Zo kwam daar ook Parijse Jan, die naar zijn hoertje, Parijse Leen, genoemd werd. Daarnaast had je ook Vette Lap, die zo genoemd werd omdat hij bij de slager altijd vette runderlappen kocht.

De Passage, voor de bikkers café Smitje

En natuurlijk waren daar de broertjes Veth, de zonen van Mien Veth: Joop, Jaap en Rinus. Arie Haring heette zo, omdat hij ooit haring uit een emmer verkocht. Beroemd was ook de bikker en straatvechter Buck Jones, van wie Jan niet weet waarom hij die Amerikaanse naam had gekregen.

'Het waren harde jongens, die bikkers. Als een kroegbaas zijn schuld niet op tijd betaalde, kwamen de broertjes Veth samen met een groepje bevriende bikkers wel even langs om "de zaak te verbouwen". De pooiers lieten zich gemakkelijk overhalen om mee te doen, want zij hadden vrijwel allemaal wel een schuld bij Mien. Hun grote pooierbakken waren bijna allemaal door Mien gefinancierd. Het verhaal gaat dat Frits van de Wereld op een dag met een paard-en-wagen over de Wallen rijdt. Als een paar bikkers hem lachend toeroepen dat hij eindelijk voor zijn ware boerenaard uitkomt, antwoordt hij: "Maar deze brik is in ieder geval door mijzelf betaald en daarom heb ik geen dure schuld bij Mien Veth."'

'Ik herinner me een akkefietje met Rooie Gerard, zo genoemd vanwege zijn enorme rooie haardos. Rooie Gerard was penoze, maar geen bikker, hij deed vooral in kraken. Hij had een keer een tip gekregen van een van de jongens hier voor een kraak in Zuid. Hij was zo stom zich te laten pakken en draaide de bak in, maar de buit hebben ze nooit teruggevonden. Toen die rooie uit de bak kwam moest hij natuurlijk nog wel provisie betalen voor de tip die hij had gekregen en dat weigerde hij. Rooie Gerard hield niet zo van betalen. Een stel bikkers, een man of zes naar ik heb horen vertellen, wachtte die rooie op bij het steegje naast de Cineac in de Reguliersbreestraat. Toen hij uit de bioscoop kwam, sprongen zij met z'n allen boven op hem. Nou was die rooie maar een klein, tenger mannetje, maar hij kon knokken als de beste en voor je het wist was er een geweldige vechtpartij gaande. Zij kregen die rooie maar niet klein, die schopte, sloeg en beet van zich af als een wildeman. Dat trok natuurlijk een hoop publiek, het was nog vroeg in de avond. Daar stond een kerel tussen, een grote vent, die zich vreselijk opwond. Hij vond het maar niks met z'n allen tegen zo'n klein ventje en hij wilde zich er wel even mee bemoeien. Hij is welgeteld tien seconden overeind gebleven, toen rolden ze hem in de goot, maar de kleine rooie bleef van zich af slaan. Uiteindelijk hebben ze hem toch het ziekenhuis in weten te slaan, maar betaald heeft hij nooit.'

'Toch vielen die bikkers enorm mee,' besluit Jan zijn verhaal. 'Toen hier op de Kloveniersburgwal een huis in de fik stond, bleek dat er nog een kind in het brandende huis was. Het was Buck Jones, de vechtersbaas, die toen hij dat hoorde zonder ook maar een moment te aarzelen het brandende huis in rende om dat kind eruit te halen. Het is hem nog gelukt ook, hoewel het kantje boord was. Hij zat onder de brandwonden en zijn jasje smeulde van het vuur. Zo waren ze ook, die bikkers.'

'Omdat aan mijn kant iedereen van de hoeren vrat,' vervolgt Jan, 'zette het buurtvolk dat aan de overkant van de Nieuwmarkt woonde, geen voet bij mij binnen.' Jan op zijn beurt komt niet in café De Zon, dat nog geen tien stappen van zijn zaak verwijderd is. 'Dat was de Zeedijk en wij kwamen niet op de Dijk. Wij hoorden bij de Wallen.' Dat neemt niet weg dat Jan later regelmatig in de Cotton Club komt. Hij kan het goed vinden met de veelkleurige klandizie en de Surinamers noemen hem 'wittie'. 'Het was een mooie tijd,' verklaart hij terugblikkend, 'want doordat je als kastelein allemaal je eigen klanten had, was er weinig nijd onder elkaar. De klanten wilden ook graag een bekende achter de toonbank. Voor jou als kroegbaas was het een uitgemaakte zaak dat er familie of iemand uit de buurt achter de tap moest staan, want er was nog geen kassa, alleen een geldla. Je kende je klanten en wist meteen: die hoort hier niet thuis. Toen mijn vader overleed, is de zaak een paar dagen dicht geweest. Mijn vader en moeder woonden boven de zaak. Mijn moeder keek uit het raam en zag klanten zoekend in het rond kijken. "Kijk jongen, ze weten niet waar ze naartoe moeten," zei ze tegen me.'

In zijn kroeg ziet Jan hoeveel geld er in het rosse circuit omgaat. De bikkers willen niet voor elkaar onderdoen en scheppen doorlopend op over de hoeveelheid geld die zij die ochtend weer 'op hun kussen hebben gevonden'. Om de ander de ogen uit te steken, lenen zij bij Mien Veth veel geld om grote Amerikaanse auto's mee te kopen, vaak in opvallende pasteltinten gespoten: pooierbakken. Met hun kostbare Amerikaanse auto's en gekleed in opzichtige, peperdure pakken rijden de bikkers naar het oosten en het noorden van het land om daar de bloemetjes buiten te zetten. Zij proberen met hun pakken geld indruk te maken op de plattelandsmeisjes met de bedoeling hen met allerlei mooie beloftes naar de grote stad te lokken. In de stad kunnen zij bergen geld verdienen in 'ateliers', houden zij de meisjes voor. De bikkers slagen vaak in hun opzet en weten de meisjes over te halen. Eenmaal in de stad verdwijnen zij al snel in de prostitutie.

Als de bikkers ergens betalen, trekken zij steevast een vette bundel uit hun zak. Die bundels zijn zorgvuldig opgebouwd. Boven en onder is altijd een rug (duizend gulden) zichtbaar, dan volgen de meiers, de geeltjes en de joetjes (100, 25 en 10 gulden). Maar het grootste deel van de bundel bestaat uit knaken en pieken (2,50 en 1 gulden), dan nog briefjes, die kleiner zijn dan grote bankbiljetten van honderd en duizend. Het is handig om veel papieren guldens te hebben, want die maken het pak geld imposant dik. De kleinere briefjes worden nauwkeurig niet-passend op elkaar gelegd, zodat zij in een stapeltje langer en breder lijken. Het pak geld heeft daardoor niet de vorm van een zandloper en het lijkt of het pak alleen maar uit grote biljetten bestaat.

Vanuit diezelfde opschepperige houding geven zij ruime fooien en pochen daarbij doorlopend over hun inkomsten. 'Hoeveel verdien jij nu zo in een week?' vraagt een bikker als Jan nog in zijn jonge jaren is. 'Ik geloof dat ik toen gezegd heb dat het zo'n tachtig gulden in de week was. De bikker lachte mij smakelijk uit. "Jongen," riep hij, "dat verdien ik op één dag!"'

Jan vertelt nog altijd graag verhalen over die tijd. Ze passen bij het romantische beeld dat jaren later rond de 'oude penoze' is opgetrokken. Zo herinnert hij zich hoe op een dag een havenwerker het café binnenkomt. Zwaaiend met een geeltje trekt hij aan de bel om aan te kondigen dat hij een rondje wil geven. 'Wat krijgen we hier?' vraagt een van de bikkers verbaasd. 'Man, ik heb een enorme mazzel gehad met wat stukwerk en dat wil ik vieren.' De pooier trekt zijn bundel geld uit zijn zak, zoekt zorgvuldig een briefje van vijfentwintig uit en houdt het de havenwerker onder zijn neus. 'Ruik jij iets?' vraagt hij ogenschijnlijk agressief. De havenwerker schudt het hoofd, waarop de bikker lachend zegt: 'Jongen, jij hep je de pleuris gewerkt voor dat geeltje en dit lag bij mij vanochtend gewoon op mijn kussen. Hou jij je goeie geld nou maar in je zak en laat mij dat rondje geven.'

Als Jan in het najaar van 1957 in een slijterij in de Damstraat een paar flessen sterkedrank haalt, loopt hij terug over de Kloveniersburgwal en passeert daar het oude café van zijn vader. Het café op nummer 30 was een familiebedrijf dat zijn grootouders begonnen waren. Zijn vader groeide op rond de Wallen en woonde in 1933 op de Oudezijds Achterburgwal boven een bordeel. In dat jaar werd Jan daar geboren. Aanvankelijk werkt vader Dirk ook in het café van zijn vader, de opa van Jan, maar begin jaren dertig kan hij een baan krijgen als buffetchef bij de Roode Leeuw, een groot hotel-restaurant aan het Damrak. De mooie serre, pal aan het Damrak, is aanlokkelijk voor mensen die gewinkeld hebben of gezellig willen zitten, af en toe een blik op de voorbijgangers werpend. Tijdens de crisis van de jaren dertig gaat de omzet van het bedrijf naar beneden en vader Smit krijgt zijn ontslag. Op straffe van verlies van uitkering wordt hij vervolgens tewerkgesteld bij de aanleg van het Amsterdamse Bos. Trots als hij is, lijdt de vader van Jan erg onder die slechte maatschappelijke status. In de oorlog komt hij in de *Arbeitseinsatz* (gedwongen tewerkstelling voor mannen van zeventien tot veertig jaar) en vertrekt hij naar de oostgrens van Duitsland. Jan en zijn jongere broertje van vijf blijven achter bij hun moeder.

Het gezin overleeft de Hongerwinter nauwelijks. Tijdens de oorlog heeft moeder een vriend opgedaan; het was immers onduidelijk of haar man ooit nog zou terugkomen en een extra hand om aan eten te komen kon zij wel gebruiken. Als zij verneemt dat haar man terugkeert, zet zij haar vriend aan de kant en ontvangt zij Jans vader met open armen.

Kort na de oorlog overlijdt de grootvader van Jan en neemt zijn vader het kleine café aan de Kloveniersburgwal over. Het is een 'loopzaak' waar de klanten staand achter de bar een bor-

Jan Smit

rel drinken, een voet geplaatst op een koperen stang die aan de onderkant van de bar is bevestigd. Hij drijft het café een kleine tien jaar tot onder het mom van brandveiligheid in 1956 het besluit valt dat cafés kleiner dan 30 vierkante meter gesloten moeten worden. In de plannen van de naoorlogse beleidsmakers past geen kleinschaligheid. Zelfs kleine cafés hebben geen plaats in het stadsbeeld dat hun voor ogen staat. De Cotton Club valt met zijn 50 vierkante meter buiten de regeling, maar die geldt wel voor het café van de vader van Jan Smit. Na de verordening van 1956 ziet deze zich genoodzaakt het café te sluiten en huurt hij een ander pand van 32 vierkante meter terug. Het is het café De Passage op de hoek van de Monnikenstraat en de Nieuwmarkt.

In die dagen, zo'n jaar of tien na de oorlog, lopen de cafés rond de Nieuwmarkt goed. Frits Smit zou het zich kunnen permitteren een reis naar Amerika te maken en hij vraagt Da wat zij ervan vindt om samen hun dochter in de States eens te bezoeken. Hun kleinkind is nu ruim een jaar oud en het wordt tijd dat zij die dreumes te zien krijgen. Da heeft er wel oren naar en Frits schrijft een brief aan zijn dochter waarin hij haar van hun voornemens op de hoogte stelt.

Het antwoord dat uit Amerika komt, bezorgt het gezin aan de Nieuwmarkt een hele schok. Alie schrijft hoe blanke voorbijgangers zich geschokt afkeren, als zij nietsvermoedend een vertederde blik in de kinderwagen werpen. Zij krijgt te horen dat zij een negerhoer is en dat blanke vrouwen niet met negers trouwen, tenzij ze niet deugen. Anderzijds accepteert de donkere bevolking haar als blanke ook niet. De familie Lewis is wel aardig, maar Alie kan geen stap buiten de deur doen of zij wordt met discriminatie geconfronteerd. Als Charles en zij samen met het openbaar vervoer reizen, moet Alie voor in de bus zitten, terwijl haar man achterin moet plaatsnemen.

In Amsterdam had Charles dankzij zijn ruime soldij de grote jongen kunnen uithangen, maar in zijn eigen land kan hij geen werk krijgen. Uit pure armoede hebben zij bij haar schoonouders moeten intrekken. Alie is vaak alleen, want Charles zit uit verveling de hele dag in een poolcafé. Bovendien kan hij driftig naar haar uitvallen en hij blijkt dan ook losse handjes te hebben. Naast het huis van Alie en haar man woont een Vietnamese vrouw. Het is de enige vrouw in haar omgeving met wie Alie het echt goed kan vinden. 'Als jullie willen komen,' schrijft zij, 'kun je de tickets beter hierheen sturen, dan kan ik naar huis. Adresseer de kaartjes aan mijn buurvrouw, bij haar zijn mijn geheimen veilig,' voegt zij er hoopvol aan toe.

Frits zit een paar dagen nadat hij de brief heeft ontvangen, somber aan de bar als het buurmeisje dat boven het café woont naast hem komt zitten. Frits, vol van de brief, laat hem aan haar lezen. Zij reageert fel op de brief: 'Dat moet u doen, ome Frits. Dadelijk! Koop die tickets en stuur ze op.' Dat is het laatste zetje dat Frits nodig heeft.

Via haar vriendin ontvangt Alie de tickets voor een vlucht naar huis. Op de dag dat haar vliegtuig vertrekt, laat Alie de familie Lewis nietsvermoedend achter als zij vroeg in de morgen gaat wandelen met de kleine Marion. De binnenlandse reis naar New York verloopt op rolletjes, maar op het vliegveld van New York aangekomen slaat de nervositeit toe. Hoe lang zal het duren voordat zij gemist wordt en wanneer zal haar man Charles haar als vermist opgeven? Marion heeft de Amerikaanse nationaliteit en ook al is Alie de moeder, haar actie zal door de Amerikaanse overheid als kidnapping beschouwd worden. Ten einde raad neemt zij Marion mee naar de damestoiletten, waar zij zich een hele nacht met haar dochtertje verstopt. De volgende ochtend bij het inchecken gebeurt er niets. Zij passeert zonder problemen de paspoortcontrole, stapt in het vliegtuig en vertrekt alsof er niets aan de hand is. Diezelfde avond nog landt zij op Schiphol, waar haar vader staat te wachten. Alie is weer thuis. Haar ouders ontfermen zich over haar en de kleine Marion. Da zorgt voor de peuter als haar moeder in het café werkt of uitgaat.

Nu ze terug is, wil Alie niet meer boven het café slapen. Ook haar zuster Willy heeft zo langzamerhand meer behoefte aan privacy. Daarom huurt Frits voor zijn beide dochters een huis in de Koestraat, een steeg schuin tegenover het café. De twee meiden krijgen in dat huis elk een kamer. De kleine Marion blijft bij opa en oma en slaapt op de kamer van Riekie of tussen beide echtelieden in. De kamers die in het huis op de Koestraat over zijn, verhuurt Frits aan een vrij werkende prostituee, Wil van der Westerlaken, die bekendstaat onder de naam Wil de Paardekop. Wil verhuurt op haar beurt een van de kamers aan de transseksueel Nanny. Die laatste vindt het lekker werken in de Koestraat. Zij kan haar klanten oppikken in de cafés op de Oudezijds Achterburgwal en 's nachts bij zich houden. Dan heeft ze zelf een leuke nacht en het verdient goed.

Geregeld brengt Riekie, de jongste van het gezin, voor haar moeder schoon linnengoed naar haar zusters in de Koestraat. Op een dag, Riekie is dan elf jaar oud, ziet zij dat de deur van Nanny's kamer openstaat. Voor Riekie is Nanny altijd een echte vrouw geweest, maar zij blijft stomverbaasd staan als zij ziet dat Nanny is ingezeept om zich te scheren. Verrek, die vrouw heeft een baard, denkt zij verbijsterd. Thuisgekomen loopt zij naar haar vader, want zij moet het verhaal toch kwijt. 'Weet u dat die vrouw die hier vaak komt, een baard heeft?' Frits kijkt Riekie aan en grinnikt maar wat. Dan dringt het tot hem door dat het kind in de kroeg staat en streng voegt hij het meisje toe: 'Wegwezen, jij, je mag hier niet komen, dat weet je.'

In Hamburg heeft Annie geen weet van wat zich in en rond haar buurt in Amsterdam afspeelt. Het heeft haar in het begin moeite gekost om haar draai te vinden. Ze is niet gewend om thuis te blijven en het huishouden te doen. Teddy werkt 's avonds in verschillende clubs, waar hij zich aansluit bij Duitse bands. Annie is veel alleen en verveelt zich. Na een optreden samen uitgaan is er niet bij, want de clubs waar Teddy speelt, zijn tot diep in de nacht open. Zij voelt zich een stuk beter nadat zij werk heeft weten te vinden in een bar en zij 's avonds als vanouds achter de tap staat. De eigenares wordt min of meer een vriendin, waardoor Annie zich minder eenzaam voelt. Maar na enige tijd begint de relatie tussen haar en Teddy te verwateren. Teddy gaat steeds vaker vreemd en ontpopt zich af en toe als een wat heerszuchtige man. Als Annie naar zijn smaak hun kamer niet voldoende heeft opgeruimd, vallen er klappen. Intussen realiseert ze zich ook dat zij nog geen dertig is en hij tegen de vijftig loopt. Gedesillusioneerd reist ze uiteindelijk alleen terug naar Amsterdam. Thuis, aan de bar bij haar vader, verdrinkt ze haar verdriet tot Frits zegt: 'Als je zo door blijft gaan breng ik je terug naar Hamburg.' Annie voelt daar niet voor, maar diep in haar hart heeft ze spijt dat ze Teddy verlaten heeft. Het waren niet alleen zijn vrolijkheid en zijn speelse natuur die haar aantrokken, ook zijn levensinstelling paste bij die van haar. Teddy nam het leven zoals het zich aan hem voordeed, genoot ervan en stelde niet te veel vragen. De relatie heeft bijna elf jaar geduurd.

HOOFDSTUK 5

KUNST, JAZZ EN MARIHUANA

1953-1958

Begin jaren vijftig is de Cotton Club niet alleen een pleister-plaats voor Surinaamse jongens en Amerikaanse militairen, maar ook een interessante kroeg voor Amsterdammers die van jazz houden en zich aangetrokken voelen tot de vrije sfeer die in het café hangt. Jonge kunstenaars spreken steeds vaker in het café af. Velen van hen hebben in de buurt een atelier of wonen met hun jonge gezinnen rond de Nieuwmarkt. De huren zijn er zelfs voor die tijd erg laag, maar de kwaliteit van de huizen is er dan ook naar. Het blijft er tochten, wat je er ook aan probeert te doen, en er is geen douche. Dat verhelpen de jonge stellen door zelf een douche aan te leggen in de kleine keuken, waar zich vaak ook het hokje met de wc bevindt.

De ontwerper Herman Hennink Monkau is sinds 1953 een van de stamgasten. Als hij het café de eerste keer bezoekt, studeert hij nog aan de Kunstnijverheidsschool in Amsterdam. In zijn boek *De Kleurling* schrijft hij: 'Ik denk dat de Cotton Club toen zowat de enige tent in Europa was waar je in de jaren vijftig voor een kwartje Parker, Monk en Miles uit de jukebox kon halen. De enige zaak die me verder te binnen schiet is Le Storyville in Parijs, een smalle pijpenla in het Quartier Latin. De schrijver Simon Vinkenoog had 'm me aangewezen, ik ben hem er nog steeds dankbaar voor. Achter de bar stond daar een collectie langspeelplaten van toenmalige jazzgiganten, opnamen die je thuis alleen maar via de radio kon horen. Er was geen jukebox, het was *le patron* die op verzoek de platen op de draaitafel legde, met dezelfde vanzelfsprekendheid waarmee je bij de *boulangerie* op de hoek een stokbrood werd overhandigd. Toch kon die bar qua gezelligheid niet tippen aan de sfeer van de Cotton Club, die vooral te danken was aan de dochters van ome Frits. Mokumse beauty's die zonder kapsones maar met grandeur achter de bar vandaan kwamen om op het linoleum de nieuwste muziek van het Sonny Rollins Quintet met je uit te proberen.'

Eind jaren veertig, begin jaren vijftig is Parijs *the place to be*. Daar wonen schilders en dichters zoals Karel Appel en Lucebert, kunstenaars die het stijve naoorlogse Nederland voor gezien houden. Menige scholier droomt boven zijn huiswerk van een leven als de Franse schrijver Jean Paul Sartre, die de dag doorbrengt met schrijven en lange intellectuele gesprekken voert in een café op een van de grote boulevards.

In de tweede helft van de jaren vijftig komen in de Cotton Club enkele kunstenaars die alweer uit Parijs terug zijn, zoals Remco Campert en Simon Vinkenoog. Ze zijn rond de dertig en houden wel van een stickie. Vinkenoog herinnert zich later hoe hij in Parijs zijn eerste haaltje heeft genomen: 'Dat was op een vroege ochtend in Les Halles, een open centrale markt waar vrachtwagens langskwamen, een enorme markt voor vlees, groenten en fruit, omringd door heel veel terrasjes, cafeetjes en restaurantjes die open waren. Ik was daar met een aantal Amerikaanse vrienden en wat naderhand een joint zou gaan heten, ging rond en kwam bij mij: "Cowboy tobacco, just inhale." En sindsdien ben ik die cowboy. Want het tintelde en het deed me wat. Ik was in plezierig gezelschap, iedereen genoot en het was bij wijze van spreken de vrijheid zelf.'

Toch blijft Parijs het centrum van alles wat met kunst te maken heeft, of dat nu de literatuur, de beeldende kunst of de muziek betreft. Begin 1956 bespreken jongeren met elkaar hoe je aan kaartjes kunt komen voor een concert van de Franse zangeres Juliette Greco, die in dat jaar een tour maakt langs Amsterdam, Rotterdam en Den Haag. Thuis spelen ze, bij voorkeur als ze alleen zijn, haar chansons op de pick-up. Menigeen is het Frans niet voldoende machtig om de tekst goed te volgen, maar haar trage, op lage toon gezongen chanson over een vrouw in Montmartre roept ook zonder dat je de woorden kent een stemming van diepe melancholie op. Op de hoes van de plaat staat een jonge vrouw met een smal gezicht, sluik donker haar en donker omrande ogen. Er gaan verhalen dat Juliette, amper twintig jaar, een hartstochtelijke relatie had met Miles Davis.

Onveranderlijk gekleed in een zwarte lange broek en zwarte coltrui, vullen de jongeren in kleine wijnkelders bij het Amsterdamse Thorbeckeplein hun tijd met het drinken van goedkope wijn en voeren ze er lange en diepzinnige gesprekken over de zin van het bestaan. Een andere keer ontmoeten ze elkaar in de Groene Kalebas, een souterrain in de Tweede Weteringdwarsstraat, een paar minuten lopen van het Leidseplein. Het is naar Parijs voorbeeld een verzamelplaats voor alles wat zich schrijver, schilder, dichter of existentialist noemt, en ingericht zoals een *cave* hoort te zijn: de muren volgeplakt met etiketten van wijnflessen en tekeningen van bezoekers, het plafond verlaagd door visnetten en geruite doeken, de verlichting gevormd door groene mandflessen waarin een lampje is aangebracht. Het ziet er blauw van de sigarettenrook, er wordt jazz gespeeld waar de bezoekers zittend op hun stoeltjes aandachtig naar luisteren en er wordt zo nu en dan een stickie gerookt.

Omdat deze jongeren zich voornamelijk rond de grote Amsterdamse pleinen ophouden, worden zij 'pleiners' genoemd. Zij komen voornamelijk uit de betere milieus en velen van hen volgen onderwijs op het gymnasium of de hbs. Op die scholen lezen zij de eenakter *Huis clos* (*Achter gesloten deuren*) van Jean Paul Sartre. *Huis Clos* is dan nog niet vertaald, maar het werk staat op de verplichte boekenlijst voor Frans en de scholieren lezen het in een vereenvoudigde uitgave. Hoewel de verplichte literatuur onder scholieren niet altijd even geliefd is, begrijpen zij dat het werk van Sartre vernieuwend is – het wordt immers gelezen door de avant-garde van die dagen, die voor hen een voorbeeld is. Het is werk, zo weten zij, dat afrekent met de mentaliteit van de vorige generatie. Een generatie die vooral als kleinburgerlijk wordt gezien.

De pleiners zijn antiburgerlijk. 'Die fietser met die broodtrommel onder zijn snelbinder, die wilde je níét zijn,' herinnert dichter Mike Lorsch zich. Het beeld kon niet treffender. Na de bevrijding in 1945 heeft het overgrote deel van de Nederlandse bevolking de draad weer opgepakt. Nederlanders hebben zich weer teruggetrokken in hun vertrouwde kringetje waar kerkgenootschap en politieke overtuiging de kaders bepalen. Er wordt hard gespaard voor de televisie en de rollen liggen vast: vader gaat naar het werk en moeder zorgt voor de kinderen. Vrouwen die werken zijn bijna altijd arbeidersvrouwen: om bij te verdienen maken ze kantoren schoon of hebben ze werkhuizen. Van vernieuwing, waarop sommige radicale groepen tijdens en vlak na de oorlog hadden gehoopt, is geen sprake.

De pleiners, jong als ze zijn, willen het leven op hun eigen manier invullen. Zij zetten zich af tegen de vorige generatie, die het dankzij haar christelijke moraal allemaal zo goed weet, maar intussen wel twee wereldoorlogen op haar geweten heeft. In het existentialisme van Sartre vinden zij een alternatief, want voor zover zij het begrepen hebben, is er in die filosofie geen plaats voor een God en een van buiten af opgelegde moraal. Het is een visie waarin de mens met al zijn tekortkomingen verantwoordelijk is voor zijn eigen daden. Iedereen die tot de burgerlijke en onartistieke volwassenenwereld behoort, is square: een woord waar de pleiner al zijn afkeer en minachting in uitdrukt.

Altijd kennen zij wel iemand wiens ouders een groot huis hebben. Als die op vakantie zijn, of een weekendje weg, organiseren clubjes vrienden massale feesten waarbij vooral wijn wordt gedronken, jazz wordt gedraaid en geen licht brandt, want er moet gevreeën worden. Als iemand de volgende dag aan een vriend of vriendin vraagt met wie zij naar bed zijn geweest, kunnen die dat vaak niet zeggen. Het was te donker en zij hebben het gezicht van hun partner nauwelijks kunnen onderscheiden.

In de winter van 1956 is er ook een dancing in de directe omgeving van het Leidseplein gekomen, die Lucky Star is gedoopt. Het wordt de favoriete uitgaansplek van alles wat zich in Amsterdam artistiek noemt of zich bohemien voelt. Meisjes hopen vurig daar een kunstenaar te verschalken die hen na sluitingstijd mee wil nemen naar de nabijgelegen kunstenaarssoos De Kring. De ondernemer die de ruimte huurt, een ex-marktkoopman, mikt bewust op een jong publiek. De inrichting is eigentijds: geen tafeltjes rond de dansvloer, maar met skai beklede bankjes, geen dansorkest, maar een grote Amerikaanse jukebox. De portier staat er niet om kleine vechtpartijen van de kleurrijke bezoekers te voorkomen zoals in de Casablanca, maar om erop toe te zien dat de jonge bezoekers binnen geen marihuana roken.

Jetty, de vriendin van de derde dochter van Frits en Da, wordt als door een magneet aangetrokken door de scene en is al snel de ster van de Lucky Star, waar jazz en Zuid-Amerikaanse muziek worden gedraaid. De muziek zit haar in het bloed, want als de dochter van de eigenaars van de Casablanca op de Zeedijk lag ze vaak 's avonds in bed te luisteren naar de muziek beneden. Iedereen is verliefd op het zeventienjarige slanke meisje, dat zich als Juliette Greco in het nauwsluitend zwart kleedt. Ze draagt haar sluike donkere haar in een pony tot net boven haar zwaar met kohl aangezette ogen, en op haar lippen een lichte, bijna witte lippenstift. Ze kan geweldig dansen en als ze met haar partner de dansvloer betreedt, maken de andere paren voor hen plaats. Vele jaren later weet zij zich de sfeer uit die tijd nog goed te herinneren: 'Je keek niet vooruit en ook niet naar de mensen om je heen. We waren op weg en wat er om ons heen gebeurde was niet belangrijk. Ik had geen toekomstbeeld. Daar was ik niet mee bezig. Ik rolde er vanzelf wel in en voelde me totaal niet aangesproken als het om iets als een carrière ging.'

Haar vriendin Willy is net als zij een pleinermeisje, wat haar tot het buitenbeentje van de familie Smit maakt. Anders dan haar zusters en broer houdt Willy Smit van lezen. Op de lagere school haalt ze goede cijfers: 'Ze had best kunnen doorleren,' meent haar jongere zusje Riekie veel later. Maar vlak na de oorlog, en zeker in het milieu van Frits Smit en zijn vrouw, is dat nog niet gebruikelijk. Dus gaat Willy net als haar oudere zusjes al jong aan het werk. Binnen de kortste keren blijkt dat fabrieksarbeid van negen tot vijf niets voor Willy is en houdt zij het voor gezien. Vanaf die dag verdient ze wat ze nodig heeft in het café van haar vader. De drukte en de gezelligheid van het café overstemmen haar aangeboren onrust en als ze een biertje tapt, kijkt ze glimlachend toe hoe haar nichtje, de kleine Marion, tot vertedering van de gasten op de hoge hakken van tante Willy in het café rondwaggelt.

Als Willy de enige is die dienst heeft en er nog geen bezoekers in het café zijn, draait zij haar favoriete muziek uit de jukebox. Rust en vrede vindt zij dan vooral als zij met een boek wegdroomt bij de kachel, die midden in de Cotton Club staat. Op de achtergrond klinkt de pianomuziek van Bud Powell en tussen haar vingers houdt zij een stickie dat zij langzaam genietend oprookt. Na sluitingstijd gaan haar zusjes dansen, maar Willy bezoekt als het even kan met haar vriendin Jetty de nachtconcerten in het Concertgebouw, waar grootheden uit het internationale jazzcircuit optreden: Duke Ellington, Billie Holiday, Louis Armstrong, John Coltrane, Thelonious Monk en Miles Davis.

De concerten zijn een doorn in het oog van het reguliere Concertgebouwpubliek, dat zich mateloos ergert aan de ontheiliging van de muziektempel. 's Nachts wordt in dat heiligdom 'platte' muziek gespeeld door musici die vaak geen noot kunnen lezen, terwijl het publiek, dat voornamelijk uit onverzorgde jongeren bestaat, de zaal vervuilt met cola- en bierflesjes en papieren zakjes achterlaat. Een suppoost van het Concertgebouw verklaart dat tijdens een concert van Lionel Hampton in 1956 de zaal in een waar 'gekkenhuis' veranderde. Het publiek danste op de stoelen en schreeuwde uitzinnig mee toen Hampton het beroemde 'hebaberiba' inzette. De waanzin ging zelfs zover dat een saxofonist op zijn rug op de grond ging liggen om zo, liggend, verder te spelen.

Maar de directie van het Concertgebouw zet de jazzconcerten door, niet zozeer omdat zij vindt dat de moderne jazz tot de serieuze muziek gerekend moet worden, maar vooral omdat het geld in het laatje brengt. Amsterdam beschikt in de jaren vijftig maar over weinig ruimtes die geschikt zijn voor grote concerten en de ruimtes die er zijn, zitten vol, zodat de jazzconcerten naar de nacht worden verschoven.

Als Jetty in de zeventig is en gevraagd wordt haar vroegere vriendin te beschrijven, denkt zij een tijdje na en zegt dan resoluut: 'Willy was muziek. Willy hield van jazz, vooral van Bud Powell, piano was wel haar ding. En nadat zij in 1984 de film *Amadeus* had gezien, draaide zij alleen nog maar de pianoconcerten van Mozart. Daar kon ze geen genoeg van krijgen.'

Barman Eddy Faithfull maakt vrienden onder de beeldend kunstenaars die in de Cotton Club komen. Hij houdt van schilderkunst en koopt als hij geld heeft werk van hen. Op het moment dat hij in de Cotton Club een jonge studente van de Rijksacademie, Ria Rettich, leert kennen, is hij totaal verkocht. Charmant als hij kan zijn, zet hij alles in om Ria te versieren. Ria op haar beurt valt wel op de aantrekkelijke man, die ook begrip heeft voor haar ambities als kunstenares. Eddy verzuimt haar alleen te vertellen dat hij al geruime tijd een vaste vriendin heeft: Gerda. Zij werkt bij de sociale dienst en ook zijn baas Frits kent haar nog uit de tijd dat hij stratenmaker was en zich regelmatig ziek meldde. Gerda zei dan niets maar liet hem steevast merken dat zij helemaal niets van zijn verhaal over griep of verkoudheid geloofde.

Aanvankelijk verbaast Frits zich wel over Eddy's verhouding met Gerda. Hij begrijpt niet goed wat Eddy, die zo graag voor artistiek doorgaat, met de burgerlijke Gerda op heeft. Maar Eddy heeft zich ermee verzoend dat hij in Nederland zijn artistieke gaven niet kan ontplooien en altijd in geldnood zoekt hij naar een zekere vorm van vastigheid, die hij bij Gerda vindt.

Na enkele maanden blijkt Ria zwanger van Eddy te zijn. In eerste instantie zoekt zij Eddy niet op, maar tegen de tijd dat zij hoogzwanger is, besluit zij Eddy toch op de hoogte te brengen dat hij vader wordt. Als zij in de Cotton Club komt, is Eddy niet aanwezig. Een van de stamgasten vertelt haar dat het Eddy's trouwdag is. Op het moment dat Ria dat hoort, is zij diep geschokt, maar na enige tijd komt de opluchting. Een kind zal al veel van haar tijd als kunstenares vergen, maar als daar ook nog eens een relatie bij komt, zou dat wel eens te veel van haar kunstenaarschap kunnen vragen.

Eddy blijkt ondanks zijn ontrouw de beroerdste niet. Als hij hoort dat Ria een kind van hem krijgt, erkent hij het kind als het zijne. Hij blijft Ria en haar zoon regelmatig opzoeken en neemt een enkele keer een pannetje eten voor zijn vriendin mee. Het zoontje van Ria groeit op bij zijn moeder, die druk bezig blijft met haar eigen ontwikkeling als schilderes en een werkwijze ontwikkelt waarin spontaniteit een grote rol speelt.

Sinds 1956 is het marihuanagebruik onder kunstenaars en artiesten flink toegenomen, ondanks het verbod op de drug dat in 1953 is ingevoerd. Ook Herman Hennink Monkau merkt dat op als hij in dat jaar een telefoontje krijgt van een van zijn Amerikaanse kennissen. Het is een officier die in Duitsland is gelegerd. De mannen spreken af bij Grand Café Schiller op het Rembrandtplein. De Amerikaan heeft een grote vierkante hardwandige tas bij zich. Als hij de tas opent, blijkt die tot de rand gevuld met drie kilo wiet. Herman weet wel iemand voor de handel en hij belt Simon Vinkenoog, die kort daarna in de Schillerbar verschijnt. Bij het zien van zo'n grote hoeveelheid marihuana schrikt Vinkenoog zich lam. Hij is in die dagen nog niet gewend aan een partij wiet van deze omvang. Dit is hem te heftig en hij verlaat de bar.

Een grote voorraad wiet in handen van een Amerikaanse militair is betrekkelijk zeldzaam. Hoewel een enkeling anders beweert, spelen de Amerikaanse soldaten maar een beperkte rol bij de invoer van marihuana. Misschien hadden zij een aandeel in de introductie van het middel, maar de eigenlijke aanvoer komt voornamelijk overzee uit West-Afrika het land binnen.

De Amerikanen in Duitsland zijn zelf ook op zoek naar verse bevoorrading van wiet. Uit een interview met een vrouwelijke dealer uit 1979 blijkt dat zij in de jaren vijftig de Amerikaanse soldaten in Duitsland voorziet van tamelijk grote hoeveelheden marihuana, die zij koopt van West-Afrikaanse zeelieden en persoonlijk naar Duitsland brengt. Zij herinnert zich dat het in de Cotton Club later ook om grotere hoeveelheden ging dan de paar luciferdoosjes van Faithfull en Berie. 'Er kwam een schip met weed binnen en dat ging in een krant rechtstreeks naar de Cotton Club op de Nieuwmarkt en dan maakten we het schoon, stopten het in luciferdoosjes en verkochten het voor vijfentwintig gulden per stuk.'

Enkele dagen nadat Monkau in café Schiller de tas met drie kilo marihuana heeft gezien, wordt de Cotton Club op 14 maart opgeschrikt door een politie-inval waarbij de politie een aantal bezoekers arresteert. Onder hen zijn twee mannen, Blackie en Small Boy, die verdacht worden van het dealen in marihuana. Daarnaast wordt een grote hoeveelheid wiet in beslag genomen. Small Boy wordt veroordeeld tot anderhalf jaar en Blackie krijgt een halfjaar aan zijn broek. De grote handelaar Max Zeegelaar blijft buiten schot.

Behalve schrijvers en beeldend kunstenaars trekt het café ook steeds meer theaterartiesten zoals Donald Jones, een uit de Verenigde Staten overgekomen donkere acteur en danser. De dansgroep The Moderniques, waarmee hij in 1954 op tournee is, valt in Amsterdam uiteen. In de stad achtergebleven herinnert hij zich verhalen van vrienden die hun diensttijd in Duitsland hebben doorgebracht. Zij vertelden over een klein café in Amsterdam dat de Cotton Club heet, een vrijplaats voor kleurlingen, waar de jukebox uitsluitend jazz draait. Voor Jones, die het al sinds jaar en dag gehad heeft met het racisme in zijn vaderland, is Nederland een verademing. Ook in dat land wordt weliswaar gediscrimineerd, maar vergeleken met de States is het een paradijs.

Ook al is Donald de taal nog lang niet machtig, toch weet hij snel werk te vinden bij de cabaretgroep van Sieto en Marijke Hoving, die optreedt in theater Tingeltangel op de Nieuwezijds Voorburgwal. Daar werkt ook Adèle Bloemendaal en de twee raken spoedig nauw bevriend. Samen bezoeken zij de Cotton Club, waar zij van de jazz genieten en naast een pilsje ook wiet kunnen kopen. Het duurt niet lang of zij worden gevolgd door andere theaterartiesten. Rijk de Gooijer, Ramses Shaffy en Liesbeth List vullen het artiestengezelschap in de Cotton Club verder aan. Ook de actrice Andrea Domburg bezoekt het café aan de Nieuwmarkt regelmatig. Een vaste klant hoort haar zeggen: 'Zo leer ik ook mensen uit het volk kennen, dat komt mijn acteren ten goede.'

Ondanks de aanwezigheid van de artiesten, de vrije meiden en de Amerikaanse soldaten, en ondanks de jazz blijft de Cotton Club de vertrouwde sfeer van een huiskamer behouden. De gesprekken gaan niet erg diep, daarvoor zijn de stamgasten te dronken of te stoned en is het te lawaaiig om elkaar goed te verstaan. Bovendien komen veel bezoekers pas in de late uurtjes, als andere kroegen dicht zijn, want iedereen weet dat Frits het niet zo nauw neemt met de sluitingstijden. Kunstenaars als Aat Veldhoen, Ed van der Elsken en Anton Heyboer zijn veel geziene gasten. Van der Elsken, de jonge fotograaf, heeft ook een tijd in Parijs gebivakkeerd en woont sinds hij terug is vlak achter de Cotton Club in de Koningsstraat. In 1956 maakt hij naam met de uitgave van een serie foto's die hij in de Parijse hotspot Saint-Germain-des-Prés gemaakt heeft. Tegenover hem woont de kunstschilder Anton Heyboer. Beide mannen raken bevriend en niet alleen met elkaar, maar ook met elkaars vrouwen. De roddels in de Cotton Club zijn niet van de lucht. Da zit in de keuken, waar zij de sokken stopt van Ramses Shaffy, die intussen met blote voeten aan de bar een pilsje drinkt. Dan komt een jonge actrice de kroeg binnenvallen en roept: 'Ik wil geneukt worden.' Het zal nog bijna tien jaar duren voordat de Nederlandse Vereniging voor Seksuele Hervorming de seksuele revolutie zal verkondigen en partnerruil en *seks-ins* in de mode raken.

HOOFDSTUK 6

VETKUIVEN

1954-1959

In het begin van de jaren vijftig is het leven in Nederland nog sober. Maar langzaam neemt de welvaart toe. Vanaf de vroege jaren vijftig maakt de gemeente Amsterdam zich dan ook druk over de vraag hoe de binnenstad het hoofd moet bieden aan de toenemende hoeveelheid auto's die zich naast zwermen fietsers en handelaren met handkarren door de straten van het centrum wringen. De Amsterdamse stadsbestuurders zien hun stad het liefst uitgroeien tot een ware metropool. De traditionele concurrentie met Rotterdam leidt ertoe dat sommigen met een zekere afgunst kijken naar de nieuwe skyline van de havenstad. De naoorlogse ambitieuze Rotterdamse aanpak zorgt ervoor dat die stad zich al snel ontwikkelt tot de grootste van Nederland. Voor het gevoel van de Amsterdamse beleidsmakers raakt de hoofdstad steeds verder achterop.

Tot overmaat van ramp loopt na de oorlog het belang van de Amsterdamse haven snel terug, terwijl de Rotterdamse haven uitgroeit tot de grootste ter wereld. Ambtenaren van de hoofdstedelijke dienst publieke werken krijgen de opdracht een visie te ontwikkelen op de toekomst van de stad. De historische binnenstad van Amsterdam is weliswaar wereldberoemd, maar tegelijkertijd staat diezelfde binnenstad de ontwikkeling van een moderne wereldstad in de weg. Als burgemeester D'Ailly in 1954 de hoofdcommissaris van politie, Kaasjager, vraagt zijn gedachten over de problematiek op papier te zetten, komt deze met het voorstel een deel van de Amsterdamse grachten te dempen en een gedeelte van de bebouwing langs de Nieuwmarkt, de Nieuwe Hoogstraat, de Utrechtsestraat en de Weesperstraat te slopen. Het plan roept een storm van protest op en wordt niet uitgevoerd.

Het plan van Kaasjager mag dan zijn weggehoond, maar zijn voorstel past goed in het 'nieuwe denken' dat zich onder de Amsterdamse regenten ontwikkelt. Die dromen van een wereldstad met brede avenues en snelwegen omzoomd door hoge hotels, kantoren, garages en universiteitsgebouwen. Zij noemen de nieuwe blauwdruk voor de stad *citybuilding* en hebben daarbij straten zoals het Londense Fleetstreet voor ogen. Deels wordt die gedachte al geprojecteerd op de Wibautstraat, waar de nieuwe krantengebouwen voor *de Volkskrant*, *Trouw* en *Het Parool* moeten verrijzen en op den duur ook publieke werken en gemeentelijke woningdiensten een gigantisch onderkomen zullen krijgen. Het gebouw moet in de toekomst meer dan 2000 ambtenaren gaan huisvesten.

In 1953 presenteren B&W aan de gemeenteraad een Wederopbouwplan Nieuwmarktbuurt. Hierin wordt voorgesteld een ingrijpend verbrede Wibautstraat en Weesperstraat met het Centraal Station te verbinden door een vierbaansautoweg die dwars door de Nieuwmarktbuurt loopt en uitkomt op een tunnel onder het IJ. Dat zou onder andere ten koste gaan van het kleine grachtengebied achter de Nieuwmarkt. De buurt verkeert na de oorlog toch al in haveloze staat en is nauwelijks gerestaureerd. Een café als de Cotton Club zou dan verdwijnen. Het karakter van de Chinese wijk zal sterk veranderen door een geplande verbreding van de Binnen Bantammerstraat. Een hele opruiming, vinden velen. Dat de plannen ten koste gaan van enkele historische gebouwen als het Pintohuis in de Sint Antoniesbreestraat is jammer, maar de vooruitgang mag niet gestuit worden. De minister van Onderwijs, Kunsten en Wetenschappen en de minister van Volkshuisvesting en Bouwnijverheid geven echter geen toestemming voor de sloop omdat zij het in het landsbelang achten dat dit stukje historisch Amsterdam blijft behouden voor het nageslacht.

Ook de familie Smit profiteert van de toenemende welvaart. Frits koopt een nieuwe auto. 'Zo'n grote Amerikaanse pooierbak: een Chevrolet met vinnen,' herinnert dochter Riekie zich. De welvaart toont zich in de toename van het autoverkeer. Begin jaren vijftig doet de televisie haar intrede. Sommige caféhouders schaffen zo'n toestel aan om klandizie te trekken, want in die eerste jaren kunnen nog maar weinig mensen een tv betalen. Maar de Cotton Club is niet de plek om tv te kijken. In 1957 presenteert de televisie de serie *Pension Hommeles*, waarin een gekleurde man met een zwaar Amerikaans accent door Annie M.G. Schmidt geschreven liedjes zingt. De familie Smit, die al vroeg een televisie heeft, herkent dadelijk hun klant Donald Jones in de zanger. De Amerikaanse acteur heeft, ondanks het taalprobleem dat hij dan nog heeft, zich een positie in de wereld van de kleinkunst weten te veroveren.

In die tijd van opkomende welvaart maken in het gedeelte van de Nieuwmarkt waar Frits zijn café drijft, kleine winkels al een enkele maal plaats voor nog een café. Op de hoek van de Nieuwmarkt en de Koningsstraat opent Gerrit Fokke een café in wat voorheen een kleine manufacturenwinkel was. Tussen het café van Fokke en de Cotton Club, op nummer 3, is nog een houthandel gevestigd. Op nummer 7 is een magazijn en daarnaast bevindt zich café Populair. Twee huizen verder, op de hoek van de Keizersstraat, is café De Tramhalte gevestigd in het pand waar voor de oorlog café Hartlooper zat, een gelegenheid waar veel Joden kwamen. De naam verwijst niet naar de beruchte lijn 8 die daar reed, maar naar de tram die daarvoor in de plaats is gekomen. Lijn 8, de 'Jodentram', die via de Nieuwmarkt naar de Rivierenbuurt reed, was in 1942 opgedoekt omdat Joden van de Duitse bezetter niet meer met het openbaar vervoer mochten reizen. De tram werd toen nog wel gebruikt om Joden die waren opgepakt naar het Centraal Station te transporteren. Het nummer van de lijn is door de gebeurtenissen besmet geraakt en na de bevrijding komt tramlijn 8 niet meer terug. De tram

Fritsie, Annie en Beppie van de Berg achter de bar met Kerstmis

is vervangen door lijn 11 en later wordt de tramlijn vervangen door een bus.

In 1959 raakt de jongste dochter van Frits, Riekie, bevriend met Anneke Pannenkoek, die op de lagere school een klas hoger, in de zesde, zit en op de Oudezijds Achterburgwal woont. Anneke komt graag bij Riekie thuis, wat waarschijnlijk te maken heeft met Riekies oudere broertje Fritsie. Fritsie heeft echter geen oog voor het meisje dat nog maar net dertien is. Riekie en Anneke hebben zelf wel belangstelling voor jongens. Niet voor die gozers die in de Cotton Club komen. Dat zijn van die artistieke jongens die kleven aan de kunstenaars die het café bezoeken. Die watjes houden zich ook rond het Leidseplein op.

Als zij van de lagere school is, gaat Riekie samen met haar vriendin Anneke liever uit op de Nieuwendijk, daar komen nog eens leuke jongens. Hun ingevette haar ligt in sierlijke kuiven op hun voorhoofd; zij dragen strakke spijkerbroeken met daaronder puntschoenen, leren jacks of glimmende jasjes en rijden op brommers die veel weg hebben van motoren. Ze worden, naar het voorbeeld van de pleiners die zich rond het Leidseplein ophouden, 'dijkers' genoemd, omdat hun hangplaats de kop van de Nieuwendijk is. Deze dijkers luisteren naar de rock-'n-roll van Bill Haley of Elvis Presley en worden daarom ook wel als 'rockers' aangeduid. De pleiners noemen hen vol minachting 'vetkuiven' vanwege hun met veel haarcrème sierlijk opgemaakte haardos.

Anneke en Riekie hebben ook zo'n glimmend jack op de kop weten te tikken. Op de rug van het blauwe jasje is een veelkleurige adelaar geborduurd. Zij hangen graag op de Nieuwendijk rond bij de jongens met hun grote brommers, als het even kan van het merk Zündapp. Maar dat is duur en meestal moeten de jongeren genoegen nemen met een bromfiets uit de Kreidlerfabrieken, de Florett. Die bromfietsen lijken op echte motoren en zijn heel wat stoerder dan die fietsen met hulpmotor van de pleiners. Gewoonlijk zijn dat brommers van het merk Puch, het liefst met een maf hoog stuur.

De jongeren trekken met hun opvallende gedrag de belangstelling van de pers. In het begin is het onderscheid tussen pleiners en dijkers de journalisten niet duidelijk. Zo schrijft *De Telegraaf* op 4 augustus 1955 bezorgd dat het Vondelpark onveilig wordt gemaakt door jongeren in veelkleurige geruite hemden en spijkerbroeken. De politie zou de zaak onder controle hebben. In diezelfde maand wordt in *Vrij Nederland* de term 'nozem' geïntroduceerd. Het is een term die tot dan toe gebruikt werd voor de liefhebbers van jazz, een muzieksoort waarvan in Nederland slechts in een kleine kring wordt genoten.

Het zijn twee stamgasten van de Cotton Club, Jan Vrijman en Ed van der Elsken, die een nieuwe inhoud aan het begrip nozem geven, als ze op de Nieuwendijk in Amsterdam op onderzoek uitgaan. Vrijman wijdt er een reeks artikelen aan in *Vrij*

Nederland. Terwijl *De Telegraaf* de pleiner nog voor ogen heeft, ontdekken Vrijman en Van der Elsken de vetkuiven. Anders dan de pleiners zijn het voornamelijk arbeiderskinderen. Door de toenemende welvaart zijn zij in staat een bromfiets te kopen. Zij hebben een platenspeler op hun kamer om de songs van Elvis op te spelen en zij nemen hun vriendinnetjes mee naar de laatste Amerikaanse speelfilms die in het theater Cineac op het Damrak draaien. Deze bioscoop heeft ook een ingang op hun eigen Nieuwendijk. Ze zien er in 1955 *Blackboard jungle* van Richard Brooks, een van de eerste films waarin rock-'n-roll een belangrijk deel van de soundtrack uitmaakt. Naar voorbeeld van hun filmhelden oefenen de dijkers zich in de kunst om met een sigaretje aan de lip zo 'cool' mogelijk uit de ogen te kijken, waarbij onder de pupil nog wat wit is te zien. Een koude blik die ongeïnteresseerdheid moet uitstralen, bedoeld om de oudere generatie af te schrikken.

De kunstschilder Alphons Freijmuth, een trouwe bezoeker van de Cotton Club, vertelt hoe hij zich op één dag van dijker naar pleiner transformeerde. Als Alphons in 1958 in Amsterdam aankomt, draagt hij een nauwe gestreepte broek en is zijn haar gekapt in een fraaie vetkuif. Samen met een neef die al langer in Amsterdam woont, verkent hij de Nieuwendijk waar zij de rock-'n-rolltent Roxy bezoeken. Alphons houdt van rock-'n-roll, maar dan wel van de klassieke zwarte rock, zoals die vertolkt wordt door bijvoorbeeld Little Richard. De blanke rock van Bill Haley, maar ook die van Elvis, kan hem niet boeien. Tot zijn ongenoegen ontdekt Alphons dat de dijkers die de Roxy bezoeken hem helemaal niet bevallen. Hun gedrag, de bromfietsen waarop zij rijden en hun agressiviteit roepen diepe afkeer bij hem op. Als hij ontdekt dat de dijkers er plezier in hebben om gewapend met fietskettingen de pleiners op te zoeken om die arrogante doetjes een lesje te leren, is het voor Alphons genoeg geweest. Hij knipt zijn kuif af en laat zich een rattenkoppie aanmeten. Vanaf die dag is hij vooral op het Leidseplein te vinden en bezoekt hij niet langer de Roxy, maar de Lucky Star.

Zijn afkeer van wiet en het regelmatige leven dat hij leidt, maken hem in de ogen van zijn medepleiners enigszins square. Het doet Alphons weinig want hij ziet de meeste pleiners als nepartiesten en de meisjes zijn een soort groupies die smachtend achter deze kunstenaars aan lopen.

Al snel vindt Alphons werk als kapper en daarna komt hij in dienst bij de fameuze kapper Loek Limburg. In zijn vrije tijd volgt hij schilderlessen bij Hans Engelman en de weinige tijd die hij 's avonds nog overhoudt brengt hij door in Eijlders of de Lucky Star. 'Twee pilsjes op een avond, meer kon je niet betalen.' Alphons merkt dat er een zekere overloop is tussen de cafés op het Leidseplein en de Cotton Club op de Nieuwmarkt. Hij kent dat café nog van een jaar of wat terug toen hij als zestienjarige op het eiland Terschelling een pleinermeisje ontmoette dat in het centrum van Amsterdam woonde en hem later een keer meenam naar het café op de Nieuwmarkt. Alphons vond er toen maar niets aan. Er zat niemand en de jazz die uit de jukebox opklonk deed hem, onbekend als hij nog was met deze muziek, weinig.

Door de uitwisseling tussen de cafés op het Leidseplein en het café op de Nieuwmarkt ontdekt Alphons dat de Cotton Club het eerste café is waar het publiek voor de ene helft uit blanken en voor de andere uit kleurlingen bestaat. De schilder geniet van het veelkleurige gezelschap en van de gezelligheid. Op oudejaarsavond zijn er oliebollen en na sluitingstijd wordt er met de vaste klanten tot vijf uur in de ochtend doorgefeest. Uit de jukebox klinkt niet alleen jazz, maar ook Antilliaanse muziek, waar met overgave op wordt gedanst. Hij heeft nog steeds niets met marihuana, maar de jazz spreekt hem sinds kort meer aan en hij is een liefhebber geworden van Ben Webster en Eric Dolphy.

Ome Frits zit zoals altijd op zijn vaste plek aan de bar. Alphons mag de kroegbaas graag omdat deze, zoals Alphons het later uitdrukt, 'zijn bruine klanten zo menselijk tegemoet trad en het opnam voor deze jongens, die zo ver van huis waren en

Marion verleidt een klant.

lang niet elke kroeg mochten binnenkomen'. Het vertedert hem diep, als hij Frits daar zo ziet zitten, terwijl zijn kleindochtertje Marion stralend door het café naar hem toe rent om vervolgens op zijn knie paardje te rijden.

Frits is stapel op de dochter van Alie en kan haar niets weigeren. Als Da boos op haar man is, praat zij dagen achtereen niet tegen hem. Frits trekt zich er ogenschijnlijk weinig van aan en drinkt tegen etenstijd rustig zijn pilsje aan de bar. Da vraagt de kleine Marion, die in de keuken achter de bar rondhuppelt, opa te gaan halen. Nu laat opa zich gewoonlijk niet roepen als hij geen zin heeft, maar tegen zijn kleindochter kan hij niet op. Met haar handjes trekt zij opa aan twee vingers van zijn kruk en maakt hem zo duidelijk dat hij moet komen eten. Gedwee volgt opa de kleine meid naar de keuken. Als opa eenmaal aan tafel zit, zoekt hij het zout en als hij het niet ziet staan, vraagt hij Marion aan oma te vragen waar het staat. 'Zeg maar tegen je opa dat het recht voor zijn dronken neus staat,' snauwt Da als zij de vraag heeft gehoord. 'Het staat voor je, opa,' herhaalt de kleine braaf.

Alphons, die er zo langzamerhand aan toe is het kappersvak de rug toe te keren en zich als zelfstandig kunstenaar te vestigen, ontmoet in de Cotton Club mensen als de Surinaamse kunstschilder Guillaume Lo A Njoe. Deze heeft net als veel andere kunstenaars een tijdje een goedkoop atelier in de Nieuwmarktbuurt gehuurd. Hij kent de buurt vanaf zijn academietijd, toen hij door de stad zwierf op zoek naar pittoreske plekjes voor illustraties. In Nederland geboren, maar van Surinaamse afkomst, voelt hij zich in het café thuis omdat er mensen uit alle windstreken komen. 'De Cotton was hartverwarmend, een eiland in Amsterdam.' Hij maakt graag een praatje met de Amerikaanse soldaten die er komen: 'Leuke jongens die jazzplaten meebrachten en zich er op hun gemak voelden.' De inrichting spreekt hem ook aan. Hij is gek op de glasschilderingen die er hangen. 'Die maken ze tegenwoordig niet meer,' zal hij later nostalgisch zeggen.

Als het plafond van de Cotton Club begin jaren zestig scheuren begint te vertonen, laat Frits het vernieuwen en wordt het beplakt met kunststof tegels. 'Prima materiaal om op te schilderen,' meent de jonge kunstschilder. 'Als dat zo is, mag je ze wel beschilderen.' Het is niet tegen dovemansoren gezegd. Lo A Njoe neemt de kwast ter hand en brengt als een ware Michelangelo liggend op zijn rug boven op een stelling een aantal schilderingen aan op het plafond. Het worden zonnen en abstracte mensenfiguren op een rode achtergrond, die mettertijd door alle sigarettenrook flink donkerder zullen worden. Nog zo'n jaar of vijf blijft Guillaume in Amsterdam werken, dan krijgt hij de kriebels en gaat hij reizen. Hij woont onder andere een tijdje op het 'magische' eiland Ibiza, waar ook Willy voor korte tijd haar heil zoekt. Het eiland is in die dagen een pleisterplaats voor auteurs als Jan Cremer, Cees Nooteboom en Simon Vinkenoog.

Behalve met Lo A Njoe raakt Alphons Freijmuth ook bevriend met Herman Hennink Monkau. Monkau heeft in die dagen de Kunstnijverheidsschool afgerond en ontwerpt kleding voor Donald Jones en de acteur Henk van Ulsen. Hij herinnert zich: 'Als je voor het eerst Charlie Parker, Bud Powell en Miles Davis hoort, gaat er een wereld voor je open. We kenden alleen de Skymasters en de Ramblers. We liepen allemaal in het zwart en op sandalen van Zwartjes. Bij een chique tent als het Carlton in de Vijzelstraat werden we in 1955 geweigerd vanwege onze kleding. We kwamen in cafés als Reijnders, Eijlders, op het Leidseplein, de Sheherazade in de Wagenstraat bij het Rembrandtplein en in de Cotton. Daar vond je platen van Jimmy Smith in de jukebox. De pianist Erroll Garner zou de Cotton Club zelfs bezocht moeten hebben, want hij kwam ook in de Sheherazade. Daar waren wij ook vaak te vinden, totdat we door de eigenaar van de Lucky Star met gratis consumpties werden weggelokt om zijn tent te bezoeken, toen die de eerste weken nog niet zo goed wilde lopen.'

Het valt Alphons op hoe groot het verschil is tussen Reijnders en Eijlders op het Leidseplein en de Cotton Club op de Nieuwmarkt. De pleinen zijn uitgaansgebied. Daar wandelt de burgerij op zondagmiddag nieuwsgierig langs de kroegen waar de kunstenaars komen om vervolgens door te lopen en een kopje koffie te drinken bij Heck's op het Rembrandtplein. Het café aan de Nieuwmarkt ligt buiten de wandelroute en trekt halverwege de jaren vijftig een ongekend gemêleerde klantenkring. De kunstenaars staan tussen de mensen uit de buurt aan de tap, terwijl op het Leidseplein, bij Reijnders en Eijlders, uitsluitend kunstenaars en 'meelopers' komen. De meeste bewoners uit de Nieuwmarktbuurt zien de jonge kunstenaars als die gekke lui die maar wat aanrotzooien, maar accepteren hen wel. De Surinaamse jongens die in het café hun honk hebben, herkennen in de losse levensstijl van de kunstenaars iets van hun moederland: 'Ik voelde me bij hen meer thuis dan bij andere Nederlanders, ze lijken een beetje op ons, als ze geld hebben maken ze het meteen op, en dan is het de volgende dag weer pinaren (armoe lijden).' De burgerman mijdt het café, maar die blijft ver weg van iedere kroeg in die buurt. Wie daar gezien wordt, is betrapt, hij heeft ongetwijfeld een bezoekje aan de hoeren gebracht.

Alphons Freijmuth woont inmiddels in de Tweede Goudsbloemdwarsstraat vlak bij het oude huis van Frits en Da. Hij bezoekt daar het café dat ooit eigendom was van de ouders van Da. Er heerst begin jaren zestig nog altijd diepe armoede in het noordelijk deel van de Jordaan. Ook Alphons kan in die dagen de eindjes maar met moeite aan elkaar knopen. In de kleine woning is het donker. In een kast, niet meer dan een hok, heeft Alphons zelf een douche aangelegd. Boven hem woont tante Mina met haar zoon Jantje. Als bijverdienste zorgt zij voor kleine Henkie, het zoontje van een hoertje dat bekendstaat als Zwarte Wil. Een enkele keer komt Zwarte Wil bij haar kind op bezoek. Zij wordt dan gebracht door haar pooier, die in een grote Amerikaanse slee rijdt.

Alphons ziet in Willy een leuke ironische meid zonder kapsones. In zijn ogen is het een kwetsbaar meisje met een goed gevoel voor muziek en kunst. Zo is Willy geïnteresseerd in zijn schilderkunst. Dat laat zij merken door een enkele keer iets van hem te kopen. 'Later, toen ik het een beetje gemaakt had als schilder, gaf ik haar wel eens een prent.' Jaren later zal hij over Willy zeggen: 'Ze had een dubbele kant en was van de familie het meest afgegleden, slaagde er misschien het minste in om iets te maken van het leven. Uiteindelijk had zij een vorm gevonden waarmee zij voort kon. Zij was degene van de familie die het meest geraakt werd door de omgeving waarin zij verkeerde: de rosse buurt en het drugsmilieu. Maar ze was ook de gevoeligste.'

Vroeg in de jaren vijftig – ze is dan een jaar of achttien – rookt Willy haar eerste stickie en rond haar vijfentwintigste ontdekt zij de opium. Zij heeft makkelijk contact met de Chinezen in de Binnen Bantammerstraat, omdat ze er als jong meisje speelde toen zij bij haar tante logeerde. Er zijn daar een paar opiumkitten waar vooral oudere Chinezen liggend op houten britsen hun opium 'schuiven'. Chinese verslaafden weten het verdovende middel heel poëtisch te omschrijven: 'Je kan er inschepen op de maan, die rimpelend wegdrijft op de brede rivier der vergetelheid.' De opiumkitten zijn streng verboden, maar worden door de politie gedoogd. Wie in die buurt de weg weet, kan redelijk gemakkelijk aan opium komen. De Chinese eigenaar van een opiumkit stuurt geregeld iemand naar buiten om te kijken of er een klant voor de deur staat te wachten. 'Of,' vertelt een Surinaamse bezoeker van de Cotton Club, 'je bestelde bij een Chinees een bak loempia's en saté. Onder in het bakje legden die Chinezen dan plakjes opium. We betaalden twee gulden vijftig voor zo'n plakje, dat we zelf oprookten of voor een tientje verkochten aan blanke jongens.'

De sfeer in de Nieuwmarktbuurt is nog altijd dorps. De kleine middenstandswinkels in de Koningsstraat floreren. Dat geldt ook voor het delicatessenwinkeltje van de familie Dolman. Hun zoon Henk verdient tegenwoordig zijn brood als snorder. Trots vertelt hij later dat de halve penoze, onder wie Frits van de Wereld, als snorder is begonnen. Hoertjes die een klant ophaalden bij de haven, maakten vaak gebruik van de snorders. Zij gaven de chauffeur de opdracht 'een rondje te rijden' voordat zij naar de plaats van bestemming gingen, meestal een goedkoop hotel. Daar aangekomen rekende de klant af en kreeg het meisje de gelegenheid een blik in zijn portemonnee te werpen. Voordat hij meeging wilde zij wel weten wat de man waard was. De snorder kreeg later zijn deel toegeschoven, zo pikte hij dankzij het ommetje ook nog een graantje mee.

Maar er gebeuren dingen in de stad die de penoze niet zinnen. De hele zomer van 1959 hangen op de Dam nozems rond. De dijkers zijn niet alleen de burgerij, maar ook de penoze een doorn in het oog. De burger ervaart het rondhangen van de jongeren op het Oorlogsmonument als een belediging aan het verleden. Voor de penoze geldt dat het opgeschoten tuig de belangrijkste toegang tot de rosse buurt verspert. De burgerman die een bezoekje wil brengen aan de warme buurt, durft deze niet meer via de Damstraat of de Warmoesstraat binnen te gaan en dat scheelt in de klandizie. De politie heeft al verschillende malen charges uitgevoerd om de jongeren te verjagen. Maar de jeugd heeft plezier in het spelletje. De agenten proberen op hun motoren met zijspan zo dicht mogelijk langs de groepjes jongeren te scheren. De agent die in de zijspan zit, slaat met de platte kant van de sabel op de 'nozems' in, die de agenten als ware stierenvechters uitdagen en bij de rijdende motoren wegspringen om de klap met de sabel te ontlopen. Riekie en Anneke zijn ook van de partij. Riekie loopt bij een van de politiecharges een flinke tik op. Zij krijgt een klap met het plat van de sabel. Het is niet echt pijnlijk, maar het scherpe lemmet snijdt in de plooien van haar broek en veroorzaakt een flinke scheur. Het levert haar later een uitbrander van haar moeder op.

Uiteindelijk maken de politiecharges weinig indruk op de jeugd en de situatie dreigt uit de hand te lopen. Daarom komen eind augustus van dat jaar de belangrijkste bikkers van de Wallen bijeen in hun stamcafé Pleinzicht op de Oudezijds Voorburgwal. Vette Lap, Haring Arie, Willy de Bokser, Zwarte Joop, ze zijn er allemaal. Al maanden ergeren de bikkers zich aan het slappe optreden van de Amsterdamse politie tegen de nozems op de Dam. Het wordt tijd dat er eens echt wordt ingegrepen, menen de Amsterdamse pooiers.

De laatste twee dagen van augustus trekken de bikkers in een zestal pooierbakken, gewapend met loden staven en fietskettingen, naar de Dam. Zonder een waarschuwing vooraf lopen zij het plein op en beginnen op de jongeren in te slaan. Binnen de kortste tijd is de Dam schoongeveegd. De politie grijpt niet in en op de actie volgen geen repercussies. Een jonge socioloog die het allemaal waarneemt besluit zijn dissertatie aan het onderwerp te wijden. Het is Wouter Buikhuizen en zijn proefschrift verschijnt in 1965 met als titel *Achtergronden van het nozemgedrag*. In het werk beargumenteert hij dat het woord 'nozem' beter vervangen kan worden door 'provo', omdat de jongeren eropuit zijn het gezag te provoceren. Geestverwanten van Robert Jasper Grootveld zullen het woord provo gebruiken voor een nieuw op te richten antiautoritaire beweging, maar dat zal na die gedenkwaardige laatste dagen in augustus 1959 nog bijna zes jaar duren.

Grootveld zelf is halverwege de jaren vijftig nog werkzaam als glazenwasser. In die tijd is hij voortdurend bezig met enkele artikeltjes die hij ooit in de krant heeft gelezen. De berichtjes gaan over blanke middelbare scholieren in de Verenigde Staten die een stof roken die marihuana genoemd wordt. De leerlingen zouden er uitgelaten van worden en er wild van gaan dansen. Met zijn vriend Mike Lorsch fantaseert hij hoe het zou zijn om dat goedje zelf eens te gebruiken. De roker zou met heel andere, nieuwe ogen naar de wereld kijken. Het zou iets van een droom hebben en een unieke stemming veroorzaken zonder dat de gebruiker er dronken van wordt.

Jasper en Mike weten dat het gebruik van marihuana zich voornamelijk beperkt tot jazzmusici en hun publiek. Het gebruik ervan is nog zo kleinschalig en verborgen dat het hun niet lukt om de hand op het spul te leggen, ook al struinen zij dagelijks de straten van het centrum af. Uiteindelijk krijgen zij te horen dat de marihuana te krijgen is in de Cotton Club op de Nieuwmarkt, een van de kroegen waar veel 'zwarten' samenkomen. Te midden van druk gebarende kleurlingen, die een eigen, onbegrijpelijke taal spreken, gaan Mike en Jasper aan de bar zitten. Van een deal komt weinig terecht. 'Ze deden zo uitgelaten,' weet Jasper later te vertellen, 'daar voelden we ons harken bij, je kwam er gewoon niet tussen.'

Na een aantal mislukte pogingen om aan het wondermiddel te komen, beproeft Robert Jasper zijn geluk bij de Leidsepleinjeugd. Het duurt even voordat hij en zijn vriend succes hebben. Maar in 1959 komen zij uiteindelijk in café Reijnders in contact met een jongen die aan het conservatorium studeert. Deze jongen is gek op jazz en neemt een enkele keer deel aan jamsessies met donkere muzikanten. Hij neemt Jasper en Mike mee naar het café op de Nieuwmarkt en koopt daar een luciferdoosje met marihuana. Thuisgekomen draait de pleinerkennis een sigaretje van de marihuana. Eindelijk heeft Robert Jasper Grootveld zijn eerste joint gescoord. Het is begin juli 1959.

HOOFDSTUK 7

DE DIEVENWAGEN

1959-1964

Sinds jaar en dag wordt de ruimte achter in de Cotton Club zacht gloeiend verlicht door de imposante Wurlitzer-jukebox. Het apparaat heeft Frits een vermogen gekost, maar de muziekdoos heeft door de jaren heen zijn geld ruimschoots opgebracht. De 690 gulden die hij ervoor betaalde heeft zich dubbeltje voor dubbeltje en kwartje voor kwartje gestaag terugverdiend.

Frits hoeft nauwelijks muziek aan te schaffen, want zijn Amerikaanse klanten nemen hun eigen muziek mee en laten die in de jukebox achter. Dat zijn voornamelijk jazzplaten en zo verwerft de Cotton Club zijn faam als jazzcafé, wat merkwaardig is, omdat behalve Willy niemand van de familie Smit echt van moderne jazz houdt. De bezoekers van de kroeg merken dat niet, want Willy en Beppie, die achter de tap staan, houden wel van jazz en dansen graag met hun klanten mee. Dat geldt ook voor Annie, maar zij kan de muziek alleen waarderen als zij erop dansen kan en dat geldt lang niet voor alle jazz. Frits en zijn Jordanese vrouw Da houden van opera. Als beide echtelieden aangeschoten zijn, zingen zij uit volle borst het bekende duet uit *De parelvissers* van Bizet mee. Op een dag hebben zij hun gezang zelfs opgenomen. Eenmaal nuchter hebben zij de band gierend van het lachen afgedraaid. Verder draait Frits op de pick-up in zijn woonkamer Italiaanse liederen, gezongen door Willy Alberti. Ook naar het Nederlandse levenslied dat Alberti zo mooi weet te vertolken, luistert hij graag. Een van de

WURLITZER

De Wurlitzer van de Cotton Club

liederen die Frits het meest ontroeren, is 'De dievenwagen', dat weliswaar door Willy Alberti wordt gezongen, maar al in 1923 is geschreven door Willem Munnik, die zich Willy Chanson liet noemen. Het lied verhaalt hoe onschuldige werklozen door armoede tot diefstal worden gedwongen. In menig café aan de overkant van de Nieuwmarkt wordt het lied gedraaid als een van de stamgasten weer uit de nor terug is.

Jongens kom kijken, de wagen staat voor
De dieven worden weggereden...
Dan zie je de stumperds, hun handen geboeid
Die soms niet het ergste deden
[...]

Wat is het niet wreed als je loopt langs de straat
En overal zie je die weelde
Dan loop je te denken – hoe mooi rijk te zijn
Wat arm zijn wij dan toch, misdeelden
En als soms je kinderen vragen om brood
Je kunt hun ook dat niet eens geven
Dan steel je maar – want het is voor je kind
Dat heeft toch het recht om te leven

Lach nooit, als je die wagen ziet staan
Je kunt hen gerust wel betreuren
Denk maar alleen: wat hij heeft gedaan
Kan morgen mij ook gebeuren
[...]

't Is altijd geen dief die de wagen in gaat
En dat 's natuurlijk weer het mooie
Het zijn soms die jongens, die geen dienst willen doen
En die ze de nor maar in gooien
Maar hij die vermoordt – en geld heeft, zo'n ploert
Hem wordt steeds die schande vermeden

Hij wordt echter niet met die wagen vervoerd
Maar in zijn eigen auto gereden
[...]

In het voorjaar van 1960 vindt de politie bij een inval enkele pakketjes wiet op de binnenplaats van de Cotton Club. Omdat het de tweede keer is dat de politie bij een inval wiet aantreft, wordt Frits als de verantwoordelijke eigenaar van de Club gearresteerd. Ook Eddy Faithfull en een West-Afrikaanse zeeman worden in hechtenis genomen. Op 30 juli 1960 meldt *De Telegraaf* dat de drie mannen zijn vrijgesproken. Tegen Frits, die door het dagblad 'grand old papa' wordt genoemd, was drie jaar met aftrek geëist.

Het wordt niet hardop gezegd, maar wel gefluisterd dat de wiet gekocht zou zijn door Eddy Faithfull met geld dat hij van Frits geleend zou hebben. Dat zou ook de reden zijn dat de eis tegen Faithfull (zes maanden) veel lager was dan die tegen zijn werkgever. Een ander gerucht is dat de deal ter ore is gekomen van Max Zeegelaar, die niet kan goedkeuren dat zo'n betrekkelijk grote voorraad wiet buiten hem om in de handel is. Daarom zou hij de politie over de partij hebben getipt. Een jaar later besteedt *Het Nieuwsblad van het Noorden* een kort artikel aan de zaak. De krant weet te vertellen dat de aanvoer van marihuana in handen is van West-Afrikaanse zeelieden, voor wie, nog altijd volgens die krant, de Cotton Club geen onbekend adres is. Tijdens de zitting zou gebleken zijn dat het niet om een georganiseerde handel gaat, maar om zeelieden die een zakcentje willen bijverdienen.

Ondanks de overlast van die enkele politie-invallen bloeit de Cotton Club in de eerste helft van de jaren zestig als nooit tevoren. Veel kunstenaars en artiesten behoren nog altijd tot de vaste klantenkring en roken daar graag een stickie. Onder hen is een jonge dichter, Johnny van Doorn, die zich Johnny the Self-kicker noemt, en ook deel uitmaakt van de Leidsepleinscene rond Simon Vinkenoog en Robert Jasper Grootveld. Hij zal zich

Real Sranang, voortgekomen uit De Cotton Boys, waar Rijkaard ooit zijn carrière is begonnen. Ook Albrecht Soerel, de tweede man van Alie, derde van rechts boven, speelde een tijdlang voor Real Sranang.

later faam verwerven met optredens van minutenlang in staccato voorgedragen woordenreeksen als: '...kom toch eens klaar, klootzak; kom toch eens klaar, klootzak...'. Het is een wereld die geheel aan Annie voorbijgaat, ook al staat zij dagelijks achter de tap. Om erbij te horen neemt zij een enkele keer een haaltje van een joint, maar Annie houdt het liever bij de drank en daar weet ze, net als haar vader, wel raad mee.

Een aantal jonge Surinaamse klanten voelt zich zo thuis dat zij zich op de Nieuwmarkt vermaken met het trappen van een balletje. Algauw wordt het voetbalspel een vaste gewoonte en noemen de gelegenheidsspelers zich De Cotton Boys. Op initiatief van een Surinaamse stamgast wordt zelfs een echte voetbalclub opgericht, Real Sranang. De penningmeester is de eigenaar van de Cycloop, een café op de Nieuwendijk, waar ook veel Surinamers komen. Armand Bruma, een vaste klant van de Cotton Club, wordt voorzitter van de voetbalvereniging. De gedeelde verantwoordelijkheid voor de club is aanleiding tot een jarenlang durende vete tussen beide cafés over wie nu de eigenlijke oprichter is van Real Sranang.

De voetbalclub vindt later een onderkomen op een van de voetbalterreinen in Amsterdam-Oost, dicht bij het Ajaxstadion. Als de mannen op zondag hun wedstrijd gespeeld hebben, worden de vuile shirtjes en broeken bij Da in de Cotton Club afgeleverd. Zij zorgt ervoor dat de sportkleding voor de volgende wedstrijd weer brandschoon is. Vanaf 1962 is Real Sranang een officiële voetbalclub die onder de KNVB valt en naast de competitie waarin de ploeg speelt, eens per jaar op tournee naar Suriname gaat.

In het voorjaar van 1960 voegt zich een zekere Roland Blokland bij de vaste gasten van de Cotton Club. Algauw wordt hij door iedereen Ropie genoemd. In de eerste weken na zijn aankomst uit Suriname vindt hij voor tien gulden per week onderdak in een pension op de Geldersekade. Hij moet daarom naarstig op zoek naar werk en als hij dat niet dadelijk vindt, heeft hij het geluk dat hij in de Cotton Club Max Zeegelaar tegen het lijf loopt, die zoals gewoonlijk op zoek is naar een betrouwbare chauffeur. Zolang Ropie geen regulier werk heeft, lijkt het hem wel wat. Hoewel hij er al snel achter komt dat hij met een echte boef te maken heeft, blijft hij voor Max rijden, want Max betaalt goed.

Ropie kan zijn geluk niet op in Amsterdam. 's Avonds heeft hij een vaste route vanuit de Cotton Club naar de Casablanca en café San Francisco op de Zeedijk en dan via de bars Pana Pana en de Parabar naar de Nieuwendijk waar de Liberty, Mooij en Mercurius zitten. Ropie is een aantrekkelijke man en heeft niet te klagen over vrouwelijke belangstelling. Menigmaal neemt hij een meisje mee naar zijn kamer, hoewel zijn hospita geen vrouwenbezoek toestaat op de kamers van haar mannelijke huurders. Als een van hen 's avonds laat thuiskomt, legt zij haar oor te luisteren of zij niet meer dan één paar voeten de trap op hoort komen. Maar Ropie is niet voor één gat te vangen. Beneden neemt hij het meisje op zijn rug en draagt haar de drie verdiepingen de trap op naar zijn kamer.

In de Cotton Club gokt hij graag samen met ome Frits en Eddy Faithfull. Het meeste plezier hebben de mannen als ze met de Amerikanen spelen die in het weekend langskomen. Ropie ontdekt dat Frits een kei is in het vals spelen. 'Hij was echt gemeen als het om gokken ging en vooral met de beker was hij een tovenaar.'

Niet lang nadat Ropie voor Max Zeegelaar is gaan rijden, vindt hij vast werk. Hij kan zelfs kiezen tussen werk in de haven of een baan in de Ford-autofabriek. Ropie kiest voor de autofabriek. In Suriname keek hij altijd al verlekkerd naar de Fords en Chevrolets die daar mondjesmaat rondreden. De 98 gulden die hij bij Ford iedere veertien dagen krijgt uitbetaald, is meer dan hij gewend is. Hij stopt met rijden voor Zeegelaar, want hij wil graag tijd overhouden om uit te gaan en een kaartje te leggen.

Bij de Fordfabrieken maakt Ropie de komst van de eerste gastarbeiders uit Turkije mee. Gewend als hij is aan de multiculturele samenleving van Suriname, maakt het maar weinig indruk op hem. Pas vele jaren later beseft hij dat de komst van die buitenlanders voor Nederland een hele verandering betekende. Terugkijkend op zijn verleden schudt hij lachend zijn hoofd en zegt: 'Ach, weet je, wij Surinamers waren de Marokkanen van toen.'

Ondanks het rijke uitgaansleven moet Ropie wennen aan het bestaan in Nederland. Hij is zoals de meeste Surinamers gewend buitenshuis zijn tijd door te brengen. Maar het klimaat in Nederland is daar vaak te koud voor. Behalve het klimaat verschillen ook de Nederlandse gebruiken sterk met die van zijn vaderland. Zo is hij binnen de kortst mogelijke keren getrouwd. Dat zou hem in Suriname nooit zijn overkomen. Toen zijn Nederlandse vriendinnetje zwanger was, bleek het de gewoonte om het meisje te trouwen. Vele jaren later en negen kinderen rijker bij verschillende vrouwen denkt Ropie daar hoofdschuddend aan terug: 'We kenden dat niet in Suriname, wij trouwden niet. Als een meisje een kind kreeg, gold de regel: wie het krijgt, mag het houden. Is goeie deal, toch?'

Ropie maakt er een gewoonte van om op de dag dat zijn veertiendaagse salaris wordt uitgekeerd een kaartje te leggen in de Cotton Club. Soms wint hij wat, meestal verliest hij wat, maar het is zelden dramatisch tot op de dag dat hij met het Surinaamse kaartspel rumi 75 gulden verliest. 'Ik had inmiddels twee kinderen en ik durfde nauwelijks nog naar huis. Echt, ik kon wel janken.' De volgende dag zoekt hij Max Zeegelaar op en biedt hem aan om na zijn werk weer voor hem te gaan rijden. Het is trouwens geen reden om het gokken te laten.

Het heeft enige tijd geduurd voordat Alie is hersteld van haar Amerikaanse avontuur en pas een paar jaar later begint zij aan een nieuwe vaste vriend. Rond 1958 ontmoet zij een jonge Surinamer, die zij wel ziet zitten. Albrecht Soerel woont vlakbij in de Keizersstraat. Van beroep is hij lasser bij de Amsterdamsche Droogdokmaatschappij aan het IJ. Samen met enkele anderen komt hij al een tijdje in de Cotton Club om daar een kaartje te leggen met Ropie en de andere Surinamers.

Alie heeft nog niet zo lang verkering met Albrecht, als Annie Lloyd Bernard tegen het lijf loopt. Het is een Jamaicaan en hij heeft de Engelse nationaliteit. Lloyd is van beroep elektrotechnicus en door zijn bedrijf naar Nederland uitgezonden. Het werk en de omgeving bevallen hem zo goed dat hij zich het liefst in Nederland zou willen vestigen. Hoewel de relatie beperkt blijft tot een goede vriendschap, biedt Annie hem aan om met hem te trouwen, zodat hij een verblijfsvergunning kan krijgen. Nadat Lloyd in de zomer naar Engeland is teruggekeerd, maakt ook Annie de oversteek. Op 26 september 1960 treedt zij in Londen met Lloyd Bernard in het huwelijk. Diezelfde maand nog komt zij met hem naar Nederland, waar Lloyd zijn eigen weg gaat.

Als Albrecht en Alie een klein jaar verkering hebben, blijkt Alie weer zwanger. Wanneer Albrecht het nieuws hoort, doet hij haar dadelijk een huwelijksaanzoek. Het getrouwde paar gaat in de Keizersstraat wonen. Daar wordt hun zoon Dino geboren en korte tijd later verhuist het gezin naar Purmerend, een kleine plaats die zich in rap tempo ontwikkelt als 'overloopgemeente' voor slecht behuisde Amsterdammers. Een overwinning voor Soerel, die een geregeld bestaan wil leiden en het maar niks vindt dat Alie achter de tap van een café staat. Marion gaat niet met haar moeder mee en blijft bij haar grootouders achter het café wonen.

Als zij eenmaal volwassen is, wil Marion nog altijd smakelijk vertellen over de tijd dat ze als achtjarige samen met haar oudere nichtje Riekie (dan ongeveer vijftien jaar) kattenkwaad uithaalt. De meiden slapen samen in het opkamertje dat deels boven de keuken en deels boven het herentoilet ligt. Marion ontdekt in de bedstee waar zij slapen een losse plank. Als zij die optilt, kijkt zij op en langs de stortbak van het herentoilet. De opening vlak boven de stortbak brengt Riekie op een idee. Als een klant op het toilet zit kan zij met haar hand de vlotter iets optrekken en weer laten vallen, zodat het toilet spontaan lijkt door te spoelen. Het water spat onverwacht tegen de blote billen van de klant. Als het spelletje begint te vervelen, bedenken de meiden een nieuwe plagerij. Vlak voordat de klant wil doortrekken, gieten zij rode ecoline in het water van de stortbak. De man schrikt zich een ongeluk als hij het rode water in het toilet ziet wegspoelen.

Uit diezelfde tijd, zo rond 1963, herinnert Marion zich de huisdieren die de Cotton Club bevolkten. Ome Frits was verslingerd aan een teefje, dat altijd als hij aan de bar zat, aan zijn voeten lag. Het beest, door Frits liefdevol Lady genoemd, was heel vriendelijk voor Da en de kinderen, maar verder was Lady zo vals als de pest en niet zelden moest Frits ingrijpen om te

Marion en Lady. De hond beet Eddy Faithfull ooit op een plek waar een man niet gebeten wil worden.

voorkomen dat de hond een nietsvermoedende klant aanvloog.

Bij de deur van de keuken die toegang gaf tot het café, zat Lorita, een groene papegaai. Het deurtje van zijn kooi stond bijna altijd open en het dier verkoos om zich boven op zijn verblijf te nestelen. Het beest kon schelden dat het een lieve lust was. Dat verbaasde Marion in het geheel niet, want haar opa sprak vrijwel geen zin zonder scheldwoord uit. Als Frits de keuken binnenliep, probeerde de vogel de kroegbaas keer op keer op zijn kale hoofd te pikken. Zolang Frits nuchter was, wist hij de aanval te ontlopen, maar eenmaal aangeschoten, trof de papegaai steevast doel, wat Frits een reeks van scheldwoorden ontlokte. Dagelijks dreigde hij het beest in de soep te stoppen. Toch was Frits erg aan Lorita gehecht, al liet hij dat niet merken. Marion is er tot op de dag van vandaag van overtuigd dat de papegaai een hekel had aan dronken mensen en opa daarom alleen aanviel als hij aangeschoten was.

Van Fritsie, de enige zoon van Frits en Da, krijgen de meeste mensen weinig hoogte. Als het druk is werkt hij een enkele keer mee in het café maar verder vertoont hij zich er niet vaak. Fritsie is een zwijgzame jongen die moeite heeft zijn emoties te uiten. Hij voelt zich meer thuis bij zijn vrienden van de Zeedijk dan bij de bewoners van de Nieuwmarkt. Café De Zon past beter bij hem dan de kroeg van zijn vader. Door zijn regelmatige bezoeken aan dat café raakt hij bevriend met Gerrie van de Velden, een van de zonen van de eigenaar. Het enige wat de klanten van Fritsie weten, is dat hij de kost verdient als glazenwasser. Al jong krijgt hij een relatie met Anneke Pannenkoek, tot lichte ergernis van Riekie, die daarmee een vriendin verliest. Maar Fritsie is vooral een man van vrienden. Hij heeft geen hekel aan vrouwen, integendeel, hij wordt verliefd op vrouwen en rekent op hun steun en verzorging. Echt contact heeft hij alleen met zijn vrienden. Wat er ook gebeurt, zijn vrienden kunnen altijd op hem rekenen, ook als ze fout zitten.

Als hij een jaar of achttien is, zit Fritsie in een café in de Koningsstraat en drinkt daar een pilsje, als buiten het café een man die duidelijk van de meiden leeft, zijn auto parkeert. Naast hem zitten twee opgesmukte jonge vrouwen. Een vriend van Fritsie, Kootje Drieling, een jongen die er bekend om staat dat hij graag ruzie zoekt, denkt een geintje met de chauffeur en zijn meiden uit te halen. Hij schudt, met zijn duim op de opening, het bierflesje dat hij in zijn hand heeft, hevig heen en weer. Dan laat hij zijn duim van de flessenhals glijden en spuit het bier in de open pooierbak. De woedende chauffeur stapt uit zijn auto en geeft Kootje een klap, die daarop het café binnenrent, waar Fritsie zijn biertje zit te drinken. 'Wat heb jij?' vraagt Fritsie. 'Die gast heeft me geslagen,' antwoordt Kootje. Hij vertelt er niet bij dat hij degene is die de ruzie heeft uitgelokt.

Fritsie laat zijn vrienden niet slaan. Hij staat op, gaat naar buiten en loopt op de man af. Als hij op hoge toon laat weten dat hij zijn vrienden niet door een vreemde laat slaan, reageert de chauffeur onmiddellijk en grijpt Fritsie bij de keel. Er trekt een waas van woede voor Fritsies ogen, hij rukt zich los en rent het steegje van nummer 10 in. De man denkt dat hij, bang geworden, op de vlucht is geslagen, maar het tegendeel is waar. Fritsie is de keuken van zijn huis binnengerend en heeft daar een groot keukenmes gepakt. Met het mes in de hand rent hij weer naar buiten. Eenmaal terug in de Koningsstraat blijkt de politie gearriveerd, die gewaarschuwd is dat er in die straat een vechtpartij gaande is. Als Fritsie met het mes het steegje uit komt gestormd, is de man, die de politie heeft zien aankomen, al om de hoek van de straat verdwenen. Fritsie rent hem achterna met de politie op zijn hielen. Op de hoek van het Zakslootje houdt een politieagent Fritsie tegen. Hij heeft zijn pistool getrokken en waarschuwt de opgewonden jongen niet verder te lopen. Maar niets kan de woedende Fritsie tegenhouden. Volgens sommige getuigen zou een tweede politieagent geroepen hebben: 'Schiet dan toch! Dat is er een van de Cotton Club.' Zijn collega aarzelt niet en vuurt een schot af. 'De klootzakken hadden hem makke-

Voorpagina van De Telegraaf van 8 september 1962

lijk in zijn been kunnen schieten, hij was nog een heel eind bij die smerissen vandaan,' zegt Anneke vele jaren later nog altijd boos.

Fritsie is in zijn buik getroffen en wordt met spoed opgenomen. Zijn toestand is kritiek: de dikke darm is op verschillende plaatsen geperforeerd. Nadat de darm is ingekort, overleeft Fritsie de schotwond. Als hij enkele maanden later is opgeknapt, veroordeelt de rechtbank hem op 16 mei 1963 tot anderhalf jaar gevangenisstraf, omdat hij een agent met een mes zou hebben aangevallen.

De ochtend na de schietpartij schrikt het gezin Smit op door een scheldkanonnade van vader Frits: 'Die klotekrant, ik veeg er mijn reet mee af!' Frits doelt op de ochtendeditie van *De Telegraaf* waarin de vechtpartij van de dag ervoor breed op de voorpagina wordt uitgemeten. Onder de kop *Schot redt agent van messteek* schrijft de verslaggever: 'Een politieagent heeft gisteravond op de kruising Koningsstraat-Kromboomsloot, in het hartje van Amsterdams rosse buurt, een 18-jarige jongen neergeschoten, die hem met een groot, vlijmscherp broodmes en een vuilnisemmer bedreigde. De jongeman werd in het rechterdijbeen geraakt en is in het Binnengasthuis opgenomen.' Het verslag suggereert dat de journalist ooggetuige is geweest van de vechtpartij. Zo beschrijft de verslaggever fantasievol hoe het mes van de nozem tot viermaal toe rakelings langs het gezicht van een van de agenten scheert en daarbij zijn pet raakt. De chauffeur van de auto is volgens de journalist een schipper die het slachtoffer is van nozems die hem lastigvallen en met bierflesjes bekogelen, wat het begin van de vechtpartij inluidt. Volgens de journalist zou de agent ondanks zijn benarde positie eerst twee waarschuwingsschoten hebben afgevuurd, voordat hij Fritsie volgens de regels in zijn rechterbeen geschoten zou hebben.

Kort voordat Fritsie vrijkomt, rakelen de kranten een oude moordzaak op. Het gaat om de zogeheten Baarnse moord, die ruim vier jaar eerder heeft plaatsgevonden. Frits Smit heeft de zaak van meet af aan goed bijgehouden, want hij schrijft zijn zoon in de gevangenis een lange brief waarin hij naar deze zaak verwijst. In 1960 hebben Boudewijn Henny en zijn broer Ewout hun veertienjarig vriendje Theo Mastwijk vermoord. Hun vader, directeur van een verzekeringsmaatschappij, is rijk geworden in Indië en woont met zijn gezin in een riante villa in Baarn. Beide zoons ontdoen zich van het lijk door het in een put met ongebluste kalk te gooien, die op het terrein van de villa van hun vader staat. Nadat het skelet bij toeval is ontdekt door een metselaar die de oude beerput leegschept, worden de jongens gearresteerd. De oudste zoon wordt door de officier van justitie zelf met diens eigen auto uit de villa opgehaald. In 1964 wordt bekend dat de twee jongens in een luxeomgeving gevangenzitten en na een psychiatrisch onderzoek nog beter af zijn. Zo worden zij tijdens hun gevangenschap in staat gesteld hun studie af te maken.

In zijn brief beschrijft Frits de moordzaak op een wel heel bijzondere manier. Op een vel briefpapier schrijft hij twee korte verhalen, een op de voorkant en een op de achterkant. Onder het motto: *Meten met twee maten* vertelt hij op de voorkant op eigen wijze het verhaal van de Baarnse moordzaak: 'Er was eens een familie die in Indië stinkend rijk was geworden. De vader was directeur van een verzekeringsmaatschappij en bevriend met de minister van Justitie.' Hij beschrijft hoe een van de moordenaars wordt opgehaald met de auto van de officier van justitie, en hoe de jongens na een psychiatrisch onderzoek riant worden behandeld. Uiteindelijk komen zij vrij en leven nog lang en gelukkig van het geld van hun vader.

Op de andere kant van het briefpapier staat het verhaal van de familie Smit: 'Er was eens een familie met vijf kinderen, vier dochters en een zoon. De vader was jarenlang stratenmaker geweest en was later een eigen café begonnen dat de Cotton Club werd genoemd.' Hij vertelt dat de zoon een driftkikker is die na een vechtpartij een mes pakt en naar buiten rent, hij weet niet eens goed waarom. Buiten wordt hij door een agent neergeschoten en levensgevaarlijk verwond. Zodra hij is opgelapt, moet de jongen naar de gevangenis. Ook hij krijgt een psychiatrisch onderzoek, waaruit blijkt dat de jongen licht epileptisch is, maar dat is geen aanleiding om hem beter te behandelen. De vader krijgt niets te horen. Hij mag niet eens in de wachtkamer de uitslag van het onderzoek afwachten, maar moet buiten in de kou staan. Had die vader nu maar geld uit Indië gehad, dan was het wel anders verlopen. Deze vader daarentegen drijft een café dat een slechte naam heeft omdat er kleurlingen komen en met de discriminatie die nog altijd heerst in Nederland, zit je dan dadelijk in het verdomhoekje. Ook deze zoon komt op den duur vrij, want zij kunnen hem moeilijk voor eeuwig vasthouden, en ook hij leeft nog lang en gelukkig, niet van zijn vaders geld, maar van een zuurverdiend arbeidersloon. Frits eindigt de brief met: 'Een stevige poot van je vader.'

Het is duidelijk dat het imago dat de Cotton Club bij de politie heeft, Fritsie parten heeft gespeeld. Dat de eigenaar zelfs korte tijd heeft vastgezeten op verdenking van bezit van verdovende middelen werkt ook niet in Fritsies voordeel. Nog voordat de rechter uitspraak doet in de zaak tegen Fritsie, loopt dat imago nog eens een flinke deuk op als op 7 februari 1963 *De Telegraaf* weet te melden dat in het café iemand is gearresteerd die verdacht wordt van een brute roofmoord op twee mensen in Den Haag. Het artikel prijkt samen met een foto van de Cotton Club bij nacht op de voorpagina van de krant. 'De man zat in alle rust achter een glaasje bier, gaf zich zonder strijd over, ging tegen de muur staan en liet zich fouilleren. De man had geen centen op zak en was op stap met een bevriende kleurling die waarschijnlijk de consumpties heeft betaald,' vertelt de verslaggever.

De Telegraaf ontketent in die dagen een ware heksenjacht op de Cotton Club. Had het dagblad de zaak met Fritsie al eerder op geheel eigen wijze over het voetlicht gebracht, nu weet het bovendien te melden dat een moordenaar in de Club is gearresteerd. Iedere vechtpartij tussen Surinamers in de omgeving van de Nieuwmarkt wordt aangegrepen om de naam van de Cotton Club verder in diskrediet te brengen. Als in augustus 1963 op de Zeedijk een vechtpartij tussen twee Surinamers plaatsvindt, waarbij een van de Surinamers een lichte verwonding oploopt, besteedt de krant hier met graagte aandacht aan, ook al heeft 'de mishandelde' slechts een klein wondje in de nek opgelopen en wil hij geen aangifte doen. Het voorval lijkt te onbenullig om aandacht aan te besteden, wat blijkens de kop 'Surinamer geprikt' ook door de redactie zelf zo gevonden wordt. Het lijkt *De Telegraaf* vooral te gaan om de mededeling dat beide vechtjassen elkaar kenden van de Cotton Club.

Het verband dat steeds gelegd wordt tussen de Cotton Club en de handel in verdovende middelen, is voor officier van justitie mr. J.F. Hartsuiker aanleiding om zelf eens een kijkje te gaan nemen op de Nieuwmarkt. Justitie weet op dat moment in het geheel niet wat ze met het gebruik van drugs aan moet. De effecten op de gezondheid zijn nog niet bekend, het is heel wel mogelijk dat het spul uiterst gevaarlijk blijkt. Wel zijn de officieren van justitie het erover eens dat het gebruik een ongewenste subcultuur kweekt waar de maatschappij tegen beschermd moet worden. Het is een reden om het gebruik van drugs strafbaar te stellen, maar over de strafmaat lopen de meningen uiteen. Sommige rechters willen 'jongelui die ermee willen experimenteren' streng straffen, andere willen 'die vredelievende lieden' juist niet meteen hard aanpakken.

Als Hartsuiker poolshoogte komt nemen, waagt hij zich niet in het hol van de leeuw maar verschuilt hij zich achter een viskraam op de Nieuwmarkt, vanwaar hij het café in de gaten houdt. Helaas voor hem herkent een kunstenaar, die op dat moment het café uit loopt, mr. Hartsuiker en enthousiast roept hij naar binnen: 'Hé jongens, we hebben bezoek.' De klanten stromen naar buiten en de kunstenaar wijst naar de viskraam. Nog altijd geamuseerd vertelt hij later hoe er een hoongelach opsteeg totdat ome Frits zijn klanten tot de orde riep: 'Binnenkomen, jullie. Ik heb al gedonder genoeg met die jongens van justitie!'

'Boeven' voor de ingang van de Cotton Club (Foto: Ed van der Elsken)

HOOFDSTUK 8

KEREND TIJ

1964-1968

Het groepje mannen dat in de deuropening van de Cotton Club poseert, wekt de indruk maling te hebben aan alles en iedereen. Twee van hen staan in het donker van de ingang waardoor hun gelaatstrekken wat moeilijk te onderscheiden zijn. Tussen de mannen op de achterste rij is nog net het hoofd van ome Frits zichtbaar. Bijna de helft van het gezelschap draagt een zonnebril, en dat is niet omdat de zon zo fel schijnt. Met hun nette pakken en glimmende puntschoenen wekken ze de indruk gangsters te zijn. Daar kunnen de geraniums die boven de deurpost in bloei staan, weinig aan verhelpen, en de reclame *Wees fris en vrolijk, Fanta*, die achter het raam geplakt is, krijgt in combinatie met de ongenaakbare houding van de groep iets ironisch.

Bijna alle mannen op de foto hebben bijnamen: Kleine Sambo, Tjoeki, Flacco, Rocky, Taracan en dokter Blacky. Jaren later kan een Surinaamse stamgast van die tijd de bijnamen nog zonder aarzelen opnoemen. 'Zo zagen we er op zondag uit,' zegt hij, terwijl hij de foto bekijkt. Ook André, de vriend van Willy, staat op de foto. Het zijn overwegend kleine dealers, over wie allerlei ongeloofwaardige verhalen worden verteld. Als enkele jaren nadat de foto is genomen vier *matties*, onder wie Flacco, voor een deal naar Rotterdam rijden, krijgen zij een ongeluk in de Maastunnel waarbij hun auto in brand vliegt. Alle vier de inzittenden komen om het leven. Het ongeluk is aanleiding tot wilde speculaties, alsof de mannen deel uitmaakten van een ware oorlog in de onderwereld. Zo zou het om een aanslag zijn gegaan, die overigens niet op Flacco was gericht, maar op Henry Tolloway, die ook mee zou gaan, maar op het laatste moment had afgezegd. Als Marion dat later hoort, moet zij lachen. 'Welnee, de jongen achter het stuur was waarschijnlijk gewoon apestoned.' De verhalen vormen een uitdrukking van het beeld dat in de loop der jaren rond een deel van de clientèle van de Cotton Club is ontstaan. De Cotton Club als broeinest van misdaad en drugs. Als verzamelplaats van lieden die lak aan de maatschappij hebben, pas hun bed uit komen als de meeste mensen allang op kantoor zitten, en hun geld verdienen met zaken die het daglicht slecht verdragen.

Zelf vindt Ed van der Elsken, die de foto in 1961 gemaakt heeft, dat hij 'in een jofele buurt woont met jofele, kleurrijke mensen zonder façade, een buurt waar mensen primair reageren, lachen, gauw ruziemaken, knokken en vechten'. Van der Elsken benadrukt dat nog eens in een film die hij in 1963 opneemt. In die film vertelt een man, die buiten beeld blijft, met een zwaar Surinaams accent: 'Vanuit de Koningsstraat zag ik een agentenauto stoppen. En een mes in zijn hand, dus die loopt uit de Cotton Club [...]. De agent zegt: "Als u dat mes niet wegdoet schiet ik." De politie schiet twee keer en bij de derde keer zakte hij in elkaar.' De man beschrijft het voorval waarbij Fritsie door de politie werd neergeschoten. Wat blijft hangen zijn vooral de woorden 'Cotton Club' en 'schieten'.

Van der Elsken mag het allemaal prachtig vinden, veel bewoners rond de Nieuwmarkt mijden de kroeg. 'Je liep er met een boog omheen,' vertelt Mieke van der Pol, die begin jaren zestig met haar man, de beeldend kunstenaar Jaap van der Pol, op de Rechtboomsloot woont. Het café trekt ook Jaap niet, hoewel hij evenals Van der Elsken een fervent jazzliefhebber is en gevoelig voor de sfeer in de buurt. Als kind hoort hij in Oostzaan, een landelijk dorp vlak boven Amsterdam, besmuikt praten over mannen die 'in de stad waren gezien'. Het prikkelt zijn nieuwsgierigheid. Op weg naar de middelbare school in Amsterdam-Zuid, ziet hij op de pont vanuit Noord in het IJ condooms drijven. Door de hoeren weggeworpen in het water van de Oudezijds Achterburgwal, zijn zij na het spuien vanuit het Kolkje door de sluis het IJ in gedreven. Later maakt Jaap, als hij niks te doen heeft of even zit te praten, op een krant of een stukje papier schetsjes van vrouwen die model staan, of van de schilderijen die hij in zijn hoofd heeft. Soms verschijnen er tekeningetjes van hoeren met hoogblonde, onwaarschijnlijk hoog opgemaakte kapsels, een sigaret in de mond, of smeulend in de asbak op de vensterbank achtergelaten, omdat er een klant kwam. 'Het was me een raadsel hoe ze dat haar tijdens hun werk op orde hielden.'

Staande voor het café zien de vaste bezoekers van de Cotton Club de stadsbus voorbijrijden. Sommige klanten hebben de gewoonte vrolijk naar de bus te wuiven, maar een aantal van de inzittenden huivert alleen maar als zij de veelal donkere stamgasten voor de deur zien hangen. Onder de busreizigers bevindt zich een gemeenteambtenaar, Willem de Visser. Jarenlang werkte hij in het gebouw de Flesseman, dat sinds 1936, toen de economische crisis op haar hoogtepunt was, door Isaac Flesseman voor een deel aan afdelingen van de gemeentelijke dienst publieke werken was verhuurd. De ambtenaren die er werkten, hebben als eerste het gebouw de naam de Flesseman gegeven.

Als de zonen van Flesseman, die de oorlog hebben overleefd, na de bevrijding het geruïneerde bedrijf nieuw leven proberen in te blazen, blijven de afdelingen van publieke werken in het gebouw. Het leger van ambtenaren is te groot geworden om in het stadhuis op de Oudezijds Voorburgwal te huisvesten. Daarom wordt het aantal ambtenaren dat in de Flesseman op de Nieuwmarkt is ondergebracht, steeds verder uitgebreid. De omgeving bevalt het personeel wel. Ze wandelen in de lunchpauze door de hoerenbuurt en winkelen in de Bijenkorf.

Gebouw de Flesseman

Willem werkt sinds midden jaren zestig in het nieuwe gebouw van publieke werken op de Wibautstraat. Hij wordt daar projectleider in een team dat de aanleg van de metro moet voorbereiden. Het is een behoorlijke promotie die hij goed kan gebruiken; het salaris houdt in die jaren ondanks de toenemende welvaart nog steeds niet over. Het deert hem niet dat de Nieuwmarktbuurt grotendeels tegen de vlakte zal moeten vanwege de plannen een snelweg naar de IJ-tunnel aan te leggen. In die buurt wonen volksmensen, weet hij. De vrouwen daar doen volgens hem de hele dag weinig anders dan met hun dochter of hun buurvrouw koffiedrinken. Aan de zuidoostkant van de stad is een nieuwe wijk in aanbouw, de Bijlmermeer. Daar kunnen de bewoners een nieuw, veel moderner huis betrekken. Om de mensen vanuit die nieuwe wijk naar de stad te vervoeren, is de aanleg van een metro nodig. Daarnaast kunnen de forensen die in Amsterdam werken, zoals hij, vanaf het Centraal Station met die metro naar hun werk reizen. Zelf rijdt hij, sinds hij in de Wibautstraat werkt, met de stadsbus vanaf zijn werk langs de Nieuwmarkt en passeert dan de Cotton Club. Daar ziet hij voor de deur 'die zwarten met die zonnebrillen' rondhangen. Hij gruwt ervan. Thuis en in het café van het rustige forensendorp waar hij woont, komt hij zonder enige gêne openlijk voor zijn mening uit. Voor hem is het duidelijk: 'Amsterdam is een zootje aan het worden.'

Toch heeft Willem de Visser een enigszins overtrokken beeld van de werkelijkheid in zijn tijd. De documentaire *Rond het Oudekerksplein* die in 1968 wordt uitgebracht, toont prostituees die in keurige twinsetjes en de rok tot over de knie achter het raam zitten. Mien van Haring Arie geeft toe dat er wel eens klappen vallen, maar wil daar niet al te zwaar aan tillen 'want het is iets dat in de beste families voorkomt'. De criminelen die in de documentaire worden opgevoerd, zijn niet veel meer dan een stel vechtersbazen en pooiers. Een van de geïnterviewden ontkent stellig dat er een onderwereld bestaat in Amsterdam. De film ontkent misschien te veel de harde werkelijkheid waarin afstraffingen met knuppels en loden pijpen de dood tot gevolg kunnen hebben, maar het gaat duidelijk nog om 'handwerk', vuurwapens zijn nauwelijks voorhanden. De eerste bekende liquidatie van na de oorlog vond plaats in 1969 en dat was in het Chinese drugscircuit. Jef Prenger, de chauffeur van Max Zeegelaar, vertelt een verhaal waaruit blijkt dat vuurwapens in die tijd uiterst zeldzaam waren in de Amsterdamse onderwereld.

Die chauffeur van Max is de zoon van een kort na de oorlog naar België uitgeweken penozelid. De jongen is pas zestien jaar en heeft nog geen rijbewijs, maar dat interesseert Max

niet. Het enige waar Max naar kijkt is of zijn chauffeur een bedreven automobilist is. En bedreven is de jonge Jef. Zijn vader
was beurtschipper en had de auto aan boord van het schip. Jef
rijdt de auto al vanaf zijn veertiende het schip op en af, wat heel
wat stuurmanskunst vergt. Als hij eenmaal zestien is, besluit
Jef België te verlaten en zijn geluk in Amsterdam te beproeven,
de stad waar zijn vader hem zoveel over verteld heeft. Al snel
belandt hij in de Phonobar en de Lucky Star, het zijn de eerste
stappen op weg naar de Cotton Club.

Als Max Zeegelaar rond 1965 verneemt dat er een Smith &
Wesson .44 revolver te koop zou zijn, vertrouwt hij zijn chauffeur toe het wapen te willen kopen. Jef reageert verbaasd en
vraagt zijn werkgever wat hij in godsnaam met zo'n kanon aan
wil. 'Als ik het koop, kan ik er ook niet mee worden neergeschoten.'

Behalve Surinamers trekt de Cotton nog altijd donkere Amerikaanse soldaten die in Duitsland zijn gelegerd. 'Het was een
geweldige tijd,' zegt Anneke, het vriendinnetje van Fritsie, later. Anneke moet een jaar of dertien geweest zijn, als zij op een
middag een stuk of zes, zeven grote donkere Amerikaanse matrozen de kroeg ziet binnenkomen. De jonge Anneke mag van
Frits eigenlijk niet in het café komen, maar Frits ligt op bed zijn
eerste dronkenschap van die dag weg te slapen, dus is de kust
voor haar veilig. Juist op dat moment dansen een paar vaste
klanten achter in het café de madison. Het is een dans die uit
Amerika is komen overwaaien en door Amerikaanse soldaten
naar de Cotton Club is gebracht. De matrozen kijken verbaasd
op: hoe is het mogelijk dat het plaatje 'It's the Madison time'
hier al wordt gedraaid? Binnen de kortste keren haken ze in. Het
is een fascinerend tafereel: de Surinamers samen met een paar
kunstenaars en daartussenin de donkere matrozen, dansend in
een lange rij, terwijl zij op hetzelfde moment passen naar voren,
dan naar achteren en dan weer zijwaarts maken. Ook Frits, die
onverwachts vroeg naar beneden komt, kijkt verrast toe.

Annie Smit danst in die tijd met overgave de twist. In 1963 is ze tweeëndertig jaar en na sluitingstijd gaat zij geregeld met een paar vriendinnen in de buurt wat drinken. Aan het eind van zo'n avond belandt zij menigmaal in bed met de diskjockey van de Casablanca, Henry Tolloway. Henry is een innemende Surinamer, die met zijn stijlvolle pakken overkomt als een man van de wereld. De witte cabriolet waarin hij rijdt, ruilt hij in voor een goudkleurig exemplaar met roodleren bekleding. 'En die had hij niet verdiend met kranten rondbrengen,' merkt Annies jongere zusje Riekie later op. Iedereen weet dat hij niet alleen diskjockey is, maar daarnaast in marihuana handelt en volgens sommigen is hij ook nog pooier, maar dat idee kan ingegeven zijn door de opzichtige amerikaan waarin hij rijdt. Henry haalt de krant als hij op 28 februari 1962 met zijn vrouwelijke partner het Nederlands kampioenschap twisten in Krasnapolsky wint, wat hem de bijnaam 'de twistkoning' oplevert. Annie kent Tolloway van de Cotton Club. Hij is daar een vaste klant als er om geld wordt gekaart. Het is een publiek geheim dat Tolloway de kaarten met spelden merkt en als er met buitenstaanders wordt gespeeld, verliest Tolloway alleen maar een spelletje als hij dat zelf wil. Annie vindt hem leuk en gaat graag met hem uit, maar erg diep gaat de relatie niet. Als ze hoort dat ze zwanger van hem is geraakt, loopt zij de Nieuwmarkt op en binnen de kortste keren heeft iedereen het nieuws gehoord. Het kind, dat eind mei 1964 wordt geboren, krijgt de naam Henry Bernard: Annie is formeel immers nog met de Jamaicaan Lloyd Bernard getrouwd.

Annie is niet de enige in de familie die druk bezig is met haar nieuwe relatie. Ook Riekie, haar jongste zusje, begeeft zich intussen op het vrijerspad. Haar vader laat Riekie overduidelijk merken dat hij het wel zo'n beetje gehad heeft met mannen van Afrikaanse afkomst. Niet dat hij de kleurlingen discrimineert, maar als schoonzoon ziet hij hen even niet meer zitten. Daarom drukt hij Riekie op het hart dat zij beter niet met een Surinamer of een donkere Amerikaan thuis moet komen. Maar Riekie valt niet op donkere mannen en als zij dan een indo ontmoet, kan haar vader daar volgens haar niets op tegen hebben, want redeneert zij: 'Een blauwe is geen zwarte.' Frits geeft min of meer mokkend zijn toestemming en Riekie trouwt haar indo. Nadat zij getrouwd is, komt Riekie nog maar weinig in het café, behalve op verjaardagen en als het kermis op de Nieuwmarkt is. De Cotton Club zit dan bomvol. Ook Koninginnedag wordt uitbundig gevierd en steevast opgeluisterd door Broodje Bal, een Antilliaanse accordeonist die meringues speelt.

Kort nadat Fritsie uit de gevangenis is gekomen, trouwt hij zijn jeugdliefde Anneke. Het huwelijk wordt groots gevierd in de Cotton Club. 'We dansten een polonaise rond de Waag, gingen met veertig man het café uit en kwamen met tweehonderd terug. Ik hoor opa, zoals ik de vader van Fritsie noemde, nog zeggen: "Ja maar, dat is de bedoeling niet."'

Algauw ontdekt Anneke dat Fritsie een echte 'vriendenman' is gebleven. Als zij nog maar kort getrouwd zijn, wacht Anneke op een avond met het eten op Fritsie. Haar man komt maar niet opdagen, terwijl zij hem vanuit het raam van hun woning in de kroeg kan zien zitten, waar hij met zijn maten een kaartje legt. Als de tijd verstrijkt, wordt zij steeds kwader, neemt het pannetje eten mee naar de kroeg en zet het haar man voor zijn neus. Die kijkt op en zegt alleen maar: 'Zie je dan niet dat we met zijn vieren zijn?'

Annie heeft na haar avontuur met Henry Tolloway een nieuwe vriend ontmoet: een mooie jongen met een prachtige bos haar, van Surinaamse afkomst, die Casavé wordt genoemd. Dankzij Annie kan Casavé in het café komen werken. Hij is een aanwinst voor de Cotton Club, want hij maakt heerlijke dagschotels en zijn nasi, bami en saté zijn onovertroffen. De klanten staan ervoor in de rij. Een van de stamgasten, ook een Surinamer, kent hem nog van vroeger. Het is Jay Jay, een hosselaar en dealer, die familie is van Max Zeegelaar en Cassavé ook al zijn neef noemt. Zo langzamerhand begint iedereen in de Cotton Club te denken dat Jay Jay familie is van iedere Surinaamse creool die de Cotton Club bezoekt. Jay Jay is echter niet werkelijk verwant aan Casavé, maar hij heeft hem leren kennen toen zij beiden op dezelfde plantage woonden en hij de moeder van Casavé tante noemde, zoals iedereen op de plantage tante of oom was.

Jay Jay weet ook hoe Cassavé aan zijn naam komt. Thuis kende iedereen hem als Edmund en als kleine jongen wordt hij Muntje genoemd, totdat de kleine Edmund een keer thuiskomt met een lang verhaal dat hij ergens op de plantage heeft gehoord. Met verve vertelt Muntje hoe twee apen besluiten het bos in te gaan om cassaves te rapen. Zoals iedereen weet zijn apen nu eenmaal verzot op de tropische wortel. Als een van de aapjes een cassave tussen de planten ziet, pakt hij die beet en begint eraan te trekken, maar er komt geen einde aan de wortel. De aap blijft trekken en trekken en de cassave wordt langer en langer. Het aapje denkt er niet over zijn pogingen te staken om de cassave in zijn geheel binnen te halen, totdat hij de stem hoort van zijn vriendjesaap. 'Hé, jij daar, wil je ophouden om met mijn lul te spelen,' klinkt het boos van tussen de bosjes.

Muntje heeft ongekend succes met zijn verhaaltje over de twee aapjes en vanaf die dag noemt iedereen hem Cassave. Een vriend van Jay Jay, ook een dealer, vindt de naam Cassave maar niets en hij doopt Edmund om in Cassavé, want dat klinkt veel chiquer. Maar omdat niemand zijn naam opschrijft, verstaan de meeste Nederlanders de naam als Kassa-Fee en dat leidt tot misverstanden. Enkele andere vaste klanten van de Cotton Club menen het beter te weten. 'Die jongen was zo verschrikkelijk handig met het lichten van kassa's dat hij niet een ladelichter werd genoemd, maar de kassa-fee.'

Op een middag in mei 1964 versiert Eddy Faithfull samen met een vriend twee meiden. De dames zijn naar de Cotton Club gekomen en laten merken dat zij wel iets van de jongens willen. Eddy troont de beide meiden mee naar zijn woning in de nabijgelegen Spinhuissteeg. Voordat het tot een vrijpartij moet komen, draait Eddy nog een jointje voor hem en zijn vriend. Op dat moment maken de beide dames zich bekend als politie-agentes. Nu kan in Nederland niemand tijdens een dergelijke undercoveractie gearresteerd worden, want het is onwettig verkregen bewijsmateriaal. Maar met de actie willen de agentes van bureau Warmoesstraat Faithfull duidelijk maken dat hij moet oppassen en in de gaten gehouden wordt. Niettemin laat Eddy zich enkele weken later tot een deal verleiden. De chauffeur van Max Zeegelaar kan zich het voorval dat zal leiden tot de arrestatie van Eddy, goed herinneren:

'Eddy is in zee gegaan met enkele West-Afrikaanse matrozen die een flinke hoeveelheid wiet te koop aanbieden. Eddy en de zeelieden onderhandelen in de bierkelder van de Cotton Club over de prijs voor twee grote tassen gevuld met marihuana. Als er boven vanuit het café rumoer komt, vraagt Eddy de zeelieden even te wachten. Omdat hij op dat moment de enige is die bedient, haast hij zich naar boven en ziet dat er een paar klanten zijn binnengekomen. Achter in het café zitten enkele Surinamers onder wie Max Zeegelaar. Ook de West-Afrikaanse zeelieden komen boven, want ze willen wel eens zien wat er nu eigenlijk aan de hand is. De deal wordt onderbroken omdat het in het café te druk is geworden. Eddy tapt een biertje voor de Afrikanen en zet een schoteltje met kaasblokjes neer. Op dat moment komt een penozejongen het café binnen. Als deze langs Eddy loopt, pakt hij brutaalweg, terwijl hij Eddy uitdagend in de ogen kijkt, diens laatste stukje kaas van zijn bordje. Voor Eddy is dat de aanleiding om die verwaande witte boef de huid vol te schelden. Als de penozejongen de vuisten balt, pakt Eddy het kaasmes en prikt hij de man heel zacht, eigenlijk beledigend, in zijn bil, waarop de man scheldend het café verlaat.'

'Wat niemand had verwacht, gebeurt, de penozejongen doet aangifte bij het bureau Warmoesstraat en korte tijd later staan er twee agenten in de Cotton Club, wat aanleiding geeft tot een hoop commotie. Als iedereen bezig is uit te leggen dat er in feite niets aan de hand is, glipt Zeegelaar door de openstaande deur achter de bar die toegang geeft tot de trap naar de kelder. Daar pakt hij beide tassen op en verlaat de kelder via het metalen luik dat aan de straatkant voor het café is aangebracht om het bier binnen te brengen. Als Eddy en de West-Afrikanen Max buiten zien weglopen, zeulend met twee tassen, zijn zij te laat. Tegen de tijd dat zij zich weten los te maken uit de nog altijd geagiteerde menigte, is Max al via de Koningsstraat verdwenen.'

Eddy moet mee naar het bureau, waar de agenten in zijn broekzak een kleine hoeveelheid wiet vinden. Omdat hij al eerder een waarschuwing heeft gehad, levert het hem bijna twee jaar celstraf op, die hij uitzit in de gevangenis in Haarlem.

Achteraf gezien is de straf die Eddy wordt opgelegd, ongehoord zwaar. De handel in marihuana die halverwege de jaren zestig in de Cotton Club wordt gedreven, stelt niet zo heel veel voor. Harddrugs, in die dagen nog voornamelijk opium, worden verderop in de buurt verhandeld, in de Binnen Bantammerstraat en omgeving, waar Chinezen al decennia opium schuiven en de harde jongens onder hen de opiumhandel eind jaren zestig uitbreiden met heroïne. De Binnen Bantammer is in die tijd ook de straat waar het ene na het andere illegale gokhuis is gevestigd. De Surinamers die zich op de Nieuwmarkt en omgeving ophouden, doen wat zij altijd gedaan hebben: zij hosselen wat in marihuana. In de Cotton Club is, in weerwil van het imago van het café, nooit grootschalig gehandeld. Iedereen weet dat Eddy Faithfull, de vaste barman, en zijn makkers zijn begonnen met het 'dealen' van kleine hoeveelheden marihuana. Dat leverde geld op waarmee zij hun zucht naar gokken konden bevredigen. Wat er met gokken in de Cotton Club omging, was vaak meer dan wat er met de handel werd verdiend. 'De sfeer was nog dorps,' zegt Ina Tientjes, die in die tijd vaak in de Cotton Club kwam, en bevriend raakte met Eddy Faithfull. Zij weet nog dat een smeris Frits wil bekeuren als de kroeg lang na sluitingstijd nog open is. Als Frits hem een fles drank toestopt, maakt de agent er verder geen werk van.

Als Eddy eenmaal vrij komt, is voor hem de lol bij de Cotton Club eraf. Na een ruzie met Annie verlaat hij de Cotton Club om er niet meer terug te keren. In 1967 begint hij een eigen kroeg, Faith's Corner, op de Lindengracht. Omdat Eddy zelf geen vergunning heeft leunt hij voor de overname van het café op zijn vriendin Gerda. Eddy en Gerda zijn na hun huwelijk gaan samenwonen in de Spinhuissteeg. Gerda is ambtenaar en heeft een vast inkomen en een pensioen. Het vaste inkomen van Gerda en met name de privileges die zij als ambtenaar heeft, helpen hem bij de aankoop en het beheer van zijn nieuwe kroeg een heel eind op weg. Eddy beseft heel goed dat hij afhankelijk is van zijn burgerlijke levensgezellin en in zijn hart verlangt hij soms naar Ria Rettich, de kunstenares en moeder van zijn oudste zoon.

Faithfull neemt een aantal vaste klanten van de Cotton Club, voornamelijk kunstenaars, mee naar zijn nieuwe locatie. Het is een merkwaardig ingerichte kroeg en de kunstenaars voelen zich er wel thuis. Waarschijnlijk geïnspireerd door het werk van Metten Koornstra, de vormgever die de decoratie voor het boekenbal verzorgt, heeft Eddy zijn café opgesierd met beschilderde etalagepoppen. Het is echt iets voor Eddy: artistiek, vooruitstrevend, maar op de een of andere manier is het net niet in de roos. De muziek die hij draait, is ook gebaseerd op wat er in de Cotton Club werd gespeeld en bestaat voornamelijk uit moderne jazz. Over het verleden wil Eddy nooit meer iets loslaten. Volgens zijn oudste zoon heeft hij op dat moment de komende neergang van de Cotton Club voorvoeld. Faithfull blijft een wat tragische persoonlijkheid, die zich aan de ene kant de afgewezen en gediscrimineerde artistieke kapper voelt, die met hooggespannen verwachtingen naar Nederland kwam, en aan de andere kant de flamboyante levensgenieter is, die getooid met zwierige hoeden door het leven gaat en op latere leeftijd redelijk bijverdient als fotomodel.

Na een aantal jaar is hij dan toch op Gerda uitgekeken en hij laat haar in de steek voor een veel jongere vriendin. Misschien

Eddy Faithfull op latere leeftijd

speelde het feit dat Gerda hem geen kinderen had gegeven daarbij ook een rol. Hoe het ook zij, bij zijn nieuwe vriendin krijgt hij op oudere leeftijd nog vier kinderen.

De loyaliteit die Fritsie naar zijn vrienden heeft, brengt hem een paar jaar na zijn gevangenschap weer in de problemen. Ongewild draagt hij daarmee bij aan het slechte imago van de Cotton Club. In juli 1968 – Fritsie is bijna vierentwintig jaar – vindt in de Warmoesstraat een vechtpartij plaats waarbij ook Fritsie is betrokken. Tijdens de vechtpartij breekt een van de kerels een bierglas en steekt de glasscherven in het gezicht van Fritsie. Bloedend wordt Fritsie naar de eerstehulppost in het Binnengasthuis gebracht. Als de ziekenbroeders hem daar niet dadelijk helpen, wordt hij razend en breekt een ruit van een glazen deur. Het heeft effect, want hij krijgt onmiddellijk aandacht en wordt aan zijn verwondingen geholpen. Omdat de relatie met zijn vrouw Anneke al sinds enige tijd bekoeld is, woont Fritsie tijdelijk bij zijn ouders in het huis achter de Cotton Club. Daar aangekomen zoekt hij zijn bed op. De kroeg is dan al gesloten. Korte tijd later dringt een aantal politieagenten het café binnen om Fritsie te arresteren wegens zijn gewelddadig optreden op de eerstehulppost.

Enkele dagen later dient vader Frits een klacht in bij de officier van justitie. In zijn brief klaagt hij de agenten van bureau Warmoesstraat aan wegens huisvredebreuk en molest. Hij beschrijft hoe hij en zijn vrouw met gummiknuppels zijn geslagen, omdat zij niet snel genoeg meegewerkt zouden hebben en treuzelden toen zij gesommeerd werden hun zoon te wekken. Frits zelf zit onder de blauwe plekken en heeft een verstuikte enkel en ook zijn vrouw is gehavend. Fritsie is 'meegesleurd' naar het bureau, waar hij vrijwel dadelijk weer is vrijgelaten.

De kroegbaas wijst erop dat de hele commotie slechts om een gebroken ruit ging, waarvan de kosten, 30 gulden, vrijwel dadelijk zijn vergoed. Als verzachtende omstandigheid voert hij aan dat zijn zoon in het gezicht gewond was en wel eens kan uitvallen doordat hij aan een lichte vorm van epilepsie lijdt, zoals enkele jaren terug is aangetoond. Weer wijst Frits erop dat hij in het verdomhoekje zit omdat er kleurlingen in zijn café komen en dat er kennelijk nog altijd wordt gediscrimineerd in dit land. Had hij tot voor kort de illusie gehad dat hij in een rechtstaat leefde, de politiepraktijken die hij nu heeft ervaren, doen hem denken aan 'de gemeenste handelingen van de Gestapo tijdens de oorlog'. Er volgt geen reactie op de brief van Frits. Zowel justitie als politie verwaardigt zich niet te reageren op de uitbater van een café dat bekendstaat om drugshandel.

Het is onmiskenbaar dat de Cotton Club een slechte naam heeft bij politie en justitie en politie-invallen zijn zo langzamerhand schering en inslag. Maar er blijven nog genoeg bezoekers over, veelal gebruikers van wiet, en de kassa draait nog steeds op volle toeren. Frits noch zijn dochter Annie ligt wakker van het feit dat er in de zaak drugs gebruikt worden. 'Het was gezellig en er werd overal gerookt,' zegt Annie later. 'Ik kan niet zien wat iemand in zijn zak heeft en ze handelden stiekem bij de toiletten,' vult ze nuchter aan.

Maar al merkt Annie het niet, de sfeer in de Cotton Club verandert. De kunstenaars die niet met Eddy Faithfull meegaan, zijn vaak al eerder vertrokken. Lo A Njoe is naar Ibiza verhuisd. Ook Heyboer en Ed van der Elsken wonen niet meer in de buurt. Alphons Freijmuth blijft vanaf 1965 weg: hij vindt het café steeds minder aantrekkelijk worden door de toename van agressieve dealers en vechtpartijen. Ook de Amerikanen komen steeds minder naar Amsterdam. Zij brengen hun verlof voornamelijk door in de Duitse Bondsrepubliek, die in snel tempo het meest welvarende land in Europa is geworden. Met het wegblijven van de Amerikanen en de toename van dealers zoeken ook sommige Surinaamse klanten hun heil elders. Ook Nanny blijft steeds vaker weg nu de Amerikanen niet meer komen. Uiteindelijk besluit zij de Amerikanen op te zoeken in Duitsland zelf. Omdat zij als vrouw wil reizen, leent zij het paspoort van haar collega Wil de Paardekop, die wel enigszins op

Nanny lijkt en met dat paspoort reist zij af naar Duitsland.

Nadat de kunstenaars de Cotton Club de rug hebben toegekeerd, verliest het café het contact met de avant-garde. Ook Jasper Grootveld is na zijn eerste stickie nog maar zelden teruggеkeerd naar het café aan de Nieuwmarkt. De provo's houden zich voornamelijk op rond het Leidseplein. Maar na enkele jaren van ludieke acties voelen zij aan dat de wereld aan het veranderen is. In 1967 draagt een groep jongeren in het Vondelpark een kist ten grave waarop met witte letters het woord provo is geschreven. Het is een symbolische handeling die wellicht een veel verstrekkender betekenis heeft dan zij zelf beseffen. Zij nemen niet alleen afscheid van een beweging, zij dragen een heel tijdperk ten grave.

HOOFDSTUK 9

BRUINE SUIKER

1971-1974

Op 24 mei 1971 rijden Fritsie en zijn nieuwe vriendin naar Muiden om daar paling te halen, want, zo beweerde Fritsie, in die tijd van het jaar kon je nergens zulke goede paling krijgen als daar. Fritsie, alweer een tijdje gescheiden van zijn vrouw Anneke Pannenkoek, is smoorverliefd en op die warme avond in mei past een biertje met een portie paling helemaal in het beeld dat hij heeft van een romantische avond samen met zijn vriendin. Wat er tijdens de rit precies gebeurd is, zal nooit duidelijk worden, maar een schipper die in het Amsterdam-Rijnkanaal vaart zal later verklaren dat hij zag hoe een auto zich zonder enige aanleiding in volle vaart door de reling van de brug boorde. Eenmaal in het water begon de auto dadelijk te zinken.

Het ongeluk geeft bij de bezoekers van de Cotton Club aanleiding tot een hoop speculatie, vooral omdat de auto 'plotseling rechts afsloeg'. Sommigen hebben aan zelfmoord gedacht, maar dat is onwaarschijnlijk want zijn vrienden wisten dat hij dolverliefd was op 'zijn Gonnie'. Achteraf is het, gezien de neurologische rapporten die over Fritsie bekend zijn, niet ondenkbaar dat hij is getroffen door een lichte epileptische aanval, die tot een moment van afwezigheid heeft geleid. Dat zou de plotselinge manoeuvre verklaren.

Als het nieuws de familie bereikt, zijn Frits en Da ontroostbaar. Da zoekt na de rampzalige dood van Fritsie troost bij haar kleinkinderen. Het zoontje van Annie is bijna zeven en geeft zijn grootmoeder veel afleiding. Henry is een levenslustig kind en vermaakt zich opperbest. Opa en oma zijn gek op hem. Ze zijn rijk, weet hij, want ze hebben een caravan en een bootje en als hij wat vraagt, kan hij het zonder problemen van hen krijgen. Dat hij zijn vader zowat nooit ziet, kan hem weinig schelen. Een man uit de buurt, Boyd Antonia, al jaren vaste klant in de Cotton, heeft zich een beetje over hem ontfermd en Henry voelt zich erg prettig bij hem. Boyd beschikt over veel vrije tijd, want hij drijft een bordeel op de Oudezijds Achterburgwal. Hij leert de jongen kaarten en als hij samen met zijn vriendin uitstapjes maakt, mag Henry soms mee.

Misschien is het verdriet over het verlies van Fritsie er mede de oorzaak van dat de kroegbaas en zijn vrouw niet zien dat de wereld om hen heen ingrijpend aan het veranderen is. Enkele maanden voor de dood van Fritsie zit Jay Jay, de man die Annies vriend, Cassavé, zijn bijnaam gaf, aan de bar van de Cotton Club. Hij is bezig een sigaretje te draaien. Als de tabak in het vloeitje ligt, haalt hij uit zijn zak een klein buisje dat gevuld is met een wit poeder. Het is zijn bedoeling iets van het poeder over de tabak te strooien, maar een maat die naast hem zit, houdt hem tegen. 'Dat spul moet je niet roken,' zegt hij. De man pakt het buisje en strooit op de bar twee dunne streepjes van het poeder uit. Dan geeft hij Jay Jay een rietje, neemt er zelf ook een en doet voor hoe het streepje poeder door het rietje in de neus gesnoven wordt. Terwijl hij zijn neus ophaalt, zodat het poeder goed kan worden opgenomen, zegt hij: 'Dat is heroïne en je krijgt het beste effect als je het opsnuift, beter dan wanneer je het blowt.' Voor Jay Jay is de drug nieuw. Hij handelt al sinds jaar en dag in wiet en zo nu en dan een beetje in opium, dat hij bij een Chinees in de Binnen Bantammerstraat haalt. Die Chinees heeft hem het buisje met heroïne toegestopt en hem daarbij op het hart gedrukt er niet zelf van te gebruiken, maar het te verkopen. Als Jay Jay het spul weet af te zetten is er meer, veel meer, en daar valt goed mee te verdienen, verzekert de Chinees hem.

Kort nadat Jay Jay de heroïne heeft opgesnoven, begint het

spul te werken. Eerst wordt hij stoned, heel erg lekker stoned. Het is nog vroeg in de avond en hij besluit naar huis te gaan lopen. Jay Jay, die in de buurt van het Tropenmuseum woont, passeert op zijn wandeling de hekken van Artis, de Amsterdamse dierentuin. Achter de hekken, langs de Plantage Middenlaan, staan vrijwel levensgrote gipsen replica's van enkele prehistorische reptielen. Als Jay Jay de beelden ziet, meent hij grote, levende olifanten waar te nemen, die hem uitnodigen om zich bij hen te voegen. Zijn poging om over het hek te klimmen, mislukt.

Thuisgekomen overvalt hem een onberedeneerbare angst. In alle hoeken en gaten, en dat zijn er veel meer dan gewoonlijk, meent hij schimmen van overvallers en monsters te zien. Doodsbang geworden kruipt hij onder zijn bed, waar hij uren en uren rillend van angst blijft liggen. Die dag besluit hij het spul nooit meer te gebruiken. Toch begrijpt hij heel goed dat een shot niet altijd hoeft te leiden tot een *bad trip* en dat er handel in het poeder zit. De volgende dag koopt hij voor 250 gulden heroïne bij de Chinees in de Binnen Bantammerstraat.

In korte tijd wint de heroïnehandel onder de Surinamers op de Zeedijk sterk aan populariteit. Aan die handel valt veel meer te verdienen dan aan marihuana en het duurt niet lang of er komen ook in de Cotton Club Surinamers die hun geld verdienen met dealen in heroïne. Een Surinamer die al vroeg goed aan de handel weet te verdienen, is Emile Camron. Ooit was Emile als zoveel Surinamers die de Cotton Club bezochten een gokverslaafde, die zijn geld keer op keer in Baarl-Nassau verspeelde.

Op een dag vraagt een goede vriend hem mee naar de paardenrennen in Duindigt. Emile maakt hem duidelijk dat hij blut is en dat het weinig zin heeft om zonder geld de paardenrennen te bezoeken. Maar als zijn *mattie* hem wat wil lenen, bedenkt hij zich. Hij heeft dan wel niets met paardenrennen, maar hij is altijd wel in voor iets nieuws. Tot zijn verbazing wint hij met dat geld 3500 gulden. Diezelfde avond nog gebruikt hij het geld om verder te gokken. De volgende dag komt Emile thuis met

280 000 gulden. In een film heeft hij ooit gezien hoe een gangster het gewonnen geld onder zijn shirt had gestopt en wijdbeens boven zijn vriendin op bed ging staan, waarna hij zijn shirt optrok en zijn vriendin bedolven werd onder het geld. Thuisgekomen is de vriendin van Emile, die voor hem achter het raam zit, boos omdat zij ervan overtuigd is dat hij de avond bij een van haar collega's heeft doorgebracht. Maar de filmtruc doet wonderen en nog dagenlang vieren zij samen feest. Emile is een verstandig mens en hij gebruikt het geld om een pand te kopen op de hoek van de Zeedijk en de Sint Olofssteeg. In het pand begint hij een 'hotel' waar meisjes hun klanten ontvangen. Hoewel de aard van de bezoekjes aan de dames niets aan duidelijkheid te wensen overlaat, heeft Emile altijd geweigerd zijn hotel een bordeel te noemen. Later zou hij vertellen dat hij kamers aan vooral Amerikanen verhuurde, die daar mochten doen wat zij wilden, ze hadden er immers voor betaald.

Op de begane grond is een café, het later zo beruchte Emile's Place. Het café is tot diep in de nacht open en veel gasten van de Cotton Club willen als hun goklust nog niet bevredigd is, daar de avond nog wel eens afsluiten.

De komst van de heroïne verandert het karakter van Emile's Place. In het café bij het 'hotel' huren heroïnedealers een tafel, waar hun klanten hen kunnen vinden voor een deal. Het verhaal gaat dat dezelfde aanpak gold voor het Winkeltje, een kroeg die inmiddels is geopend op de hoek van de Koningsstraat en de Geldersekade, drie huizen voorbij de Cotton Club. Sommige bronnen vertellen dat iets dergelijks ook plaatsvond in de Cotton Club, maar het café is daarvoor te klein en de paar tafels die er staan, worden gebruikt om aan te gokken.

Emile begint zijn zaak in een tijd dat de heroïne in Amsterdam voor het eerst wat grootschaliger verkocht wordt en de Amsterdamse politie door de vrij plotselinge opkomst van de heroïne wordt overvallen. Begin jaren zeventig zien agenten van de Warmoesstraat in verschillende cafés pakjes met bruine korrels op een tafel of op de bar liggen. Het goedje heeft veel weg van bruine suiker. Als zij de bruine variant voor het eerst in de Cotton Club zien, maken de aanwezige dealers de agenten wijs dat het om een Chinese specerij gaat.

De onbekendheid bij de politie met een middel als heroïne kwam vooral omdat de agenten van bureau Warmoesstraat zich eind jaren zestig nauwelijks serieus bezighielden met de drugshandel. Integendeel, zij wisten er eerder van te profiteren. Op het bureau heerste een cultuur van corruptie. Dat blijkt uit verhalen zoals die van hoofdagent Teun, bijgenaamde 'De Neus', die in 1968 als nieuweling op het bureau Warmoesstraat werd geplaatst. 'Ik zat er koud drie dagen, toen de wachtcommandant een lege cognacfles in mijn hand drukte en me opdroeg die bij te vullen. Ik moest met die fles onder mijn uniformjas naar Emile's Place op de Zeedijk. Natuurlijk werd de fles niet bijgevuld. Ik kreeg meteen een nieuwe mee. "Je bent zeker nieuw, hè?" vroegen ze in die kroeg. Toen ik op het bureau terugkwam, zaten mijn collega's besmuikt te lachen.'

De houding van de politie van bureau Warmoesstraat is misplaatst. Hetzelfde door hen gedoogde dealershol van Emile is het toneel van misbruik en mishandeling. Dat ervaart ook de negentienjarige Mariëlle, die in 1971 aan heroïne verslaafd raakt, en zich prostitueert. Haar Surinaamse vriend Frans moet leven van een uitkering die hij heeft overgehouden aan de tijd dat hij nog in de haven werkte, en het geld dat Mariëlle met tippelen binnenbrengt, is meer dan welkom. Zijn dagen slijt Frans in cafés zoals de Cotton Club, waar hij zit te gokken. Iets verderop, bij de Chinezen in de Binnen Bantammerstraat, haalt hij zijn opium.

Aanvankelijk huurt Mariëlle een raam op de Wallen, maar het duurt niet lang of ze kan zich de luxe van een kamer die vijftig gulden per dag kost, niet meer permitteren. De Utrechtsestraat, een buurt waar meer verslaafde meisjes tippelen, wordt haar nieuwe werkterrein. Al snel heeft ze een aantal vaste klanten die ze enigszins kan vertrouwen, maar het komt ook voor dat een onbekende man, nadat hij haar genomen heeft, haar zonder te betalen spiernaakt de auto uit gooit. 'Een marktkoopman van de Cuyp pikte me 's ochtends vroeg op en deed iets over me heen, ik liep als een zombie naar huis, zonder tas, zonder iets.'

Het is niet de eerste keer dat Mariëlle iets dergelijks overkomt. Eerder was zij met een man meegegaan naar een kamer die hij gehuurd zou hebben in het hotel van Emile Camron. Eenmaal binnen vroeg hij haar even te wachten. De man verliet de kamer en deed de deur achter zich op slot. Even later kwam hij terug met een stel Amerikaanse soldaten die hem kennelijk hadden betaald om met haar hun gang te kunnen gaan. 'Hij bedreigde me: "Als je niet meedoet, duw ik een colafles in je reet," en daar was ik heel bang voor. Ik heb me toch verzet, ik kon niet anders en heb het hele hotel bij elkaar geschreeuwd. Wat er toen allemaal precies is gebeurd, kan ik me niet meer herinneren, maar ik weet nog wel dat de politie me eruit heeft gehaald.' Jaren later ziet Mariëlle haar belager terug. Hij is verminkt en beweegt zich voort in een rolstoel. Als zij hem zo ziet, stelt Mariëlle met voldoening vast dat het geweld waar de man zo graag gebruik van maakte, zich uiteindelijk tegen hemzelf heeft gekeerd.

Bijna iedere dag komt Mariëlle in de Cotton Club om Frans op te zoeken, of om zelf wat te drinken. Frits trekt zich het lot van het ongelukkige meisje aan en probeert haar op te beuren. 'Ome Frits, dat was zó'n lieve man, een doodgoeie kerel. Op een dag, toen ik heel ziek was, gaf hij me honderd gulden. Die man had gewoon vertrouwen in mensen! Later heb ik hem het geld natuurlijk teruggegeven. Ik vond het wel heel bijzonder dat ome Frits me te hulp schoot. Als ik in de problemen zat, was er meestal niemand voor me.'

'Cassavé, die vriend van Annie, gebruikte ook: hij stond er stijf van,' weet Mariëlle later met zekerheid te vertellen. 'Regelmatig zag ik Annie met een zonnebril achter de tap, dan had ze zeker ruzie met Kassa gehad en had zij zó'n oog dat zij wilde verbergen. Ze sprak dan maar weinig met de klanten. Ik maakte wel eens een praatje met haar als zij aan de bar zat, maar ik had niet echt veel contact met haar. Kassa handelde ook, maar niet in de Cotton Club. Natuurlijk werd er in het café ook af en toe een beetje gehandeld, voornamelijk onder tafel, maar het was geen dealerskroeg zoals Emile's Place. Een enkele keer was er ruzie en viel er wel eens een schot, maar dat gebeurde in die dagen zo'n beetje in alle cafés hier in de buurt.'

Niet alleen in Emile's Place houden de agenten van bureau Warmoesstraat hun hand op, ook bij de illegale gokhuizen in de Binnen Bantammerstraat en de opiumkitten in de buurt valt heel wat 'bij te verdienen'. Maar als in 1971 de handel in heroïne explosief toeneemt en tot ernstige overlast begint te leiden, beseft ook het korps Warmoesstraat dat het tijd wordt om in te grijpen. Het is duidelijk dat het om een zwaar verdovend middel gaat dat door met name Chinezen wordt geleverd. Daarom wijst de chef recherche van de Warmoesstraat twee China-experts aan, want de politie beschikt niet over mensen die Chinees spreken. Sommigen leren op den duur een paar woorden, maar hebben moeite met de verschillende toonhoogten die het Chinees kent. De vraag: 'Heb je een paspoort?' wordt dan niet zelden verstaan als: 'Heb je een paprika?'

De noodzaak China-experts aan te trekken wordt vooral ingegeven doordat na 1971 het aantal illegale Chinezen dat in heroïne handelt, hand over hand toeneemt. De toename van Chinezen in grote Europese steden was het directe gevolg van het verharde politieoptreden in Hongkong tegen de heroïne-handel die in die stad tot een ware plaag was uitgegroeid. De handel was vooral in handen van zogenaamde Chinese broederschappen, die triades werden genoemd. Triades waren in Europa al veel langer actief. Zo is bekend dat er in Amsterdam in 1922 al een oorlog tussen twee bendes, De Drie Vingers en Bo-On, uitgevochten wordt. Pas in de jaren zeventig krijgt de politie aandacht voor de Chinese criminele bendes. De strakke organisatie, de strenge rangorde en de verwijzing naar vermeende familiebanden binnen die organisatie leiden ertoe dat de politie de bendes vergelijkt met de maffia.

Onbekendheid met de herkomst en de aard van de Chinese geheime genootschappen leidt tot veel misverstanden bij de bestrijding van de triades. De politie is op de hoogte van de hiërarchie binnen de organisatie en dat de leden aangeduid worden met nummers. Daarnaast weten zij bijvoorbeeld dat er rituelen worden uitgevoerd onder leiding van wat een wierookmeester wordt genoemd. De zin van die bezigheden ontgaat de politie.

Toch had informatie daarover met weinig moeite gevonden kunnen worden, maar de belangstelling voor Chinese geschiedenis is rond die tijd niet zo groot. De broederschappen bestaan al sinds de dertiende eeuw. Er ontstonden in die tijd geheime genootschappen die zich verzetten tegen de Mongoolse overheersing van China en zich beijverden voor de terugkeer van het confucianisme. De hiërarchie en het uitvoeren van rituelen binnen die broederschappen gaan terug op die confuciaanse traditie. Als de triades in de negentiende eeuw steeds meer corrumperen en uitgroeien tot misdaadorganisaties, blijven de confuciaanse riten gehandhaafd, vooral omdat de Chinees veel waarde hecht aan zijn tradities en de daarbij behorende riten die dankbaarheid en streven naar evenwicht uitdrukken.

Ook de Amerikaanse DEA (*Drug Enforcement Administration*), die met de Amsterdamse politie samenwerkt, blijkt in die dagen niet volledig bekend te zijn met de Chinese gewoontes. De agenten van de Amerikaanse dienst adviseren een wierookmeester te benaderen om het ritueel te filmen in de hoop meer inzicht in de organisatie te krijgen. Als de man weigert, zet de vreemdelingenpolitie hem het land uit, een strategie die in die jaren nog met succes kan worden toegepast en er uiteindelijk toe leidt dat de Chinese maffia voor het grootste deel verdwijnt.

De overlast die de heroïnehandel met zich meebrengt, wordt zo groot dat begin jaren tachtig een comité van buurtbewoners een grote demonstratie organiseert tegen de handel op de Zeedijk. Op de dag van de demonstratie loopt Jay Jay over de Nieuwmarkt op weg naar de Cotton Club als hij onbedoeld in de demonstratie terechtkomt. Tot zijn verbazing ziet hij tussen de demonstranten ook Chinezen. Onder hen bevindt zich de Chinees die hem wekelijks bevoorraadt en ook hij draagt een groot spandoek tegen de heroïnehandel met zich mee. Verbijsterd en hoofdschuddend loopt Jay Jay door. Vele jaren later vertelt hij het verhaal alsof hij nog steeds niet van de verbazing is bekomen. Maar Jay Jay begrijpt de motieven van de man die hem de heroïne verstrekt niet. Oprecht demonstreert deze tegen de aanwezigheid van heroïnehandelaars, maar dan wel de handelaars die uit Hongkong naar Amsterdam zijn gekomen. Deze nieuwkomers bedreigen zijn eigen monopolie, vooral omdat zij uitgroeien tot een meerderheid in de Chinese gemeenschap.

Op een mooie lentemiddag in 1972 speelt Henry, het zoontje van Annie, tussen de open klapdeuren van de Cotton Club met een speelgoedgokautomaatje van blik. Als hij aan het hendeltje trekt en er drie gelijke figuurtjes in de raampjes verschijnen, klinkt er bij wijze van jackpot een muziekje. Juist op het moment dat het kind het hendeltje overhaalt, valt de politie het café binnen. De agent die de leiding over de inval heeft en onder de Surinamers bekendstaat als Bigi Noso, pakt het speelgoed van het kind af. Henry herinnert zich nog hoe de man op zoek naar verborgen heroïne het apparaatje ruw openbrak. Als blijkt dat het speelgoed verder leeg is, geeft de agent de stukken van het machientje aan het beteuterde kind terug. De bijnaam Bigi Noso lijkt te verwijzen naar een hoofdagent van bureau Warmoesstraat die Teun heette en vanwege zijn imposante voorgevel 'De Neus' werd genoemd. Maar de vaste klanten van de Cotton Club houden vol dat het niet om Teun ging, maar om Martin Hoogland, de latere moordenaar van Klaas Bruinsma.

De reeks aan invallen in de Cotton Club komt vooral voort uit een diepe afkeer van het café bij de agenten van bureau Warmoesstraat. Een jonge politieagent van dat bureau verklaart begin jaren zeventig: 'Wij vielen de Cotton Club binnen omdat we die kroeg stuk wilden maken, het was een slechte tent met een slechte reputatie. We waren toen net van school af, waar we alles hadden geleerd over de winkelsluitingswet en de horecawet. Dan kom je in de praktijk en dan zie je dat zo'n zaak helemaal niet aan de wet voldoet. Er zou harder opgetreden moeten worden tegen dergelijke overtredingen.'

Deze jonge agent zal ongetwijfeld vinden dat hij het gelijk aan zijn kant heeft, maar discriminatie van kleurlingen – in het bijzonder Surinamers en Antillianen – was de agenten van bureau Warmoesstraat niet helemaal vreemd en als daarover geklaagd werd, werden de klachten smalend weggelachen. Toch wist de politie – ook de agenten op het bureau Warmoesstraat – dat de Surinamers maar loopjongens voor de grote Chinese bazen waren. De Chinese handelaren bleven steeds buiten schot, terwijl de loopjongens werden opgepakt. Ook in en om het nabijgelegen café het Winkeltje werd meer gedeald dan in de Cotton Club, wat er eind jaren zeventig toe leidde dat het Winkeltje door de gemeente werd gesloten en dichtgetimmerd, een lot dat kort daarna vele cafés op de Zeedijk beschoren was.

Willy, de meer artistieke dochter van Frits, is gevoelig voor de nieuwe drug. Eerder gebruikt zij al regelmatig opium, maar nu de heroïne voor haar betrekkelijk gemakkelijk te krijgen is, stapt zij over op die zwaardere drug. Vaak hoeft zij er zelfs niet voor te betalen, want de dealers die het goedje versnijden met een aanvankelijk onschuldig middel, laten haar uitproberen of de heroïne krachtig genoeg is. Da, die zich na verloop van tijd ernstig zorgen begint te maken over haar dochter, wendt zich tot Willy's vriend André met de vraag of hij niet kan voorkomen dat zij gebruikt. André, zelf heroïnedealer, kent het gevaar en doet zijn best Willy van het spul af te houden, maar het mag niet baten. Vanaf dat moment worstelt Willy met haar verslaving. Verschillende keren kickt zij af, maar zij blijft maar korte tijd clean en begint iedere keer al snel opnieuw te gebruiken.

Vanaf begin jaren zeventig is er niet alleen sprake van een plotselinge toename van heroïne, ook het aantal vuurwapens in de stad neemt explosief toe. Nu steeds meer grenzen in Europa opengaan, is er toegang tot betrekkelijk goedkope arbeid. Werknemers uit Zuid-Europa zoeken hun heil in het rijke Noorden. Onbedoeld komen in hun kielzog ook steeds meer criminelen de grenzen over.

Begin jaren zeventig ziet Jan Smit, kroegbaas van café De Passage tegenover de Cotton Club, voor het eerst in zijn leven een echte Smith & Wesson .44, een revolver die hij alleen maar kent uit de cowboyfilms. Het voorval vindt plaats als 's avonds laat een agent van bureau Warmoesstraat, bekend als Fluitje, in het café van Jan Smit een afzakkertje komt halen. De aanwezige penoze, in die dagen ook voorzien van vuurwapens die ze overigens vooral gebruiken om mee op te scheppen, begint de agent een beetje te jennen. 'Wat voor pistool gebruiken jullie nu eigenlijk bij de politie?' is de vraag. Fluitje wil aanvankelijk niet antwoorden, maar de bikkers blijven aandringen. 'Ach, laat eens zien, dat kan toch geen kwaad?' Tegen zijn zin geeft Fluitje toe en haalt de Walther P9 uit de holster. Het is een betrekkelijk klein wapen, want de politie kan zich niet veroorloven een wapen te dragen dat gapende wonden maakt. De pooiers grijpen lachend naar hun binnenzak en binnen een handomdraai liggen er zeven ware kanonnen op tafel, waarbij een van hen uitroept: 'O, nou, wij hebben deze.' Fluitje schrikt zich een ongeluk en smeekt de bikkers bijna de wapens weg te doen. 'Dat heb ik niet gezien, jongens, want dan zou ik jullie moeten arresteren.' De bezorgde opmerking van de agent heeft weer een bulderend gelach tot gevolg. Jan, die een van de wapens optilt, verbaast zich over het gewicht. 'Logisch,' zegt hij later, 'dat die cowboys op geen twee meter een olifant konden raken. Die krengen waren veel te zwaar: je arm zakte al weg voordat je gevuurd had.'

'Die bikkers liepen ineens echt allemaal met die kanonnen rond,' gaat Jan verder. 'Ik had een keer een zinken wasteil gewonnen in een soort tombola. Een wasteil godbetert. Wat moet je met zo'n kreng? En groot, man, ik had mezelf erin kunnen baden. Loop ik met dat kreng op me nek over de Oudezijds op weg naar huis, kom ik twee klanten van me tegen, bikkers natuurlijk. Die hebben me een lol als zij me zien. "Wat moet je met dat oud stuk ijzer?" En maar lachen. "Sodemieter dat ding toch in de gracht," zegt een van de twee pooiers. Dat leek me eigenlijk ook het beste en ik lazer die teil in de Oudezijds. Zegt een van die twee bikkers: "Volgens mij blijft die nog drijven als je erin gaat zitten." Zonder aarzelen laat de man zich voorzichtig in de teil zakken. "Geef me dat stuk hout eens aan," roept hij, en dan: "Wedden dat ik over een halfuur in de Oudeschans dobber? Wedden om een meier?" "Deal," zegt de ander, "om een meier." Dan haalt die dat kanon tevoorschijn en schiet tussen de voeten van zijn maat een gat in de teil, die onmiddellijk begint te zinken. Hij begint te lachen en roept: "Maatje, ik krijg een meier van je.'"

Op de Oudezijds Achterburgwal verschijnen in die jaren naast de traditionele hoerenkasten steeds meer seksshops waar men speeltjes voor thuis kan kopen. Een lid van de penoze, Joop de Vries, toont zijn ondernemersgeest als hij, geïnspireerd door die nieuwe ontwikkelingen, een seksbioscoop met harde porno begint. Joop de Vries wordt 'Zwarte Joop' of, naar zijn Jiddische afkomst, 'Joden Jopie' genoemd, om hem te onderscheiden van die andere Joop de Vries, de zoon van Mien Veth. Zoals veel van zijn collega's begint ook hij zijn carrière als snorder en prijsbokser. Als hij wat ouder wordt en een tijdje zijn brood als pooier heeft verdiend, ontpopt hij zich als ondernemer. Begin jaren zestig koopt hij de Casablanca op de Zeedijk. Onder leiding van zijn vrouw loopt de zaak weer als een trein.

Zwarte Joop stelt er een eer in dat het stukje Oudezijds Achterburgwal waar zijn sekspaleis is gevestigd, het veiligste stuk straat van heel Europa is. Daarvoor heeft hij zijn eigen in sportscholen opgeleide ordedienst in het leven geroepen, want zijn sekstheater ontvangt klanten uit heel Europa en Joop verdient er miljoenen mee. Zodra de zedenpolitie op de gracht haar gezicht laat zien, treedt een ingenieus waarschuwingssysteem in werking. De camera wordt stopgezet en een tweede camera neemt het over, die in plaats van de harde porno een pornotekenfilm vertoont. Maar illegale pornofilms worden op meer plaatsen in de stad gedraaid. Joop wil wat anders, iets wat in moet slaan als een bom en zo komt hij op het idee om live seks op het podium te vertonen. De shows, die worden opgevoerd in het theater Casa Rosso aan de Oudezijds Achterburgwal, zijn een ongekend succes. 'We hadden vier koppels boven, eigenlijk vijf. Drie stellen deden het afzonderlijk en twee stellen tegelijk met elkaar,' vertelt een medewerker. Joop legt contacten in het buitenland en de Japanners stromen toe.

Hoewel Zwarte Joop met zijn sekspaleis schatten verdient, ziet hij eruit als een piraat met zijn lange zwarte baard, fonkelende zwarte ogen en een petje dat tot vlak boven zijn wenkbrauwen is getrokken. Hij heeft meer weg van een kunstenaar dan van een lid van de Amsterdamse penoze, maar tegelijkertijd is hij een rasondernemer, een zakenman met visie, die begrijpt dat als je veel geld wilt verdienen, je goed contact met de buurt moet houden en de zaken groots moet aanpakken.

Joop is een eigenzinnig man. Hij doorbreekt de eenkennige dorpsmentaliteit van de oude penoze. In zijn ondernemerschap denkt hij grootschalig en probeert hij zijn bedrijf onder te brengen in een strakke organisatie. En Joop wil meer. Al snel heeft hij een nieuwe droom: een amusementspaleis waar de gewone man een gokje kan wagen, onwaarschijnlijk luxe uitgevoerd met veel marmer en met klaterende fonteinen. Op zoek naar investeerders zoekt hij steun voor zijn onderneming in het buitenland. Hij legt contact met de Amerikaanse maffia en slaagt erin haar interesse te wekken. In 1976 investeert deze miljoenen in Joops eerste – illegale – casino van Amsterdam, de Cabala, pal naast de Casa Rosso gelegen.

Door een buitenlandse criminele organisatie bij zijn plannen te betrekken breekt Joop met de traditie van de oude penoze. Die ging niet internationaal en de leden hadden een sterke onderlinge band. Nieuw voor een lid van de Amsterdamse penoze is ook zijn uiterst luxueuze leefstijl: zo bezit Joop verschillende riante onderkomens in binnen- en buitenland, en beschikt hij over een wagenpark waarin de Lamborghini niet ontbreekt. Joop blijft echter een ondernemer die zijn personeel voor geen cent vertrouwt en niet in staat is zijn imperium goed te managen, een man die, hoe graag hij het ook wil, zijn imago van ordinaire seks- en gokbaas niet van zich af kan schudden, een jongen van de vlakte die zijn vuisten gebruikt om conflicten te beslechten. Wie als personeelslid wordt uitgenodigd voor een onderhoud in het Wrak, zijn kantoor in de Casa Rosso dat is ingericht als een scheepswrak, heeft niets te lachen. Voor Joop bleef de biljartkeu zijn zwaarste wapen en zijn motto was: 'Een kogel kun je niet terugkoppen.'

Ook Frits van de Wereld is zo'n typisch voorbeeld van de oude penoze die met een been in de wereld van Haring Arie, de broertjes Veth of Parijse Jan staat en met het andere been in de moderne, georganiseerde misdaad. Frits werkt zich op van snorder, dief, inbreker en overvaller tot bordeelhouder. Hij begint zijn serieuze carrière met de koop van een pandje in de rosse buurt van Amsterdam, dat hij aanvankelijk huurt van de 'ouwe' Mien Veth, waar hij een hoerenkast van maakt. Nog geen vijftig jaar oud heeft hij in 1973 een imperium aan bordelen en gokhuizen opgebouwd. Zijn geld verdient hij vooral met een aantal kleine illegale gokhuizen op verschillende plaatsen in de stad.

Frits is niet de enige die begin jaren zeventig – nog voordat Zwarte Joop zijn gokpaleis opent – in gokhuizen doet. Naast de fameuze Chinese gokhuizen waar bijna uitsluitend Chinezen komen, zijn er tientallen kleine gokgelegenheden. Op de hoek van de Nieuwmarkt, boven café het Winkeltje, runt Frans Krabshuis zo'n goklokaal. Frans is nog ouderwetse penoze: bordeelhouder, amateurbokser en scharrelaar. Als hij een auto-ongeluk krijgt waarbij hij zijn neus beschadigt, laat hij zijn neus niet corrigeren, want die zou bij het boksen vroeger of later toch wel weer gebroken worden. De beschadigde neus levert hem de bijnaam 'Biggetje' op. Als de vrouw van Frans het oude café Populair naast de Cotton Club wil kopen, leent zij geld bij Frits van de Wereld voor de overname van het café. Frans is het er aanvankelijk niet mee eens, maar hij legt zich mokkend bij de wensen van zijn vrouw neer. Vanaf die dag heet café Populair Het Biggetje.

Begin jaren zeventig begeeft Frits van de Wereld zich in de hasjhandel en weet deze als een van de eersten grootschalig te maken. Het gaat om duizenden kilo's, terwijl hasj in die jaren eerder nog per gram gesmokkeld werd dan per kilo. Verschillende transporten eindigen in een debacle. In april 1974 wordt een drugstransport uit Libanon met de kotter Lammie door de Nederlandse marine onderschept. Frits krijgt in hoger beroep een jaar en zes maanden gevangenisstraf met aftrek van voorarrest. Eenmaal uit de gevangenis richt Frits zich steeds meer op de handel in heroïne. Anders dan Zwarte Joop schuwt hij het wapengeweld niet en laat hij de oude penozecodes steeds verder achter zich.

Een bizarre speling van het lot wil dat Reinier, de zoon van Frits van de Wereld, slachtoffer wordt van de heroïne en aan het middel overlijdt. Jan Smit van café De Passage kan geen medelijden voor hem opbrengen als Frits zich in zijn café bedrinkt en eenmaal dronken steevast in huilen uitbarst om het verlies van zijn jongen. 'Frits van de Wereld, die huilebalk? Hij moest zo nodig een grote crimineel worden, dan moet je ook maar met de consequenties kunnen leven.'

De veranderingen in de vroege jaren zeventig werken ook niet in het voordeel van de Cotton Club. Rondom de Nieuwmarkt wordt het onrustig, zo vindt in maart 1971 in café Populair, vlak naast de Cotton Club, een schietpartij plaats en in mei van dat jaar wordt aan de overkant, in een cafetaria, een meisje in het hoofd geschoten. Een belangrijk deel van de klanten van de Cotton Club bestaat zo langzamerhand uit heroïnedealers. Menige Surinamer die zich in die jaren in Amsterdam vestigt, vindt dat jammer. 'Ik had best behoefte aan een gelegenheid waar ik mijn landgenoten kon ontmoeten,' zegt Stanley, die in 1970 naar Nederland komt en als bankbediende aan de slag gaat. 'Maar ik vond de Cotton Club eng en ging er niet naar binnen.'

De tijden dat Frits Smit met de broertjes Veth ging vissen, behoren definitief tot het verleden en daarmee ook de middagen dat de buurtbewoners hen toeterend de Zeedijk op zagen rijden. In april 1974 sterft, negenenzeventig jaar oud, Mien Veth en daarmee verliezen de Wallen hun onbetwiste koningin. Haar rol wordt overgenomen door Joop de Vries. De koningin wordt opgevolgd door de 'godfather' van de Wallen.

De klanten van de Cotton Club zien aan ome Frits geen verandering, hoewel het hem pijn doet als er steeds vaker in zijn café gevochten wordt. De vanzelfsprekendheid waarmee hij vroeger de orde in zijn café wist te handhaven, is langzaam aan het verdwijnen. Als de geruchten rondgaan dat de gemeente de tapvergunning van het café wil intrekken, is de aandacht van de pers getrokken. Frits verklaart manhaftig dat het hem niets doet. 'Als ze dat per se willen, dan doen ze maar. Dan maak ik een huiskamer van het café en niemand kan me ervan weerhouden een borrel aan mijn vrienden te schenken, ook al geven zij mij daar een kleine vergoeding voor.' In werkelijkheid is de inmiddels ruim zestigjarige Frits bezig zich terug te trekken. De eerste stap weg van het café is het verlaten van het woonhuis achter de kroeg. Al in 1970 is hij met Da naar een huis in de Henriette Ronnerstraat verhuisd, een heel eind bij het café vandaan.

Marion, de dochter van Alie, verhuist mee. Zij is in 1972 zeventien jaar oud en werkt sinds een klein jaar bij haar grootvader in de zaak. Zij ontpopt zich als een meisje met talent voor het horecavak. Marion is spontaan en niet bang. Zij weet klanten van de Cotton Club, die toch niet tot de gemakkelijkste behoren, snedig van repliek te dienen. Bovendien is zij een leuke verschijning en veel van de mannelijke klanten kunnen hun ogen niet van haar afhouden. Annie is bij tijd en wijle jaloers op het succes van haar jonge nichtje.

De nieuwe woning in de Henriette Ronnerstraat biedt wat meer ruimte en er is ook plaats voor de zieke, oude moeder van Frits. Da ontfermt zich liefdevol over het oudje, het geeft haar het gevoel dat de familie compleet is en zij heeft weer iemand om voor te zorgen. Achter het café, op de plek van de woonkamer, krijgt Henry nu een kamertje, daarnaast wordt een douchehok gebouwd. Frits komt nog wel in het café, maar hij is vaker op zijn bootje bij Lemmer in Friesland te vinden, waar hij graag vist en waar hij ook een caravan heeft staan.

Als dan in augustus 1973 een schietpartij in de Cotton Club plaatsvindt tussen twee Surinaamse jongens, is voor Frits de maat vol. Een van de jongens wordt in de nek geschoten en raakt daardoor verlamd, zodat hij in een rolstoel terechtkomt. Behalve *De Telegraaf* schrijft ook een weekblad voor Curaçao over het voorval, waarbij *De Telegraaf* meent te weten dat het 'beruchte' café intussen op last van het gemeentebestuur is gesloten. Frits, die de AOW-leeftijd is genaderd, beseft eens te meer dat het tijd wordt dat hij met de zaak ophoudt. Enkele maanden later doet hij het café over aan zijn oudste dochter Annie.

HOOFDSTUK 10

CAFÉ ANNIE

'Iedere keer stellen ze mij dezelfde domme vraag: of ik na al die jaren niet een enorme hoop mensenkennis heb opgedaan. Maar wat is nou mensenkennis? Denk je dat ik kan zien of een man hier aan de bar zit met zijn eigen vrouw of met een scharrel? Ik kan het verschil niet zien en ik heb het te druk om erop te letten. De klanten praten tegen me, ik zeg wat terug, en ik ga verder met mijn werk. Wat mij betreft zijn er drie soorten mensen: gezellige mensen, chagrijnige mensen, en achterbakse mensen. Die laatste zie ik liever niet in mijn zaak.

Ik heb ze wel gekend: achterbakse klanten. Toen ik jong was en nog met Teddy ging, kwamen we veel op de Zeedijk. Ik dronk samen met Teddy koffie bij Mien Veth. Wat ze ook van Mien zeiden, volgens mij was dat een heel aardige vrouw en ze behandelde Teddy altijd met respect. Teddy ging ook met een van haar zoons, Rinus, om. Van Rinus werd gezegd dat hij discrimineerde, maar daar heb ik met Teddy nooit iets van gemerkt. Wie wel discrimineerden, waren een stel klanten van mijn vader. Ze scholden me uit voor 'negerhoer' omdat ik met Teddy ging. Ik heb me daar nooit iets van aangetrokken. Als ik ze hoorde fluisteren, dacht ik aan mijn moeder. Die zei: "Meid, het is leven en laten leven." Ik val nu eenmaal op donkere jongens. Zij dansen beter dan Nederlandse mannen. Mijn zusje Willy zegt altijd: "Als je eenmaal een droppie hebt gehad, lust je geen pepermuntje meer."

Ze zeggen dat er in ons café marihuana gerookt werd vanwege die Surinaamse jongens, maar dat kwam vooral door de Amerikanen die hier kwamen. De jongens die in Duitsland verbleven, namen zelf nog wel eens wat mee, maar die hier in Soesterberg gelegerd waren, konden al helemaal niet aan dat spul komen. En omdat er in ons café klanten waren die de wiet van Afrikaanse zeelui kochten, kwamen zij daarop af als vliegen op de stroop. We konden natuurlijk niet toestaan dat het in het café gerookt werd, maar een mens kan onmogelijk alles in de gaten houden.

De eerste jaren hadden we weinig last van de handel. Marihuana was in 1950 nog niet verboden, maar toen ik terugkwam uit Duitsland, hadden ze de wet veranderd en was het voor de politie hetzelfde als opium. Vanaf dat moment hadden we last van politie-invallen. Die jongens van bureau Warmoesstraat hadden echt de pik op ons; er waren tijden dat ze bijna dagelijks de zaak binnenvielen op zoek naar wiet. Mijn klanten lieten de zakjes met wiet op de grond vallen en stoven via de keuken naar de uitgang in de Koningsstraat.

Ik heb nooit begrepen wat ze eigenlijk lekker vonden aan die wiet. Ik heb wel eens een haaltje van een marihuanasigaret genomen, maar eerlijk gezegd vond ik er niets aan. Ik werd er hooguit een beetje lacherig van. Geef mij maar een flinke borrel. Dat heb ik van mijn vader. Van hem werd gezegd dat hij te vaak dronken was, maar het is moeilijk om van de drank af te blijven als je achter de tap staat. De klanten bieden je wat aan en dat kun je moeilijk weigeren, je zou ze beledigen. Ik ken wel vrouwen die een zaak hebben en zelf niet drinken, maar ook zij doen dan 's avonds laat een slok in hun koffie. Je houdt dit werk niet vol als iedereen om je heen aangeschoten is. Je hoort honderd keer hetzelfde verhaal en als je dan zelf nuchter blijft, wordt dat stomvervelend. Toch heb ik er wel eens spijt van dat ik af en toe te veel dronk. Ik kan redelijk goed tegen drank, maar met een flinke slok op word je toch altijd iets meer loslippig dan wanneer je nuchter bent. Ik deel mijn zorgen niet graag met een ander, ik houd ze liever voor mezelf. Maar eenmaal aangeschoten neem ik geen blad voor de mond en flap ik er van alles uit. Ik kan dan vrij hard uit de hoek komen.

De politie bleef ons al die jaren in de gaten houden. Op een dag – ik denk dat het rond 1970 was – kwam hier een Surinamer binnen die ik niet kende. Hij legde een opgevouwen tientje op de bar en liep heel snel naar de wc. Wij wisten niet dat de politie achter hem aan zat. Die jongen was de wc nog niet in gelopen of er kwamen drie, vier agenten het café binnenstormen. Ze pakten dat briefje van tien van de bar en toen ze het openvouwden, zat daar een heel klein beetje wit poeder in, heroïne denk ik. Toen de Surinamer van het toilet kwam, wilden zij hem arresteren, maar hij verzette zich. Ze probeerden hem naar buiten te sleuren, maar een paar klanten bemoeiden zich ermee en begonnen met lege flesjes naar de dienders te gooien. Ik begreep dat eigenlijk wel, want ik had ook gloeiend de pest in. Een hoop stennis voor niks. Even verderop dealden de Chinezen in de Binnen Bantammer met kilo's tegelijk, maar die werden met rust gelaten. Ik heb gehoord dat de smerissen daar hun hand ophielden. Maar goed, deze jongen moest mee naar de Warmoesstraat. Ik heb mijn klanten toch maar tegengehouden, zo van hé jongens, laat me flesjes nu maar heel, anders pakken ze jullie ook nog op.

Toen de agenten van bureau Warmoesstraat hier weer een keer kwamen, dacht ik bij mezelf: als jullie geld van de Chinezen aannemen, waarom dan ook niet van mij? Dus vroeg ik: "Wat moeten jullie van me hebben om je zoet te houden?" Werd ik me daar in de boeien geslagen en meegenomen naar de Warmoesstraat. Ze beschouwden het als een belediging van de politie. Dat vond iedereen hier belachelijk, want die politie was zelf zo corrupt als de pest.

Wij waren niet de enigen die door de jongens van de Warmoesstraat werden lastiggevallen. Regelmatig heb ik een goede klant van ons, Nanny, een transseksueel, horen klagen over de agenten van dat bureau. Ze viel net als ik op donkere jongens en mijn vader nam haar altijd een beetje in bescherming tegen de smerissen. Als de hufters de kans kregen, namen zij haar mee naar het bureau en daar moest zij haar kleren uittrekken, die door de politie in beslag werden genomen. Dat kostte haar een vermogen, want zij kreeg die kleren nooit meer terug, bovendien moest zij vaak nog een boete toe betalen.

Het is haar zelfs een keer overkomen dat ze, enkele weken nadat zij door de jongens van bureau Warmoesstraat was opgepakt, in het Tuschinski Theater de hoofdagent met zijn vrouw voor zich zag binnenkomen. Tot haar woede zag zij dat de vrouw van die agent haar afgenomen minkbontjas droeg.

Op een dag zat Nanny aan de bar en vertelde mij dat ze zich had laten 'ombouwen' in een kliniek in de buurt van het Tropenmuseum. Dat moet rond 1972 zijn geweest. Dat was nog een heel gedoe, want zij kreeg daarna een kuur waardoor zij ook borsten ontwikkelde en haar baardgroei verdween. Maar zij had het er graag voor over, want nu voelde zij zich eindelijk een volledige vrouw. "En, Annie," zei ze tegen mij, "nu kan ik eindelijk mijn eigen raam huren."

Een paar dagen later zat Nanny trots als een pauw achter het raam, maar de heren van de Warmoesstraat waren het daar helemaal niet mee eens. Nanny had haar raam nog geen dag of ze hebben haar gearresteerd. Op het bureau moest zij zoals gewoonlijk haar kleren uittrekken. In plaats daarvan kreeg ze een soort overall aan die zij gebruikten als er iemand in de gracht gedonderd was. Toen zij naakt voor de hoofdagent stond, wees zij tussen haar benen. "Zie je dan niet wat dat is?" had zij kwaad geroepen. Maar die agent zei alleen maar: "Al had je een kut op je voorhoofd, voor mij blijf je een kerel." Nanny, ook niet op haar mond gevallen, vroeg de agent toen: "En wat nou, als ik naar Zandvoort wil, moet ik dan alleen een zwembroek aan?" Waarop die smeris doodgemoedereerd zegt: "Dan ga je maar niet naar Zandvoort."

Maar Nanny liet het er niet bij zitten. Omdat zij geopereerd was, kreeg zij van de burgerlijke stand een nieuw paspoort, waarin stond dat zij een vrouw was. Met dat paspoort is zij naar bureau Warmoesstraat gestapt en heeft het die agenten daar onder hun neus gedrukt. Toen moesten zij wel toegeven dat Nanny een vrouw was, het stond immers officieel in haar paspoort. Zo kreeg ze mooi haar raam terug. Later zei ze nog wel eens tegen me dat zij er spijt van had dat zij geen rechtszaak had aangespannen tegen de Warmoesstraat, maar zij vond dat te veel gedoe en uiteindelijk had zij toch haar zin gekregen.

Een paar jaar later was er toch nog iets misgegaan. Die dokter van die kliniek in Oost bleek de operatie niet goed uitgevoerd te hebben. Het heeft haar toen een bom duiten gekost om zich in Londen voor een tweede keer te laten opereren. En daar is alles helemaal in orde gekomen, want toen zij terugkwam, heeft zij eerst nog een tijdje in een bordeel gewerkt en is later zo'n Madame Arthurnachtclub begonnen, Oporto-Bar heette die tent, heb ik me laten vertellen.

Niet alleen de politie, ook sommige anderen in de buurt zagen ons niet zitten. Ik kan me herinneren dat op de Oudezijds Achterburgwal niet ver van de Casa Rosso een vrouw door een Surinamer van haar tas beroofd werd. Rond de Zeedijk stikte het van de junks en kennelijk wist een van die jongens niet dat het erg onverstandig was om in de buurt van de Casa Rosso iets te jatten. De eigenaar van de Casa Rosso, Joden Jopie, pikte dat niet. Hij kon zich geen diefstal in zijn achtertuintje permitteren, dat zou zijn dure klanten wel eens weg kunnen jagen. Nou mocht ik Zwarte Joop wel, maar die bodyguard van hem, dat vond ik een ongelooflijke zak. Ik ben ervan overtuigd dat die vent tegen Zwarte Joop heeft gezegd dat hij de rover in de Cotton Club moest gaan zoeken. Een paar dagen na de overval komen plotseling Zwarte Joop en die bodyguard mijn zaak binnen. Pet op, kraag overeind en hun handen in hun zakken. Ik zag een paar van mijn klanten denken: die hebben een pistool in hun zak. Begint Joop briefjes van honderd uit te delen, honderdjes! Hij drukt een stel Surinamers een briefje in hun handen en zegt: "Dat is alvast voor jullie. Als je me een Surinamer kan leveren met een pet en een geel jasje, krijg je tienduizend gulden van me. Ik moet die jongen namelijk even spreken, want hij heeft een klant van me beroofd." Ik denk dat Zwarte Joop maar een beetje uit zijn nek stond te kletsen en helemaal niet wist hoe die roofovervaller eruit had gezien, maar mijn klanten waren onder de indruk en stuk voor stuk wilden zij wel tien ruggen verdienen. Het verhaal ging natuurlijk als een lopend vuurtje rond en het is daarna nog lang rustig geweest op de Oudezijds.

Zo rond 1974, toen het echt een rotzooi begon te worden met de heroïne en de schietpartijen op de Zeedijk en rond de Nieuwmarkt, werd het mijn vader zo langzamerhand te veel en toen zijn AOW in zicht kwam, besloot hij ermee te stoppen. Ik kon het café van hem overnemen voor 75 000 gulden. Omdat ik op dat moment geen rooie cent had, sprak ik met hem af dat ik de schuld zou aflossen met de inkomsten uit de gokkasten. Daar kwam behoorlijk wat geld uit, want onze Surinaamse klanten hielden wel van een gokje en die kasten staan zo afgesteld dat de exploitant altijd een deel krijgt van wat ze erin gooien, waarvan wij weer een percentage kregen. We rekenden uit dat ik mijn vader in een jaar of zes kon afbetalen.

Willy en Marion werden mijn vaste hulp in de zaak. Willy gebruikte wel, maar dat deed ze als ze klaar was met haar werk. Ze maakte het café na sluitingstijd altijd eerst nog schoon. Marion was mijn buffetjuffrouw en ze deed het goed achter de bar. Maar ik had wel de pest in toen zij kort na de overname, toen ik haar echt nodig had, zwanger werd.

Aan het eind van dat jaar 1974 was het met oud en nieuw tot diep in de nacht heel gezellig. Die ene dag in het jaar schonk ik voor de vaste klanten een heel vat bier leeg. Ik wist die avond nog niet wat voor ellende me boven het hoofd hing. Eind januari 1976 pakte de gemeente mijn drankvergunning af. We hadden wel een waarschuwing gekregen, maar ik had niet verwacht dat zij mijn vergunning ook echt zouden afnemen. Drugsgebruik was verboden, maar mijn vader wist eerst niet eens wat heroine was. Hij zei: "Wat stinkt het hier." En je kon die jongens niet tegenhouden als zij die rotzooi wilden gebruiken.

Toen ik geen drank meer mocht schenken, bleven veel klanten weg die voor een borrel kwamen of om een kaartje te leggen. Het werd moeilijk om mijn hoofd boven water te houden, want je vaste kosten gaan gewoon door. Maar ik ben altijd opengebleven en ik ging die drugsverslaafden gemberbier en orgeade schenken. Zoals bijna alle verslaafden dronken ze geen alcohol. Ze hadden vooral behoefte aan zoete drankjes. De orgeade was een soort suikerwater dat we zelf maakten. Ik vroeg twee gulden vijftig per glas terwijl het zowat niets kostte om het te maken, daar hebben we toch nog een hoop aan verdiend. Verder verkocht ik een broodje warm vlees. En mijn vriend Kassa maakte zoals altijd zijn maaltijden waar iedereen gek op was. In de keuken had ik voor de paar stamgasten die trouw bleven komen, drank staan: jenever, sherry en flesjes bier. Dat kocht ik bij de slijter, want de brouwerij leverde niet meer.

We waren de vergunning al een tijdje kwijt, toen ik Kassa betrapte op het roken van een heroïnesigaret. Hij stond onder de afzuigkap van het keukentje dat hij op de binnenplaats had. Kennelijk dacht hij dat de lucht zo werd afgezogen, maar ik had het in de gaten en ik heb hem toen vreselijk uitgescholden. Wat dacht hij nou, ik moest het al zonder drankvergunning doen. Op de Zeedijk was de gemeente begonnen met het sluiten en dichttimmeren van cafés, omdat er in drugs gehandeld werd. Dat was ook gebeurd met het Winkeltje op de hoek naast ons, en natuurlijk wilde ik niet dat ze ook de Cotton Club zouden sluiten. Toen iedereen weg was, heeft Kassa me minstens drie keer door het café geslagen. Hij was compleet over de rooie omdat ik hem waar mijn klanten bij waren, de les had gelezen. Het was niet de eerste keer dat hij me flink te pakken nam, maar dit keer ging hij toch echt te ver. Achteraf was ik blij dat hij mijn neus niet had gebroken, ik ben zelden zo bang geweest. Mijn vader had al eens gezegd dat ik hem zou moeten aangeven bij de politie, nadat hij me geslagen had. Die keer heb ik dat eindelijk gedaan.

Kassa moest voor de rechter komen, maar ik ben niet naar de rechtszitting toe geweest. Ik schrok wel toen ik later hoorde dat hij een paar jaar had gekregen, maar dat was niet alleen vanwege mij. Zij hadden hem nog veel meer ten laste gelegd, het fijne ervan heb ik nooit gehoord. Ook Jay Jay, die de enige was die hem nog bezocht, vertelde me daar niets over. Wel heeft hij geprobeerd het tussen mij en Kassa weer te lijmen, maar daar moest ik niets van weten. Van het geld dat wij verdienden met het eten dat hij in het café verkocht, hadden we samen met mijn Henry naar Suriname willen gaan om daar een restaurantje te beginnen. Dat ging toen ook niet door, maar achteraf was ik blij dat ik van hem af was. Het leven gaat door en je moet vooruitkijken. Ik wilde ook niet meer over hem praten en als mensen naar zijn echte naam vroegen, zei ik dat ik die vergeten was; soms zei ik gewoon dat ik die nooit geweten heb.

Zo praat ik ook niet graag over de oorlog. Een enkele keer vragen mensen mij wat ik gezien heb van wat zich hier rondom de Waag afspeelde, toen de Joden hier bijeen werden gedreven. Maar ik was toen zo'n elf jaar, en het drong niet tot me door wat er gebeurde. Wat ik nog wel heel goed weet is dat een vriendje uit de buurt, een jongen van misschien veertien jaar, op klaarlichte dag door een patrouille Duitsers op de Nieuwmarkt werd doodgeschoten. Een vriendje dat op hem toe liep, werd vervolgens ook doodgeschoten. Niemand is zonder kleerscheuren de oorlog doorgekomen en het is logisch dat iedereen die tijd zo snel mogelijk wil vergeten.

Omdat ik begreep dat die drugs het einde van mijn zaak betekenden, veranderde ik de naam van de Cotton Club in Café Annie. Door al die toestanden had ik niet goed op de boekhouding gelet, zodat ik ook nog met een flinke belastingschuld zat, die ik moest afbetalen. Het was een moeilijke tijd. Ik stond er alleen voor en was voortdurend bezig de touwtjes aan elkaar te knopen. Ik had de zorg voor een kind en moest ook geld overhouden om Marion en Willy te betalen als zij hier werkten. Maar gelukkig vertrokken de gebruikers de een na de ander en werd het een stuk rustiger in het café. Toen de meesten van de oude klanten zoals Ropie dat merkten, begonnen zij langzaam weer terug te komen. Zij waren nooit ver weg geweest. De meesten waren naar café De Vriendschap gegaan, twee huizen verderop. Ropie liet merken dat hij me wel zag zitten en mij met de zaak wilde helpen. Nu was Ropie een charmante kerel die van aanpakken wist, dus was ik niet afkerig van zijn avances.

Voorlopig was het zaak dat ik een buurtkroeg van het café wist te maken en ik de dealers buiten de deur hield. Daarom draaide ik vooral Nederlandse liedjes. Ropie haalde zijn vrienden van De Vriendschap hier naar de voormalige Cotton Club en hij ronselde mensen die bingo zaten te spelen bij die gokhal Mata Hari op de Oudezijds. Binnen de kortste keren zat het hier vol met kaartende Surinamers. Dat waren weliswaar geen buurtbewoners, maar ook geen dealers.

Officieel mocht ik nog steeds geen drank schenken, maar Ropie kreeg een lumineus idee. Hij schonk whisky met melk in een kopje, wat eruitzag als koffie. Ik dacht: dat drinken ze nooit. Maar het bleek een bekend Amerikaans drankje te zijn en het ging erin als koek.

Toch kwamen er nog niet zoveel klanten, waardoor er voor Marion maar nauwelijks werk was. Bovendien had zij net een dochtertje gekregen en dat was de reden waarom zij een tijdje bij mijn ouders ging wonen, even weg uit de drukke stad. Mijn ouders waren namelijk verhuisd naar Lelystad. Henry woonde toen ook al bij mijn ouders en ging daar naar school. Het kind had hier al te veel gezien, daar was het rustiger en gezellig. Bij oma was het altijd een zoete inval.

Om vaker bij hem te kunnen zijn, had ik ook in Lelystad een huis gehuurd met een grote tuin erbij. Daar was ik blij mee, want ik ben gek op tuinieren. Daar word je rustig van en vergeet je alle zorgen die je met het café aan je kop hebt. Ik bracht daar ieder weekend door. In het begin ging Ropie nog mee als ik naar Lelystad ging, maar hij viel al in slaap als we in de bus

Annie en Ropie achter de tap

onderweg waren en hij verveelde zich daar stierlijk. Algauw bleef hij in Amsterdam en gooide dan op zondag de zaak open. Er werd illegaal gedronken en tot diep in de nacht gegokt. We moesten onze inkomsten toch ergens vandaan halen. Soms werd het zo laat dat Ropie de rest van de nacht op het biljart bleef slapen, totdat hij 's ochtends naar zijn werk ging, want in die dagen werkte hij ook nog steeds in de Fordfabriek.

Ondanks alles was het een leuke tijd. Doordat Ropie de kroeg op soms ongewone tijden openhield, trok dat allerlei gasten die je gewoonlijk niet zag. Zo hadden we ineens een groepje zwervers als klant. Ik sprak met die jongens af dat zij mij een deel van hun wekelijkse uitkering gaven, waarvan ik hen gedurende die week van drank voorzag. Als ik dat niet had gedaan dan zouden ze aan het begin van de week al hun geld al hebben verzopen. Ik kon ze natuurlijk geen gratis drank schenken en om ze vast te houden had ik die deal bedacht. Af en toe hield ik zelfs geld over en dan kocht ik wat kleren voor ze bij Zeeman.

Dat had het voordeel dat ze er niet altijd als echte zwervers uit-
zagen, wat wel zo prettig was voor de andere klanten.

Het waren geen onaardige jongens. Zo had je Slappe Jan, die
ooit bokser was geweest, maar lang niet meer kon maken wat
hij vroeger deed. Ja, alcohol kan een vuil vergif zijn. Jozef de
Hongaar, die kwam uit Hongarije en zag er ook uit als een echte
zigeuner. Dan was er nog een zekere Jan, over wie ik weinig
weet, want hij was er maar korte tijd bij. Op de een of andere
manier wist hij een rijke bordeelhoudster aan de haak te slaan
en kwam hij nog in goeie doen ook.

Ik draaide graag muziek van André Hazes. Ik houd zelf veel
van Hazes en het trok de juiste klanten aan. Maar ook de Surinamers konden Hazes waarderen. Op een dag toen Hazes weer
eens luid door het café schalde, komt er een stel jongens binnen. Een van hen, duidelijk een beetje aangeschoten, vraagt me:
"Mag ik even op de bar staan?" Ik keek hem stomverbaasd aan
en dacht bij mezelf: wat heb ik nu weer aan mijn fiets hangen?
Toen vroeg hij: "En kun je dan 'De vlieger' van André Hazes op-
zetten?" Gekker kon het toch niet worden, maar ik was wel in
voor een geintje dus zei ik dat hij zijn gang kon gaan. Toen 'De
vlieger' eenmaal opstond, begon hij op de muziek mee te mi-
men, hij maakte een hoop gebaren en bewegingen, we hebben
ons allemaal blauw gelachen. Later vertelde hij me dat hij het
zo'n ontroerend lied vond, omdat het gaat over een kleine jongen die maar niet kan accepteren dat zijn moeder dood is. Zijn
eigen moeder leefde nog wel, maar hij had die liefde bij haar
nooit ondervonden. Met dat gemis werd hij keer op keer geconfronteerd als hij dat liedje hoorde. Hij komt hier nog steeds.

In '79 overleed mijn vader; hij is negenenzestig jaar geworden en heeft maar een paar jaar van zijn pensioen kunnen
genieten. Wat ik echt jammer vond is dat hij niet meer heeft
mogen meemaken dat ik een jaar later mijn vergunning te-
rugkreeg. Mijn moeder verhuisde nadat hij was overleden en
daardoor was er voor mij ook geen reden meer om in Lelystad
te blijven wonen. Het is toch een eind van de stad en ik kon toe-

JAN. FEBR. 1976

Amsterdam, augustus 1980

Eindelijk.....

De Cottonclub, NU CAFÉ ANNIE, heeft
de tapvergunning terug.

Heropening

Vrijdag 15 augustus a.s. van 4 uur na-
middags tot 5 uur 's nachts.

A. SMIT - Nieuwmarkt 5

Uitnodiging voor de heropening van Café Annie

vallig de vrijgekomen verdieping boven de zaak krijgen. Wat ik
wel erg miste was mijn tuin. Ik kon algauw een tuinhuisje in
Amsterdam-Noord huren, zodat ik daar in de weekenden een
beetje tot rust kon komen.

In augustus 1980 kreeg ik mijn vergunning weer terug.
Dat hebben we uiteraard tot in de kleine uurtjes gevierd met
heel, heel veel bier. We zijn het café ook weer de Cotton Club
gaan noemen. Dat kwam eigenlijk omdat een klant mij mijn
eigen uitnodiging voor het feestje voorhield. "Kijk," zei hij, "je
schrijft: *De Cottonclub, nu café Annie, heeft de tapvergunning terug.*
Het is net alsof je zelf niet in die naam kan geloven. Voor jou
blijft het gewoon de Cotton Club." Maar het bord Cotton Club
boven de ingang was weggehaald en er hing ook nog een uit-
hangbordje met Café Annie erop geschilderd.

Zo langzamerhand wordt mijn café weer een stamcafé voor
buurtbewoners, hoewel er ook nog veel Surinamers komen
die achter in het café gokken en vreemden proberen te strikken een spelletje mee te spelen. Dat kunnen die klanten beter
niet doen, want die jongens spelen stuk voor stuk vals. Maar
dat vind ik best, zolang er maar niet meer gedeald wordt. Soms
proberen er nog dealers binnen te komen, maar dan grijpt Ro-

pie in en zegt wat tegen ze in het Surinaams. Ik vroeg hem eens: "Wat zeg je nou toch tegen ze?" "Ik zeg in het Sranan: 'Het is nu ook mijn vreten, daarom moet je nu ophouden met rotzooien, die tijd is voorbij.'" Voor één man maken we een uitzondering, dat is Jay Jay, maar die dealt ook niet meer in het café. Een tijd terug heb ik elektrische sloten op de toiletten laten maken, die je vanachter de bar kunt bedienen. Zo weet ik altijd wie er naar de wc gaat en kan daar ook niet meer gebruikt worden.

Het mooist in mijn leven is mijn jongen, Henry. Ik zeg altijd: eerst komt Henry en dan komt er een hele tijd niks. Ik heb hem naar zijn vader genoemd, een scharrel met wie ik vaak ging dansen. Een paar jaar terug heb ik het er wel eens moeilijk mee gehad dat hij veel bij oma woonde. Toen hij wat ouder werd, is hij gelukkig weer bij mij komen wonen. Ik heb toen in het huis achter het café een kamertje voor hem laten inrichten. Voor Henry was het de normaalste zaak van de wereld dat hij achter een café woonde en hij nam zijn vriendjes gewoon mee naar huis. Dat was nog een heel gedoe, want de hond die ik had gekocht, een grote, zwarte bouvier, Chita, was al even vals als Lady, de hond van mijn vader. Als iemand even niet oplette, liep hij de kans flink gebeten te worden. Binnenkomen was voor zijn vriendjes meestal het probleem niet, maar als zij weer naar huis wilden, moest Henry het beest met twee handen bij zijn halsband vasthouden om de jongens te laten passeren. Zelf had Henry geen problemen met de hond. Hem deed hij niets. Pas later begreep hij dat zijn vriendjes het maar een rare bedoening vonden daar bij ons thuis, niet eens vanwege de hond, maar vooral vanwege die groepjes donkere mannen, die bijna altijd voor de deur van het café stonden.

Die hond is nog handig ook, als er dealers binnenkomen, stuur ik hem op ze af en als er mensen met sluitingstijd niet weg willen, laat ik de hond even door het café lopen, dat helpt altijd. Henry is nu zeventien en ik denk dat hij later de zaak wel wil overnemen, in de schoolvakanties werkt hij al mee.'

HOOFDSTUK 11

PERUANEN EN ANDER TUIG

DE JAREN TACHTIG

In de maanden voor de geboorte van Marions dochtertje, Dewi, vindt in de Dijkstraat, een zijstraat van de Nieuwmarkt, een ware veldslag plaats tussen krakers en oproerpolitie. Al jaren wordt er in de buurt actiegevoerd tegen plannen die ambtenaren van de gemeente uitbroeden. Zij willen de metro doortrekken van het Waterlooplein naar het Centraal Station en boven het metrotracé een snelweg aanleggen waarvoor, tot heftige verontwaardiging van de bewoners, een deel van de buurt moet worden afgebroken. Kunstenares Tine Hofman verwoordt het gevoel van de buurtbewoners in een dichtregel die hoog op een kale muur wordt geschreven: B&W *van Amsterdam en alle hoge Omen zien de bevolking van deze stad liever gaan dan komen.*

Als in december 1974 de slopersbal in gereedheid wordt gebracht om op de muren van de huizen van de Dijkstraat in te beuken, is het tijd voor actie, en de protestgroepen worden daarin gesteund door sympathisanten van buiten de buurt. Het protest is vooral tegen de bouw van de metro gericht, want de plannen voor de snelweg zijn begin 1972 onder druk van de buurt door de gemeenteraad afgeblazen.

In 1970 waren de ambtenaren nog enthousiast bezig met de plannen voor een vierbaansweg dwars door de Nieuwmarktbuurt. Burgemeester en wethouders hadden de architecten Aldo van Eijck, Herman Hertzberger en Dick Apon gevraagd een plan voor de buurt te ontwikkelen waarin de metro, een of meer parkeergarages voor duizenden auto's en de snelweg waren opgenomen. Uiteindelijk willen de architecten niet aan, wat Hertzberger noemt, dat krankzinnige plan meewerken en geven zij in 1971 hun opdracht terug aan de gemeente. In 1973 volgt dan de 'Nota inzake rehabilitatie omgeving Nieuwmarkt van B&W', waarbij de buurt volgens het oude straatpatroon wordt herbouwd en er geen snelweg komt.

Na verloop van tijd doven de protestacties uit. De aanleg van de metro gaat door, maar de acties hebben wel tot gevolg dat de buurt een belangrijke stem krijgt in het ontwerp voor de nieuwbouw. Weer zet een op een muur 'gedrukt' gedicht van Tine Hofman de toon: *We willen een stad met buurten waar wonen, spelen, werken en winkelen vlakbij en door elkaar gebeurt voor oude en jonge mensen.* Hoewel de rellen feitelijk mosterd na de maaltijd zijn, hebben zowel de gemeente als de actievoerders het gevoel dat alles nog goed gekomen is. De actievoerders zijn ervan overtuigd dat dankzij hen de gemeente is overgehaald om over te gaan op een kleinschalige aanpak bij de vernieuwbouw van de op te bouwen wijk. De gemeente is tevreden, omdat de metro is doorgetrokken naar het Centraal Station en dat zij beantwoord heeft aan de eisen die gesteld worden door een moderne samenleving. In feite laten de gemeenteambtenaren zich meedrijven op het kompas van een idealistisch getinte, maatschappijkritische stroming waarvan het hoogtepunt na 1975 voorbij is.

Hoewel die stroming in 1967 met provo symbolisch ten grave was gedragen, heeft zij nog lange nasleep. Sommigen kijken met een zekere warmte en bewondering naar de hippies, die, romantisch van aard, een voorkeur hebben voor kleinschaligheid en een 'terug naar de natuur'-filosofie, zoals die zich voordoet bij de 'alternatieve' Kabouterbeweging. Anderen leggen het accent op actie. Nooit werd er in Nederland zoveel gedemonstreerd als in de jaren zeventig. Demonstraties voor hogere lonen, voor vrouwen- en homo-emancipatie, tegen kernenergie en kruisraketten waren bijna aan de orde van de dag. Maatschappelijk engagement krijgt gestalte in rechtswinkels, buurthuizen en derdewereldwinkels. Panden worden gekraakt om er een vrouwenhuis, een alternatieve crèche of ateliers in te vestigen.

Het gebouw de Flesseman op de Nieuwmarkt wordt omgebouwd tot een bejaardenhuis, waarmee de ambitie een buurt te zijn 'voor oude en jonge mensen door elkaar heen', gestalte krijgt. In de entree van het gebouw hangt een foto die de afbraak van de Nieuwmarktbuurt toont, daarnaast prijkt op de muur het gedicht van Tine Hofman. Iets verderop, richting receptie, is het koperen bord aangebracht dat jarenlang de gevel van de toenmalige groothandel in textiel sierde: *I.L. Flesseman, Amsterdam-Rotterdam, Dames-mode-artikelen, kanten, fournituren, garenband en bebé-artikelen.* Een toelichting met informatie over Isaac Flesseman zelf en diens tragisch lot ontbreekt. Een van de kunstwerken die door kunstenaars uit de buurt worden vervaardigd voor metrostation Nieuwmarkt, verwijst wel duidelijk naar de deportaties van de Joden tijdens de oorlog. Het is een van de fotocollages uit de serie *Groeten uit de Nieuwmarkt*, die op de voorgrond een groot zelfportret van Rembrandt toont met daarachter het bord *Judenviertel, Joodsche wijk.*

De Nieuwmarktrellen gaan geheel langs Annie en Marion heen. Marion haalt over het protest haar schouders op. Annies zoon Henry kan zich later nog herinneren dat een brief van de gemeente de sloop van huizen in de Dijkstraat aankondigde. Samen met zijn vriendjes klom hij op het dak van het pand waarin de Cotton Club is gevestigd, en volgde zo de strijd tussen de krakers en de ME vanaf de eerste rang. Annie kan zich later niets meer van een dergelijke brief herinneren. Het is duidelijk dat de beslommeringen rond haar kroeg haar op dat moment volledig in beslag namen.

In de jaren tachtig behoort de tijd dat het café voornamelijk werd bezocht door drugsdealers en verslaafden tot het verleden. Annie verkeert in de illusie dat het haar gaat lukken van haar café een buurtzaak te maken, hoewel de kroeg door toe-

Ropie

doen van Ropie nog steeds voornamelijk Surinaamse klanten trekt. In wezen was de Cotton Club ook nooit een buurtkroeg geweest. De oorspronkelijke buurtbewoners kwamen er maar in beperkte mate, die konden immers ook terecht in andere cafés zoals Het Hoekje bij de Lastageweg, dat later werd omgedoopt in café 't Hoekje Om. Bovendien is er een nieuwe groep buurtbewoners – vaak (ex-)krakers – die ook al weinig of niet bij Annie komt omdat de krakers op hun beurt hun eigen cafés hebben. Deze 'nieuwe' bewoners proberen, vaak samen met 'oude' bewoners, hun kleine wereld waar ze een harde strijd voor hebben geleverd, zo leefbaar mogelijk te maken. Jongeren die hun huis willen opknappen, delen met elkaar gereedschap en als dat niet lukt, is er goedkoop gereedschap te huur bij Bob

Braam op de hoek van de Koningsstraat en de Oudeschans. Naarmate de overlast van drugshandel en junkies op het Nieuwmarktplein toeneemt, zetten velen zich in om de buurt bewoonbaar te houden. Op de plek waar de Zeedijk uitloopt op de Nieuwmarkt staat oma Kip, zoals ze wordt genoemd. Onder haar toezicht is het plein jarenlang veilig doordat zij de dealers uit de buurt van de kinderen weet te houden. In de Koningsstraat waakt Piet van de avondwinkel over de straat.

Café Van Beeren, een zaak schuin achter de Cotton Club in de Koningsstraat, is zo'n café waar nieuwe bewoners graag komen. In de zomer van 1982 heeft Gerrit van Beeren daar onder het motto GEEN BIETJES MAAR BIERTJES de groentezaak die nog door zijn vader begonnen was, omgebouwd tot een café. De kleine buurtwinkels in de straat leggen de een na de ander het loodje, onder andere door de komst van de supermarkten die ook groenten en brood verkopen. Bovendien wil Gerrit, die de vijftig is gepasseerd, zo langzamerhand wel eens lekker binnen zitten en een kaartje leggen in plaats van boerenkool wassen.

Daags voor de opening heeft hij nog geen personeel en roept hij zijn twee dochters bij zich: 'We gaan oefenen met tappen, jongens.' Zeven dagen per week wordt er in café Van Beeren naar hartenlust tot in de late uurtjes geklaverjast, en nadat de gordijnen gesloten zijn of soms nog eerder, komt de pokerpot op tafel.

Gerrit is een gezellige man en voor negen gulden achtennegentig kun je er 's avonds een Hollandse daghap krijgen, zoals hutspot, want Gerrit verloochent zijn afkomst als groenteboer niet. 'Die jongeren hadden hun *roots* vaak in Brabant of Limburg,' vertelt dochter Mieke, 'en de oude buurtbewoners konden het soms niet goed hebben dat mijn vader zo hartelijk met hen omging. Het waren mensen die soms generaties in de buurt woonden en mijn vaders gedrag een beetje als verraad aan de buurtbewoners voelden. Onze hele familie kwam uit de buurt. Mijn overgrootmoeder stond met vis op de Nieuwmarkt, later hadden sommigen in mijn familie een winkel of werkten ze als loodgieter. Nette mensen, die hard werkten voor hun brood, dat werd belangrijk gevonden. We hadden ook niets met de Nieuwmarkt, ook niet met de kant waar de Cotton Club zit.' 'Dat stuk hoorde toch een beetje bij de overkant,' vult dochter Coby aan, 'bij het Wallengebied en de Zeedijk. Daar keken we een beetje op neer. De Cotton Club, dat was toch ook een heel andere zaak dan Van Beeren.' Dochter Coby geeft eerlijk toe dat ze als vrouw alleen geen stap in die kroeg durfde te zetten.

Aan de andere kant van de Nieuwmarkt, de kant die grenst aan de Wallen, zijn vanouds ook cafés. De uitbaters van de kroegen die grenzen aan de Nieuwmarkt kennen elkaar en zitten af en toe bij elkaar aan de bar. Ook is er enige overloop in klandizie, maar de cafés hebben toch voornamelijk hun eigen vaste clientèle. Rooie Beppie, die met haar man Ruud in 1981 een ouderwetse kroeg met een groot biljart, De Bank, overneemt, heeft een klandizie die voornamelijk bestaat uit buurtbewoners en bordeelhouders. Het zijn 'goeie zuipers' en vooral dure drinkers die kwaliteitswhisky's drinken en er hun hand niet voor omdraaien om Franse cognac te mixen met cola. In haar kroeg troeven de bordeelhouders elkaar op dezelfde wijze af als voorheen de bikkers dat deden en lopen zij openlijk te koop met de bekende dikke bundels geld.

'Er was nog altijd een "buurtgevoel" onder de bewoners,' vertelt Rooie Beppie, 'ook al was de Zeedijk al helemaal dichtgetimmerd. Een keer per jaar maakten we met de vaste klanten een tochtje met de bus naar Noord-Holland om daar de bloemetjes buiten te zetten. Op je vrije avond deed je een rondje langs de andere cafés in de buurt. Dan ging je naar café Smitje, naar De Zon, en naar Annie.'

Al snel komt er bij De Bank naast de oude penoze een groep Joegoslaven over de vloer en uitbaatster Rooie Beppie is niet afkerig van haar nieuwe klanten: 'Ze verteerden goed, ze zopen als de kolere. Ik dacht alleen maar: jullie zetten lekker om. Bovendien kwamen ze elke dag.'

De Joegoslaven maken deel uit van een groep Oost-Europeanen, die begin jaren tachtig in Amsterdam sterk in omvang toeneemt. Zij houden zich bezig met illegale praktijken, zoals drugshandel. Na 1985, als het verdrag van Schengen is getekend, wordt het steeds makkelijker de grens over te steken, en op den duur zijn de grenzen binnen Europa letterlijk verdwenen. Via landen als Spanje en Portugal opent dat ook de grenzen naar Zuid-Amerika.

In de jaren dat het aantal Oost-Europeanen op de Wallen toeneemt, vinden binnen het criminele circuit ingrijpende veranderingen plaats. Zo nemen het gebruik van vuurwapens en liquidaties in de stad in een hoog tempo toe. Jef Prenger, ooit chauffeur voor drugsdealer Max Zeegelaar, constateert nadat hij in 1985 voor de derde keer is neergeschoten, dat je vroeger nog wist waarom er op je geschoten werd. 'Daarna liep je ineens de kans dat je jezelf zomaar met een kogel in je lijf ergens in een steeg terugvond.' 'Er was geen code meer,' moppert hij jaren later nog altijd boos. 'Het ging al fout toen rijke jongens een beetje voor de sport in drugs begonnen te handelen. Dat deugt niet: wij gingen de misdaad in voor ons brood. Wist je dat penoze van het Jiddische woord *parnose* komt, dat levensonderhoud betekent? Echt mis ging het toen die gangsters uit het Oostblok hier kwamen. Als de Sovjet-Unie niet in economische problemen was geraakt nadat Nixon begin jaren zeventig de monetaire standaard had veranderd, waren de Joego's en de Russen hier nooit gekomen.' De derde kogel, die zijn lever doorboort, is voor Jef aanleiding om zich uit het milieu terug te trekken en zoals hij dat uitdrukt 'met pensioen te gaan'.

Hoewel de grenzen steeds verder opengaan en de wereld zich uitstrekt tot voorbij de horizon, blijft diezelfde wereld nog altijd heel klein. In café Van Beeren komen geen buitenlanders, die hebben in zo'n smalle zijstraat niets te zoeken. In de kroeg van Rooie Beppie waar zij wel komen, valt het haar nauwelijks op dat de drugshandel enkele honderden meters verder op de Zeedijk explosief toeneemt. Ook nadat de handel is uitgewaaierd naar de kop van de Nieuwmarkt, voelt ze nog geen overlast van de dealers. De Zeedijk is veranderd in een no-go area. De planken waarmee de ramen van veel drugscafés in het vroegere uitgaanscentrum zijn dichtgetimmerd en het vuil op straat geven de Dijk een lugubere uitstraling, waardoor niemand er meer wil komen, drugsgebruikers en handelaren daargelaten. Er komt pas verbetering in de situatie als in 1985 de nv Zeedijk wordt opgericht, een consortium waaraan zowel de gemeente als het bedrijfsleven deelneemt. De nv Zeedijk koopt panden op de Dijk, restaureert ze en verhuurt ze vervolgens aan bonafide ondernemers.

Ook de Cotton Club wordt vanaf begin jaren tachtig door buitenlandse gasten bezocht, die overigens traditiegetrouw van de andere kant van de oceaan komen. Zo was het altijd geweest. Het is de weduwe van Annies broer Fritsie, Anneke Pannenkoek, die bevriend raakt met een Peruaan, Alberto. Ze heeft hem ontmoet in een café in de buurt waar ze werkt. Op een dag neemt Anneke Alberto mee naar de Cotton Club. Het bevalt Alberto daar zo goed dat hij algauw zijn vrienden meeneemt naar het café. Daar werkt intussen ook Annies zusje Riekie. Na een moeizaam huwelijk dat ze alleen in stand heeft gehouden vanwege de kinderen, is ze in 1982 eindelijk gescheiden en vervolgens bij haar zus Annie aan de slag gegaan. Riekie geniet van haar nieuw verworven vrijheid en als de Peruanen in het kielzog van Alberto naar de Cotton Club komen, duurt het niet lang of Riekie begint met een van hen, Massino, een verhouding. Ook Marion slaat een Peruaan aan de haak.

Annie, zakelijk als zij is, denkt vooral aan de kassa. Door de associatie met de handel in en het gebruik van heroïne heeft haar kroeg behoorlijk wat schade opgelopen. De schrijver van *Het Groot Amsterdams Kroegenboek* bijvoorbeeld, vond het niet meer verantwoord een argeloze bezoeker op zoek naar een biertje die zaak aan te bevelen. In de editie van 1977 is de Cotton Club dan ook niet meer opgenomen. Als de Peruanen in de Cotton Club komen, zijn ze met minstens twaalf man en het bier wordt in grote hoeveelheden afgenomen. De Cotton Club functioneert min of meer als hun huiskamer, want de paar kale kamers die zij bewonen in een steeg aan de overkant, bieden maar weinig gezelligheid. De stereo-installatie achter de bar speelt de muziek van door de Peruanen meegebrachte cassettebandjes. Annie draait hun muziek graag, want het maakt dat de Zuid-Amerikanen sentimenteel worden en naar huis gaan verlangen. Naarmate de muziek langer op staat, wordt hun heimwee groter. Uiteindelijk leidt het ertoe dat de Peruanen een stem van huis willen horen en dat de een na de ander een handvol telefoonmuntjes bij Annie koopt om zijn familie in Peru te bellen. Het levert Annie iedere keer een aardig extraatje op.

Toch weet Annie in haar achterhoofd dat het met die gasten oppassen geblazen is. Deze jongens zijn niet naar Nederland gekomen om, zoals andere van hun landgenoten, in veelkleurige poncho's op stations muziek te maken en zo wat geld op te halen. Hun voornaamste bron van inkomsten bestaat uit het stelen van koffers op de luchthaven Schiphol. Zij hanteren daarbij een beproefde tactiek. Als de Zuid-Amerikanen een reiziger ontwaren die gezien zijn kleding en bagage wel bemiddeld moet zijn, sturen zij een van de vrouwen die bij de groep horen, op hem af. De vrouw spuit zonder dat de man iets merkt, uit een tube wat mosterd of ketchup op de rug van zijn jasje. Een van de Peruanen rent dan op de man toe en roept dat er iets smerigs op zijn kleding zit. Omstandig begint hij het jasje met een zakdoek schoon te vegen. In de consternatie zet de man zijn koffers neer en trekt zijn jasje uit, terwijl de Peruaan, nog altijd behulpzaam, zijn schoonmaakactiviteiten voortzet. Afgeleid door alle opwinding die door die actie ontstaat, merkt de man niet dat een van de Zuid-Amerikanen er met zijn bagage vandoor gaat. Als de reiziger van de schrik is bekomen, hebben de Peruanen zich alweer uit de voeten gemaakt. Eenmaal terug op hun kamers breken de Peruanen de gestolen koffers open en als de buit van waarde is, zoals een camera, is er in de buurt altijd wel een heler te vinden. Op een dag blijkt een koffer vol te zitten met zakjes wit poeder. De Peruanen vieren nog dagen feest, waarbij zij de klanten van de Cotton Club volop mee laten profiteren. Soms vindt Ropie in het herentoilet lege portefeuilles, die door de Zuid-Amerikanen op Schiphol of in de stad zijn gerold, en in de wc snel zijn leeggeschud.

Annie laat de Peruanen merken dat zij het niet prettig vindt als zij hun buit meenemen naar de Cotton Club. Het café moet geen onderdeel van hun rovershol worden, want dat zou wel eens kunnen betekenen dat ook de klanten niet veilig zijn voor de Peruaanse dieven. In de dagen dat zij het café pas bezochten, wilde het nog wel eens voorkomen dat de Peruanen van de klanten of het personeel pikten. Dat heeft Ropie aan den lijve ondervonden toen ze zijn jas gestolen hadden. Zijn sleutel zat in zijn jaszak en hij kon zijn huis niet meer in. 'Het was een drama,' herinnert Ropie zich.

Aan de andere kant voelt Annie zich niet geroepen om in haar kroeg voor bewaker te spelen. Ze verdient immers goed aan de Peruanen en de jongens zijn overwegend gul en vriendelijk. Op een dag heeft Alberto haar en haar familie getrakteerd op een wervelende show van de salsazangeres Celia Cruz. Ze was er verkwikt door thuisgekomen. Na verloop van tijd zijn de Peruanen zelfs een beetje familie geworden. Ze zitten 's avonds gewoon tussen de andere gasten aan de bar en zijn niet te gierig om zo nu en dan aan de bel te trekken om daarmee aan te geven dat zij een rondje willen geven. Wat haar betreft mogen ze in de keuken achter het café hun vissoep maken, dat geeft bovendien een hoop gezelligheid in het café.

Hoewel de bezigheden van de Peruanen gerust crimineel genoemd mogen worden, tilt Annie daar niet zo zwaar aan. Zij is daar geen uitzondering in. De meeste middenstanders in de Wallenbuurt en directe omgeving, of het nu uitbaters van cafés en eethuizen of taxichauffeurs zijn, doen dat al evenmin.

De oplichters, helers, dieven en pooiers uit de buurt zijn bij de middenstand bekend. Het zijn geen schatjes, maar ze gedragen zich als buurtbewoners en je kunt ze vertrouwen. Daarom houden de middenstanders hun mond stijf dicht, ook als ze weten wie er achter een inbraak of diefstal zit.

De zoon van Annie, Henry, kan goed overweg met de Peruanen; ze zijn heel anders dan de Surinaamse klanten die hij gewend is en al helemaal niet te vergelijken met de zwervers die door zijn moeder zijn binnengehaald. Henry herinnert zich dat hij op een dag een auto van de Peruanen leende. 'Ik was zeventien en had een vriendinnetje op Zandvoort. Als een van die gasten hoort dat ik op een mooie middag zin heb om haar op te zoeken, zegt hij tegen me: "Neem mijn auto maar." Ik had toen nog geen rijbewijs, maar reed toch geregeld auto, dus ik zei daar geen "nee" op. Op de Haarlemmerweg springt een stoplicht op rood. Even afgeleid door iets dat op straat loopt, zie ik dat net even te laat en rijd ik tegen een sleepwagen van de politie op. Die smeris stapt uit en doet heel vriendelijk, zo van "ach, dat kan iedereen gebeuren". "Zet hem maar even aan de kant," zegt hij, "dan maken we het wel even in orde." Zodra ik in de auto zit, scheur ik weg, rijd de auto naar een plek bij de gasfabriek en laat hem daar achter. Met het lood in mijn schoenen ben ik naar de Cotton teruggegaan. Ik spreek die Peruaan aan en begin te ratelen dat ik niet anders kon en dat het een smeris was. Ik beloof dat ik alles zal doen wat ik kan om hem de auto terug te betalen. Ik wist wel niet hoe, maar ik meende het wel. Dan kalmeert die jongen mij en zegt met een geruststellende glimlach dat ik me geen zorgen moet maken over een auto die ze toch moesten dumpen. De auto was een dag eerder door hen gebruikt om naar een hotel te rijden waar zij toeristen van hun kostbaarheden hebben beroofd. Toen zij moesten vluchten omdat zij ontdekt werden, was het kenteken van de auto genoteerd.

Een paar maanden later, ik denk zo begin 1983, geeft hun leider, Alberto, mij een tas in bewaring. 's Avonds hoor ik dat Alberto

Henry met een van de Peruanen

is opgepakt. Ik kijk in die tas en zie dat die vol met geld zit. Zo'n honderdduizend gulden telde ik later. Niet lang daarna staat er een meisje voor mijn deur. Ze vertelt me dat zij Alberto's vriendin is en dat Alberto het land is uitgezet. Hij heeft haar gestuurd om die tas op te halen. Natuurlijk heb ik haar die tas niet meegegeven. Een paar maanden later belt Alberto zelf bij mij aan. Hij vraagt nog waarom ik die tas niet aan zijn vriendin heb meegegeven en ik leg hem uit dat ik die tas aan niemand anders teruggeef dan aan hemzelf. Hij moest erom lachen en gaf me een handvol geld voor het bewaren.

Ik denk dat die Peruanen hier tot ongeveer 1988 zijn gebleven. We hebben heel wat plezier aan die jongens beleefd. We brachten een hoop tijd door aan de pooltafel. Zij lokten jongens mee die dachten dat zij ons in konden maken, daar hebben we nog een hoop geld mee verdiend. Tegen het eind van de jaren tachtig werd het alleen onhoudbaar voor die Peruanen. De politie voerde een soort lik-op-stukbeleid en zodra zij er eentje hadden opgepakt, werd die het land uit gezet. Op den duur bleven zij weg uit de Cotton Club, zij waren uitgeweken naar andere Europese steden, zoals Parijs.'

STAMGASTEN

Van '80 naar '90

De vrouwen van de Cotton Club treuren nog een tijdje om het wegblijven van hun Peruaanse vrienden, maar het leven rond de Nieuwmarkt gaat gewoon door. Oude klanten verdwijnen en nieuwe komen ervoor terug. Cafés verwisselen van eigenaar zonder dat er veel verandert. Jan Smit heeft zijn café De Passage aan de overkant van de Cotton Club enige jaren eerder verruild voor café De Tramhalte op de hoek van de Keizersstraat en de Nieuwmarkt. Hij doopt het om in café Smitje en geniet een paar jaar van de nieuwe locatie, totdat hij een hooglopende ruzie krijgt met de eigenaar van het café, die met zijn vrouw boven het café is komen wonen. De man blijft maar klagen over geluidsoverlast en besluit Jans huurcontract als dat in 1986 afloopt, niet te verlengen. Jan is in dat jaar een van de eerste ondernemers die het waagt om weer een café op de Zeedijk te beginnen. 'Niemand dorst in die tijd de Dijk op. Als mijn oude klanten naar me toe wilden komen, belden ze me vanuit hun huis op en moest ik ze van de Nieuwmarkt komen halen.' Nog altijd trots vervolgt hij: 'Bij de opening is het hele college van burgemeester en wethouders bij mij geweest, zo belangrijk vonden ze het dat iemand weer een café begon.' Jan is nog een aantal jaren kroegbaas op de Zeedijk en geeft dan het stokje door aan zijn zoon.

Doordat Jan Smit met zijn café van de Nieuwmarkt naar de Zeedijk is verkast, komen enkele vaste klanten van hem naar de Cotton Club. Een van hen is Chris Romp, de zeeman. In Chris komt de geschiedenis van zowel de Wallen als de Nieuwmarkt-buurt samen. Geboren in 1927 is hij de elfde uit een gezin van dertien kinderen. Zijn wieg staat in een klein bovenhuis in de Sint Annendwarsstraat. Op de begane grond van het straatje, dat uitloopt op het Oudekerksplein, zitten 'meiden', net als in de aangrenzende Dollebegijnsteeg, die nog geen meter breed is. In de straatjes rondom het plein wonen veel Chinezen. Het zijn zeelui die in Amsterdam zijn blijven hangen en nu in logementen verblijven. Een oudere zus van Chris leert de mannen fietsen en trouwt later zelfs met een van hen.

Het gezin kan nauwelijks rondkomen van het geld dat vader Romp als grondwerker binnenbrengt. Zijn beroep levert geen vast salaris op en hij is afhankelijk van het beschikbare werk dat hem wordt aangeboden. Om het inkomen van haar man aan te vullen, brengt de moeder van Chris jarenlang *De Telegraaf* rond. Een gelukkige bijkomstigheid is dat ze regelmatig wat overgebleven brood en groenten meekrijgt uit de keuken van een hotel dat op haar route ligt.

Als zeeman ziet Chris later alle uithoeken van de wereld, maar zijn meest verre reis blijft de verhuizing van het kleine straatje bij het Oudekerksplein naar een arbeiderswoning in Amsterdam-Noord. Zijn ouders verhuizen daarheen omdat de kleine Chris astmatisch is. Het jongetje groeit over de ziekte heen en het gezin wil graag terug naar zijn oorspronkelijke omgeving. Het kost zijn moeder bijna twintig jaar om weer terug te keren naar haar vertrouwde stek in de buurt van het Oudekerksplein.

De terugreis naar de Wallen verloopt via de Nieuwmarktbuurt en een aantal jaren woont het gezin aan de 'Jiddische kant' van de Nieuwmarkt, in de Korte Keizersstraat. Maar de moeder van Chris kan ook in deze buurt niet wennen en zet alles op alles om naar de 'andere kant' terug te keren. Vlak voor het begin van de oorlog bemachtigt zij een huis aan de Oudezijds Voorburgwal. Vanuit dat huis ziet Chris als dertienjarige hoe Duitse parachutisten op het dak van de Bijenkorf landen en hij herinnert zich later het prikkeldraad dat kilometerslang om de Nieuwmarktbuurt werd geplaatst.

Na de oorlog monstert Chris aan als ketelbinkie op een schip dat in de haven van Amsterdam ligt. Als hij verlof heeft, logeert hij bij zijn moeder, die in de tussentijd nog dichter bij haar oude stek in de buurt van het Oudekerksplein woont. 's Avonds zwiert Chris met zijn maten langs de vele cafés op de Zeedijk en trekt hij door naar de Cotton Club, waar je kunt dansen op muziek uit de jukebox en waar 'meiden' komen. Hij voelt zich thuis bij de vele Surinamers in het café. Hun land is hem vertrouwd omdat de schepen waarop hij vaart vaak de haven van Paramaribo aandoen.

Ten slotte eindigt zijn reis niet ver van zijn geboortehuis, bij de meiden van de Sint Annendwarsstraat – die zitten daar nog altijd. Chris bezoekt er Zwarte Wil. Omdat zij diepglanzend zwart haar heeft, gaat het verhaal dat zij van zigeunerafkomst is. Die veronderstelling wordt versterkt doordat de achternaam van Zwarte Wil Kraus luidt. Wil, geboren in Rotterdam, houdt die mythe zelf maar al te graag in stand, omdat het haar iets exotisch geeft, wat zij in haar vak goed kan gebruiken. Maar insiders relativeren het verhaal: 'De zigeunerafkomst van Zwarte Wil was niet helemaal loepzuiver'.

Na 1976, als Chris met vervroegd pensioen is, komen Wil en Chris elkaar buiten Wils peeskamertje tegen in het café van Jan Smit. Als Chris daar zijn verjaardag viert, geeft hij als traktatie een rondje weg. Ook Zwarte Wil is die avond een van de gasten. Na het rondje wendt zij zich tot Jan Smit en vraagt hem of die aardige zeeman werkelijk jarig is. Als Jan dat bevestigt, wijst zij naar een volle fles vieux. Zij vraagt Jan of hij er een strik omheen wil doen en de fles bij wijze van verjaardagscadeau aan Chris wil geven. Wanneer haar 'vriend' dat de volgende dag verneemt, geeft hij Wil er hardhandig van langs. Wat denkt ze wel om zijn centen aan een dronken zeeman te verspillen. Wil zoekt die middag haar toevlucht in café Smitje waar Chris net aan zijn eerste pilsje is begonnen. Als hij haar gezwollen gezicht ziet, vraagt hij wat er gebeurd is. Nadat hij het verhaal uit haar heeft getrokken, wordt de zeeman razend. Hij staat erop

Ome Chris met de gouden sieraden van zijn overleden vrouw, Zwarte Wil

dat Wil een nieuw slot op haar deur maakt en vanaf dat moment beschermt Chris Wil tegen haar pooier.

Enkele dagen later hoort Chris van Wil dat zij een deurwaarder aan de deur heeft gehad wegens een belastingschuld. Hij schiet haar te hulp en neemt haar porseleinen vazen en beeldjes mee naar zijn eigen woning, zodat ze niet in beslag genomen kunnen worden. Niet lang daarna vraagt de negenenveertigjarige Chris haar ten huwelijk. Het stel viert de bruiloft met eten bij de Chinees in de Binnen Bantammerstraat en een feest in de kroeg van Jan Smit.

Het duurt nog een paar jaar voordat Wil uit het leven stapt. Nadat het inkomen van Wil is weggevallen, maken Chris en Wil cafés en bordelen van bevriende ondernemers schoon. Het daarmee verdiende geld vult het pensioen van Chris aan, zodat er altijd extra drinkgeld is. Praktisch elke avond zijn ze in de Cotton Club te vinden. Wil is bij velen berucht omdat ze, als ze eenmaal een slok opheeft, smartlappen zingt. Chris piept er dan stiekem tussenuit. Alphons Freijmuth, die de Cotton Club ook weer bezoekt, spreekt haar dan licht vermanend toe. Alphons kent Wil nog uit de tijd dat hij in de Jordaan woonde. Zijn bovenbuurvrouw zorgde toen voor haar zoontje. 'Zwarte Wil en ik scheelden een dag,' vertelt hij. 'en als zij in de Cotton begon te blèren en lastig werd, ging ik naar haar toe en dan zei ik: "Ik ben een dag ouder dan jij en daarom ga jij naar mij luisteren: je moet nu ophouden." En ik hield haar vast tot ze haar mond hield. Daarna was ze even rustig, maar dat duurde niet langer dan een minuut of tien en dan ging ze natuurlijk weer zitten jengelen.'

Als Zwarte Wil op vijfenzestigjarige leeftijd overlijdt, heeft Chris het er erg moeilijk mee. 'Toch heeft ze nog achtentwintig mooie jaren bij me gehad,' verklaart hij later. Na haar dood draagt Chris trouw haar sieraden: haar gouden ketting, haar gouden armband en haar ringen. 'Zoals alle zigeuners was zij gek op goud.' Chris stopt met schoonmaken, maar in zekere zin is het lot hem gunstig gezind, want hij wint een ton aan euro's in de staatsloterij. Er mag niets van over zijn als hij doodgaat, neemt Chris zich voor. Met gulle hand deelt hij uit, het barpersoneel krijgt hoge fooien en Chris zelf heeft niet te klagen over gezelschap wanneer hij een kroeg in de buurt binnenstapt. Als hij in 2011 overlijdt, wordt in café Stopera, dat de laatste jaren de stamkroeg van Chris is geworden, goedkeurend gesproken over het feit dat hij zegge en schrijve 236 euro zou hebben nagelaten.

Marion, die aan het eind van de jaren tachtig nog steeds als buffetjuffrouw door het leven gaat, heeft in het café zo langzamerhand haar eigen kennissen. Het zijn vrouwen die in de buurt zijn geboren, maar ook 'nieuwe' buurtbewoners die in de kunstwereld werken of als advocaat de kost verdienen. Zij komen graag naar de Cotton Club, want ze kunnen er tot diep in de nacht drinken zonder de kans te lopen mensen uit hun eigen wereldje tegen te komen. Die bezoeken geen kroeg waar donkere mannen achterin zitten te klaverjassen of te dobbelen. Als er geschikte muziek uit de jukebox komt, kan het zomaar gebeuren dat gasten spontaan tussen de tafels door beginnen te dansen.

Tot zijn eigen verbazing vindt ook Henk Zuur aansluiting bij de Surinamers. Groot geworden in een omgeving die behoorlijk discrimineerde, is de verandering die Henk ondergaat op zijn minst opmerkelijk. Eigenlijk heet hij Henk Dolman en zijn ouders dreven vroeger de delicatessenwinkel in de Koningsstraat: het winkeltje tegenover de achteruitgang van de Cotton Club. Zijn ouders verboden Henk als kind voor de kroeg te spelen, want dat café was een schande voor de buurt. Hij was zelfs bang voor de donkere klanten die daar kwamen. Daar waren de politie-invallen medeschuldig aan, want bij iedere inval stoof een aantal klanten via het steegje aan de achterkant van de kroeg de Koningsstraat in. Vanuit de winkel van zijn vader was dat goed waar te nemen.

Hoewel de familie Dolman op de Rechtboomsloot woonde,

hoorden zijn vader en hij meer bij de Wallen dan bij de Nieuw-marktbuurt. Het stamcafé van zijn vader was café De Zon en Henk is van jongs af aan al loopjongen voor de broertjes Veth. Als veertienjarige verdient hij zijn geld als bloemenbesteller en als zodanig moet hij wel eens een boeket bij de Cotton Club af-leveren, maar hij zet er geen stap binnen. Later wordt hij snor-der en vervolgens komt hij aan de kost als huisschilder. Na een val van een ladder belandt hij in de WAO. Al vroeg verhuist hij naar de Lange Niezel, tussen de Oudezijds Voorburgwal en de Warmoesstraat.

Uiteindelijk komt hij dan in de jaren negentig toch in de Cotton Club. Tot zijn verbazing ontdekt hij dat de Surinaamse klanten gezellige en leuke jongens zijn en Henk raakt zelfs be-vriend met enkele Surinaamse stamgasten. Jaarlijks brengt een aantal van hen, onder wie ook de barman Ropie, vroeg in het jaar een maand in Suriname door. Henk reist begin jaren ne-gentig met hen mee en raakt daar verslaafd aan het tropische klimaat. Als hij sindsdien ook maar even het geld heeft, reist hij naar Suriname waar hij een heel eigen leven heeft opgebouwd. Hij heeft er zelfs een vriendin en met een bestelwagentje trek-ken zij samen door de voormalige plantages.

Als gevolg van de strijd tegen de drugshandel rond 1985 is de Zeedijk ernstig verloederd. Veel cafés zijn door de politie dicht-getimmerd omdat de uitbaters heroïnehandel hebben toegela-ten. Als na 1985 mede door de oprichting van de NV Zeedijk het herstel inzet, waaiert de drugshandel uit naar de Nieuwmarkt. In iedere auto op de parkeerplaats zit zo langzamerhand een junk. Rooie Beppie verruilt in 1985 café De Bank voor café De Monnik, iets dichter bij de Zeedijk, en heeft voor het eerst haar handen vol aan de junks, die zij keer op keer de zaak uit moet ja-gen. Junks in het café konden je ondergang betekenen, dat had het beleid op de Zeedijk wel uitgewezen.

Het blad *Panorama* signaleert in het maartnummer van 1985 dat de Zeedijk en de Wallen zijn verworden tot een niemandsland en de sfeer van vroeger alleen nog voortleeft in verhalen. Pooiers, prostituees en uitsmijters halen herinneringen op aan de tijd 'dat er nog met de blote vuist gevochten werd, dat mensen elkaar steunden als je voor schut ging. Het was de tijd dat een vriend een vriend was, de tijd dat "de hoer spelen" nog een spel was waarin je probeerde je klant zo veel mogelijk "uit te pezen".' Majoor Bosshardt van het Leger des Heils weet in het artikel te vertellen dat er vroeger meisjes waren die zich op de kerstnacht niet lieten betalen en Frits Adriaanse, beter bekend als Frits van de Wereld, zelf betrokken bij de heroïnehandel, praat met minachting over het tuig dat een oud vrouwtje neertikt en er met haar tasje vandoor gaat. 'Wij zouden nog liever een van onze handen afhakken dan een oud wijfie beroven.' 'Als de vechtjassen van vroeger, zoals de gebroeders Veth, Buck Jones en Teun van der Vaart, er nog waren geweest, dan was de buurt nooit zo afgegleden,' stelt de zesenzestigjarige Gonnie, een voormalig prostituee, 'dan was het hier nog schoon geweest en was dat heroïnegajes er nooit in gekomen.'

In die jaren wordt het stil in de cafés rond de Nieuwmarkt. Tegelijkertijd is in de buurt een groot aantal helers actief. Al eerder probeerden junks gestolen waar aan de man te brengen, maar nu zijn het ook 'gewone Hollandse jongens', dieven die op kleine schaal opereren. De goederen worden grif afgenomen. Zodra een heler in een café zijn gezicht laat zien, is het: 'Wat heb je bij je?' Of er wordt gevraagd: 'Ik heb iets leuks bij de Bijenkorf gezien, kan jij het me leveren?' Rond 1991 zijn die praktijken, dankzij ingrijpen van de politie, vrij snel verdwenen en begint de Nieuwmarkt aan een opleving. Het plein krijgt een opknapbeurt en ook op de Zeedijk is te zien dat de aanpak van de nv Zeedijk vruchten begint af te werpen.

Het is in 1992 aanleiding voor het mannenblad *Playboy* om voor de uitgaansrubriek 'Na Vijven' eens aandacht te besteden aan de Zeedijk. De buurt verbetert zienderogen en het aantal yuppen daar, doelgroep van *Playboy*, neemt toe. De prijzen van de appartementen in de Nieuwmarktbuurt beginnen te stijgen en deze woningen zijn mettertijd alleen nog maar betaalbaar voor *young urban professionals*, yuppen, jonge carrièremakers die hard werken en zich met hun inkomen een luxeleefstijl en een torenhoge hypotheek kunnen permitteren. 'Bouwen voor de buurt' leek een kreet uit een ver verleden.

Voordat de verslaggever van *Playboy* de zo beruchte Zeedijk op gaat, drinkt hij zich moed in op de Nieuwmarkt, 'het o zo mooie, maar nog steeds verlaten plein'. In de 'duistere' Cotton Club wordt hij 'bediend door een vriendelijk lachende, tandeloze neger op leeftijd'. Op de Zeedijk, waar de junkentijd voorbij lijkt, signaleert hij dat vooral in bruin ingerichte cafés weemoedig wordt gepraat over de hoogtijdagen van vroeger, over de tijden dat passagierende zeelieden het geld lieten rollen, over de tijd dat er op de Dijk een gezellige drukte heerste. Daarnaast treft hij nieuwe, trendy cafés aan waar het gesprek 'gelukkig' ook over het heden gaat en de inrichting in niets aan vroeger doet denken. Jazzclub Casablanca is heropend. De sfeer van weleer moet weer te voelen zijn als de spetterende saxofoons er spelen en zwoele stemmen 'Lover Man' zingen. Casablanca moet afrekenen met het slechte imago van de Zeedijk en de verwachtingen van de horeca in de straat zijn hooggespannen.

Als de *Playboy* met het bewuste artikeltje in de Cotton Club rondgaat, is de hilariteit groot. Ropie – want dat moet de betreffende barkeeper zijn geweest – is weliswaar vijfenvijftig jaar, maar ziet er goed uit voor zijn leeftijd en is alles behalve tandeloos. Ropie staat alweer ruim tien jaar fulltime achter de bar van de Cotton. Toen in 1981 zijn werkgever, de Amerikaanse automobielfabrikant Ford, besloot zijn vestiging in Amsterdam op te heffen, was dat voor Ropie een goed moment om zich volledig aan de Cotton Club te wijden. Hij vindt zichzelf een gelukkig man. Als partner van Annie en vaste kracht is hij erin geslaagd zich een goede positie te verwerven onder zijn Surinaamse klanten. Hij weet de nukken van zijn vriendin op te vangen en als zij soms een kwade dronk heeft, laat hij haar agressie onaangedaan van zich af glijden. In 1992 is hun intieme relatie al weer enige jaren voorbij, maar ze zijn goede vrienden gebleven.

Annie, die de zestig gepasseerd is, zit graag op de hoek van de bar en rookt daar haar sigaretje, terwijl Ropie de bar doet. De inrichting van het café is door de jaren heen hetzelfde gebleven. De wanden en het plafond van de pijpenla dragen nog steeds de roodbruine kleur, op de vloer ligt nog steeds het rood-wit geblokte linoleum en ook de rode, skai bekleding van de barkrukken is nog steeds hetzelfde. Sinds jaar en dag staat achter in de zaak het biljart, met nog geen anderhalve meter verderop twee hoge gokkasten, die gekleurde lichtflitsen de schemerige ruimte in zenden. De dikbuikige Wurlitzer-jukebox, die in de tijd van ome Frits tegen de achterwand aan stond, is inmiddels verplaatst naar de zijwand, waar eerst de kolenkachel stond. Daardoor is er achter in de zaak ruimte gekomen voor een tweede ronde tafel waaraan gekaart kan worden.

'Er lagen nog net geen Perzische kleedjes op de tafels,' vertellen twee studenten die in die tijd vaak in het café komen. Vanaf het moment dat zij de Cotton Club binnenstappen op zoek naar een plek waar ze kunnen poolen, is het tweetal verslingerd aan hun merkwaardige kroegje, waar Nederlandstalige muziek wordt gedraaid terwijl er in hoofdzaak Surinaamse klanten komen. Die clientèle wordt aangevuld met enkele drop-outs en 'mensen die bij de buurt hoorden, zoals een oudere dame die duidelijk op de Wallen had gewerkt en wel een borreltje lustte. Ze woonde in de Flesseman en ondanks haar vrij hoge leeftijd stond ze aan de bar met ons te sjansen.'

Alvin, die politicologie studeert, verdient wat bij in een ziekenhuis. Met verve vertelt hij een van zijn eerste ervaringen aan de bar van de Cotton Club. 'Ik werkte er nog maar net toen we een lijk moesten afleggen. Het oudje was na de operatie niet meer bijgekomen en het dodenhuisje was buiten het ziekenhuis in het park. Voordat we de overledene daarheen brachten, moest het lichaam eerst gewassen worden, maar de zeep was op. Het was wel even een schok toen de hoofdverpleegster tegen me zei: "Pak de Dubro maar even, dat werkt net zo goed."'

Vanaf die dag vertelt Ropie keer op keer het verhaal aan de gasten. Zo wordt Alvin voor hen 'de doodgraver'. Zijn vriend Anton, econoom, verdient bij met het rooien van bomen op een landgoed in het Gooi en gaat in de Cotton Club door het leven als 'de bomendokter'.

De studenten ervaren de Cotton Club als een veilig eilandje in een desolaat gebied dat wemelt van de drugsgebruikers en -dealers. Als Alvin in 1990 de roltrap van het metrostation Nieuwmarkt op komt is het eerste wat hij hoort: 'Wil je wit of bruin?' Toch zijn ook in dit vriendelijke buurtcafeetje, waar 'niemand van buiten' binnenkomt, de sloten van de toiletten elektronisch beveiligd en slaat de stokoude bouvier die in de hoek ligt aan als iemand hard 'junks' roept. Al snel wordt het hun duidelijk dat Annie een strikt antidrugsbeleid voert. Dat heeft te maken met het verleden, begrijpen zij uit verhalen, toen de gemeente het wegens drugsgebruik op de Cotton Club gemunt had. Die pesterij ging zelfs zover dat Annie haar vergunning een tijd kwijt is geweest.

Verhalen over de tijd dat er drugs in het café waren, doen nog altijd de ronde. Zo weet Riek Krabshuis, vaste klant van de Cotton Club, dat de Chinezen in de jaren zeventig het plan hadden opgevat de wereld te veroveren en dat wilden bewerkstelligen door de blanke bevolking van de westerse landen verslaafd te maken aan heroïne. In Nederland gebruikten zij daarvoor de Surinamers als tussendealers, maar het hele plan liep spaak omdat de Surinamers zelf verslaafd raakten aan het spul.

Niet alleen Annie, ook Marion is er achteraf van overtuigd dat de Cotton Club is gered door het antidrugsbeleid van Annie. Als zij samen met Ropie de dealers niet buiten de deur had weten te houden, zou de Cotton Club hetzelfde lot beschoren zijn geweest als vele cafés op de Zeedijk. Toch is het niet alleen aan Annie en Ropie te danken dat de Cotton Club gespaard is gebleven. Tegen de tijd dat Annie haar vergunning terugkrijgt is de handel in verdovende middelen grootschalig geworden, waardoor kleine Surinaamse dealers geen rol van betekenis meer spelen.

Er is in de jaren tachtig een wereld ontstaan waarin de oude boeven zich niet langer thuis voelen. Dat geldt ook voor de Surinaamse dealer van het eerste uur, Max Zeegelaar. De veranderde omstandigheden in het criminele milieu bevallen hem slecht, het is hem te grootschalig geworden, het is een wereld waarin hij en zijn Cadillac niet langer thuishoren. Het is voor hem de reden om terug te keren naar zijn vaderland. Hoewel hij gedacht moet hebben dat hij het in dat 'eenvoudige' land met zijn ervaring wel gemakkelijk zou kunnen maken, komt hij van een koude kermis thuis. Hij wordt in de Surinaamse dealerwereld eerder als een buitenstaander gezien dan als een Surinamer. Zijn arrogantie maakt hem onvoorzichtig en bij een van de eerste deals die hij probeert te sluiten, wordt hij neergeschoten. Voor de zekerheid rijden de schutters met hun fourwheeldrive nog enkele malen over het lichaam van Max heen en zo vindt de Amsterdams-Surinaamse dandygangster een roemloos einde in zijn eigen vaderland.

Nu zowel de legale als de illegale handel grootschalig is geworden en de misdaad steeds verder professionaliseert en georganiseerd raakt, voldoen oude opsporingsmethoden niet langer. Het is aanleiding voor de Tweede Kamer om in 1994 een parlementaire enquêtecommissie te benoemen die de invloed van deze moderne criminaliteit moet onderzoeken. Deze commissie-Van Traa stelt onder meer vast dat de buitenlandse misdaadorganisaties maar weinig poot aan de grond krijgen in Nederland, terwijl er een nieuwe Nederlandse penoze in opkomst is. In tegenstelling tot de oude penoze kenmerkt deze zich door een actief ondernemerschap. Dat geldt ook voor de Amsterdamse Wallen. Met mensen als Zwarte Joop en Frits van de Wereld als voorlopers ontwikkelen de Nederlandse boeven zich tot ondernemers die met name in het bezit zijn van vastgoed, waardoor zij de prijzen van de bordelen en de kamerverhuur kunnen bepalen. Een deel van de panden op en rond de Wallen wordt gebruikt om horecabedrijven in te vestigen, die vooral bedoeld zijn om geld wit te wassen. Ondernemende criminelen ontwikkelen uitgebreide organisaties waarin prostitutie, illegale gokhuizen, drugshandel en horeca zijn ondergebracht. Het wordt tijd dat politie en justitie betere middelen in handen krijgen om de criminaliteit tegen te gaan. Al eerder was in 1993 de zogenaamde pluk-ze-wetgeving ingevoerd, die justitie de gelegenheid biedt om de hand te leggen op wat aangemerkt kan worden als crimineel geld.

Achteraf herinneren velen in de Nieuwmarktbuurt zich de tijd tussen '85 en '95 als een overgangstijd, waarin nog wel betrekkelijk veel helers in de buurt rondhingen, maar het aantal bikkers op de Wallen, en dus ook in sommige cafés op de Nieuwmarkt en omgeving, al wel in snel tempo afnam. Iedereen die wel eens de binnenstad in liep, kon zien dat er sinds jaar en dag opvallend veel buitenlandse, soms licht-, soms donkergekleurde vrouwen in hun dunne lingerie voor de deuropening van hun kastje in de stegen stonden. Gekscherend werd in de buurt gezegd dat je tegenwoordig je talen moest spreken als je naar de hoeren wilde gaan. Hoewel steeds meer vrouwen als kleine zelfstandige opereren, neemt ook de vrouwenhandel toe.

Tegelijkertijd blijft de Nieuwmarktbuurt ook de buurt waar veel ex-krakers zijn blijven wonen. Velen van hen oefenen een artistiek beroep uit – de een is fotograaf, de ander werkt bij een culturele instelling. De buurt die zij met hand en tand hebben verdedigd, is een stuk van hun leven geworden. Maar ook hier verhardt de sfeer. De concurrentie tussen de verschillende cafés neemt toe. Rond 1983 wordt het interieur van een jazzcafé in de Koningsstraat, dat het thuiscafé is van veel krakers uit de buurt, door acht mannen met knuppels kort en klein geslagen. Alles wijst op een georganiseerde actie, maar het motief blijft onduidelijk omdat de daders nooit zijn opgespoord.

HOOFDSTUK 13

IN VREEMDE HANDEN

De jaren negentig

In 1996, als Annie vijfenzestig is geworden, wil zij het café voor een zacht prijsje aan haar zoon Henry Bernard overdoen, maar Henry voelt zich weinig aangetrokken tot de Cotton Club. 'Het waren lieve mensen die er kwamen. Riek Krabshuis, een vaste klant, was als een tante voor me. Ze heeft mijn horecadiploma's op haar kosten laten inlijsten. Maar als bruine buurtkroeg vond ik het op dat moment voor mezelf niet interessant.' Er bestaan in die jaren plannen om via de Nieuwmarkt een looproute naar het Rembrandtplein te creëren, maar die blijven in het stadium van 'goede voornemens'. Zowat de hele horeca op de Nieuwmarkt loopt achter, oordeelt Henry, en tot verdriet van zijn moeder besluit hij daarom niet op haar aanbod in te gaan. Korte tijd later neemt hij samen met een vriend een café in de Reguliersdwarsstraat over. Op dat moment is dat een hoogst trendy uitgaansgebied met onder meer discotheek Richter, die als locatie van de populaire talkshow RUR van Jan Lenferink in heel Nederland bekend is geworden. Henry's zaak bevindt zich pal daartegenover, is voorzien van de nieuwste muziekinstallatie en wordt bezocht door de cast van de populaire tv-serie *Goede Tijden, Slechte Tijden*.

Marion is eenenveertig jaar als Annie de Cotton Club in de etalage zet. Zij wil het café samen met Annies jongste zusje Riekie wel graag kopen. Het is het café van haar opa; haar hele leven heeft zich in en om de Cotton Club afgespeeld, ze is ermee vergroeid. Ook de meeste stamgasten lijkt het vanzelfsprekend dat Marion het café overneemt. De illusie die Annie nog altijd koestert dat zij een buurtcafé runt, is misschien de reden dat zij niet onmiddellijk enthousiast is als zij hoort dat Marion de kroeg wil kopen. Voor Annie is de Cotton Club nog steeds Café Annie, hoewel zij de enige is die zich die naam herinnert. Marion is niet het type voor een buurtcafé, vindt zij, en er is een risico dat onder haar beleid oude tijden weer zullen herleven. Aan de andere kant begrijpt zij wel dat zij Marion niet van de koop kan weerhouden. Marion en Riekie krijgen het geld dat Annie voor het café vraagt, bijna 200 000 gulden, niet rond. De eigenaar van het gokautomatenbedrijf bij wie Marion voor een lening aanklopt, komt met bezwaren. Marion legt zich bij de omstandigheden neer. Als alleenstaande moeder, opgegroeid in een familie waar het niet de gewoonte was een lening bij een bank af te sluiten, ziet zij geen mogelijkheden om aan geld te komen en laat zij het plan om het café te kopen varen.

Behalve Marion en Riekie zijn er nog andere liefhebbers, zoals de eigenaar van het naast de Cotton Club gelegen eetcafé Pico, Cok Dittmar. Als Anton en Alvin dat horen, maken zij zich zorgen dat daarmee het einde van hun geliefde café is aangebroken. Zij noemen het eetcafé van Dittmar laatdunkend een Italiaanse broodjeszaak. 'Je hoefde maar een gat in de muur te slaan en je kon die broodjeszaak doortrekken naar de Cotton Club. Dat zou rampzalig zijn. Ik heb wel eens gezegd: "Als dat gebeurt koop ik een jerrycan met benzine en dan gaat de fik erin."'

Het liefst zou Anton het café zelf willen kopen en hij heeft een serieus gesprek met zijn vader in een poging het geld te lenen, maar ook dat loopt op niets uit. 'We zijn niet alert genoeg op die overname geweest,' zegt stamgast Jeannette in 2012. 'Als ik erop terugkijk, had ik best een aandeel kunnen nemen op het moment dat Marion de financiering niet rond kreeg. Ik verdiende in die jaren goed en er waren meer vaste bezoekers met geld die dat wel hadden gewild.' Uiteindelijk is Cok Dittmar de lachende derde.

Dittmar is begin jaren negentig eigenaar geworden van het

naast de Cotton Club gelegen eetcafé. Hij had de zaak enkele jaren eerder gekocht toen deze als louche Chinees gokhuis door de gemeente was dichtgetimmerd. De koop kwam voort uit zijn teleurstelling over de afloop van zijn project om de aloude Waag op de Nieuwmarkt een nieuwe bestemming te geven. Het robuuste monument was indertijd leeg komen te staan omdat het Joods Historisch Museum in 1987 een nieuw onderkomen kreeg. Vervolgens werd er jarenlang gesteggeld over een nieuwe bestemming. Dittmar, bij de gemeente Amsterdam werkzaam als ambtenaar bij de afdeling bestuurscontacten, heeft ideeën voor een geheel eigentijdse herbestemming. Samen met enkele anderen, verenigd in Stichting Centrum De Waag, doet hij eind jaren tachtig mee aan een prijsvraag van de gemeente om de Waag nieuw leven in te blazen. Zijn aanpak valt te omschrijven als particulier initiatief, het nieuwe toverwoord in die jaren. De plannen van de stichting spreken de gemeente aan. Op de begane grond is een Grand Café geprojecteerd en daarboven komt een centrum voor informatie, communicatie en media. Zeker zo belangrijk is dat de stichting aannemelijk weet te maken dat de exploitatie van het gebouw met een gerust hart aan haar toevertrouwd kan worden, zodat de gemeente in de toekomst gevrijwaard wordt van een nonprofitorganisatie zoals een museum die de exploitatiekosten wellicht niet rond kan krijgen. De gemeente gaat in zee met de stichting en kent haar subsidie voor de restauratie en de verbouwing van het monument toe. Al snel gaan heipalen de grond in voor een grote, door de prestigieuze architect Philippe Starck ontworpen, rechthoekige glazen uitbouw. 'Niemand had gedacht dat je Starck voor dit project zou kunnen strikken,' vertelt Dittmar. 'Maar op een middag zijn we gewoon in de auto gestapt en naar Parijs gereden. We zochten hem brutaalweg op in zijn atelier, waar we het hem recht op de man af hebben gevraagd. Boven verwachting stemde hij dadelijk toe.'

Veel buurtbewoners en Amsterdammers die met monumentenzorg begaan zijn, spreken schande over de gang van zaken. Zij vermoeden, gezien Dittmars contacten met de gemeente, dat er sprake is van vriendjespolitiek. Zij zien de verbouwing van de Waag als een moorddadige ingreep in een middeleeuws poortgebouw. Wat ooit het Joods Historisch Museum was, wordt vervangen door een centrum dat volgens hen geen enkele bijdrage levert aan de herleving van de buurt.

De felle tegenstand maakt dat de gemeente uiteindelijk in 1990 de subsidiekraan dichtdraait, de stichting failliet gaat en de tot dan toe uitgekeerde subsidies in het zinkputje verdwijnen. Voor Dittmar is het duidelijk dat zijn plannen niet alleen ten onder zijn gegaan door het verzet van de buurt, maar ook als gevolg van een politieke lobby. Hij is kwaad en teleurgesteld. 'Ik had mijn baan bij de gemeente al opgezegd om via de stichting bij de Waag aan de slag te gaan en nu dacht ik: oké, ik heb schoon genoeg van die ambtenarij en hun gelobby. Ik begin gewoon een eigen bedrijf.'

Als er enkele jaren later, in 1994, een nieuwe ronde komt voor de bestemming van het Waaggebouw en gegadigden hun plannen daarvoor kunnen voorleggen aan de gemeente, tipt Dittmar Marleen Stikker en Caroline Nevejan om mee te doen. Als programmamaker in Paradiso werkt Caroline samen met hackersgroepen en organiseert zij in die muziektempel eind jaren tachtig al grote computershows, terwijl Marleen Stikker programmeur is bij het cultureel centrum De Balie en recent De Digitale Stad heeft opgericht. De Digitale Stad (DDS) streeft naar een laagdrempelig internet en introduceert een van de allereerste zoekmachines. DDS is vooral bedoeld om gebruikers te leren omgaan met de digitale wereld.

Dittmar zelf ziet af van deelname aan de nieuwe ronde. Caroline en Marleen dienen samen een ondernemingsplan in voor de Maatschappij voor Oude en Nieuwe Media, dat door de gemeente wordt uitgekozen uit zestien plannen die zijn ingediend. Bij hun plan zijn diverse culturele instellingen betrokken, zoals het Sandberginstituut van de Rietveldacademie en de Hogeschool voor de Kunsten in Utrecht. Net als het eerdere, door

Dittmar gedane voorstel richt het plan van Caroline en Marleen zich op de nieuwe netwerksamenleving. Zij willen meer onderzoek doen naar de vraag hoe nieuwe media een verrijking kunnen betekenen voor het publieke domein. Voor de exploitatie van het café op de begane grond wenden zij zich niet tot hun tipgever Dittmar, maar tot een andere horecaondernemer.

Achteraf vermoedt Caroline dat Dittmar hierover teleurgesteld is geweest, maar hij was nog maar kort actief in de horeca en het was moeilijk om vast te stellen hoe solide zijn ondernemerschap was. Toch heeft zij waardering voor het werk van Dittmar: 'Dittmar had in zijn plan de mogelijkheden van de nieuwe media goed ingeschat, maar zijn Stichting Centrum De Waag kwam misschien net iets te vroeg. Nog niet veel mensen gebruikten internet in die tijd, er waren nog geen serviceproviders, geen mobiele telefoons en geen world wide web. Men was er nog niet klaar voor.'

Caroline verkeert vanaf het moment dat ze in de Nieuwmarktbuurt komt wonen, begin jaren tachtig, in de kraakbeweging, een milieu dat zich al snel tot de voorhoede in het gebruik van digitale media en internet ontwikkelt. Hoewel niet alle krakers het ermee eens zullen zijn, kunnen zij geplaatst worden in de traditie van maatschappelijk protest die eind jaren veertig is begonnen bij de experimentele kunstenaars en zich heeft voortgezet in een beweging als provo. Zo delen zij een voorkeur voor anarchistische beginselen en hechten zij veel waarde aan een gezamenlijke maatschappelijke verantwoordelijkheid.

Ondernemerschap en het nemen van maatschappelijke verantwoordelijkheid gaan voor Caroline hand in hand. De nieuwe digitale media, waar het in het Waagproject toch voornamelijk om draait, ziet zij als een middel dat ingezet kan worden voor een verantwoord ondernemerschap. Stikker en Nevejan genieten het vertrouwen van de buurt en de politiek en weten met hun visie dat de nieuwe media een bijdrage kunnen leveren aan sociale innovatie, de slag om de Waag te winnen. Toch is Dittmar meer dan zij de exponent van het moderne ondernemerschap dat zich in de jaren zeventig ontwikkelt.

Twintig jaar eerder was het ondenkbaar geweest dat iemand als Dittmar, van origine opbouwwerker met het diploma van de Sociale Academie op zak, ondernemer werd. Welzijnswerkers spanden zich toen vooral in om een bijdrage te leveren aan de 'bewustwording' van hun cliënten. Ondernemen werd door velen met zijn achtergrond veelal geassocieerd met winstbejag en eigenbelang: een opvatting die met de jaren steeds meer terrein verliest. Op de Academie voor Beeldende Kunst krijgen studenten lessen waarin ze leren hoe ze hun werk aan de man kunnen brengen. Advocaten, financieel deskundigen en bedrijfsadviseurs worden grootverdieners. Wie nog spaart is ouderwets, lenen en geld in aandelen beleggen worden gemeengoed.

In de vroege jaren tachtig wordt een tegenbeweging, die in de jaren zeventig is ingezet, steeds meer zichtbaar. Deze beweging leidt tot een samenleving die steeds meer wordt gedomineerd door zakelijke en economische belangen. Een samenleving waarin maatschappelijke idealen plaatsmaken voor een in kracht toenemend individualisme en marktdenken domineert. Idealistische, op het collectief gerichte bewegingen die voortkomen uit de jaren vijftig en zestig zijn gedoemd voort te bestaan als een maatschappelijk culturele onderstroom. De positie van de financiële markten gaat een allesoverheersende rol spelen en financiële instellingen verwerven de macht om landen te beschouwen en te beoordelen als gewone bedrijven, die in het uiterste geval zelfs failliet kunnen gaan.

De omwenteling vindt bijna sluipend plaats en de linkse elite lijkt blind voor de veranderingen. Hoewel er gewaarschuwd wordt voor de macht van het internationale grootkapitaal in de gedaante van multinationals, is er geen georganiseerd protest meer tegen de economische en politieke veranderingen. Pas dertig jaar later komt er een protest tegen de macht van de internationale bankwereld in de vorm van onder andere 'Occupy'. De protestuitingen en de spandoeken die deze actievoerders meedragen, doen ouderwets aan.

Het is typerend voor die omslag, die in de jaren negentig in volle gang is, dat ook het ideologisch getinte programma van De Digitale Stad al snel een prooi wordt van commerciële bedrijven. Een deel van het programma van De Digitale Stad wordt verkocht aan het Britse telecombedrijf Energis, een ander deel aan de internetprovider xs4all, die ooit als hackersbeweging is begonnen en later onderdeel wordt van kpn.

Dittmar herinnert zich hoe hij zijn ondernemerschap in de horeca is begonnen: 'Ik kon de zaak naast de Cotton Club kopen. 's Ochtends kocht ik het pand van de eigenaar en 's middags verkocht ik het aan de brouwerij op voorwaarde dat die de verbouwing zou financieren, vervolgens huurde ik de zaak van de brouwerij. Ik maakte er een eetcafé van en noemde het café Pico, naar de vijftiende-eeuwse filosoof Giovanni Pico della Mirandola. Dat was een bijzondere man, die over de eigen mogelijkheden en wil van de mens schreef, en dat vlak na de Middeleeuwen waarin God als de allesoverheersende drijvende kracht werd gezien. Ik heb in Italië het plaatsje bezocht waar hij woonde. Het eetcafé liep redelijk. Na een paar jaar kwam de Cotton te koop. Ik moest en zou dat café hebben omdat ik het een ongelooflijk charmante plek vind, met alle sentimentele connotaties die erbij horen. Ik had het idee om het eetcafé en de Cotton met elkaar te verbinden, kortom, er waren allerlei mogelijkheden.'

Later zal over de koop door Dittmar nog veel worden nagepraat. 'Hij zag dingen in de Nieuwmarktbuurt die wij op dat moment niet zagen,' bekennen vrienden van Marion, en in zekere zin hebben zij gelijk. 'Wat hij kocht was een tent die niet liep in een buurt die er niet uitzag,' zegt Caroline Nevejan, 'maar hij wist ook dat de Waag heropend zou worden. De gemeente vond het belangrijk dat de Nieuwmarkt, als as met de Zeedijk naar het Centraal Station, zou opleven. Daar werd ook veel in geïnvesteerd.'

Kort voordat Dittmar het café koopt, is de naamsbekendheid van de Cotton Club toegenomen, doordat programmamaker Theo Uittenbogaard een documentaire over de Cotton Club maakt, die in december 1995 wordt uitgezonden. De documentaire vormt een stukje geschiedschrijving dat zich vooral toespitst op de Surinamers die tussen 1947 en 1960 naar Nederland kwamen en hoe zij in dit 'vreemde land' moesten zien te overleven. Uittenbogaard heeft oude stamgasten opgetrommeld die vrijmoedig praten over gokken, vals spelen, drugsgebruik enzovoort, maar ook de armoede en de discriminatie die zij ondervonden duidelijk over het voetlicht brengen.

Met Dittmar aan het roer ondergaat de Cotton Club al vrij snel een verbouwing. De toiletten achter in de zaak worden weggehaald en verplaatst naar de plek waar eertijds de huiskamer van de familie Smit was. Vervolgens wordt een deel van de binnenplaats bij het café getrokken. Ook wil Dittmar dat er 'nieuw bloed' komt: 'Laten we eerlijk zijn, commercieel gezien was de Cotton Club een heel erg ingeslapen plek. De oorspronkelijke bezoekers, de Surinamers, moesten met respect behandeld worden. Ik wilde hen graag houden, maar ik wilde ook jonge mensen aantrekken; daarom begonnen we met salsalessen waarbij we de oudere gasten inschakelden.'

Marion blijft in de zaak werken als bedrijfsleidster. Riekie kan het niet opbrengen om in het café van haar vader onder een vreemde te werken en gaat op zoek naar een andere baan. Op aandringen van Dittmar volgt Marion een managementcursus. Noch haar opa noch haar tantes hadden ooit een horeca-opleiding gevolgd en dat gold al sinds vele decennia voor vrijwel alle uitbaters in de buurt. Ook Annie leidde het café helemaal in de traditie van haar vader. Dat betekende dat zij voorzichtig was met het uitbreiden van de zaak. Gerrit van Beeren trok met zijn café weliswaar de nieuwe bewoners van de Nieuwmarktbuurt naar zich toe, onder wie veel (voormalige) actievoerders, maar hij bleef vooral een man van de oude stempel die erop stond dat de mooie eikenhouten vloer in zijn zaak elke avond in de was gezet werd. Als het moest, hielp hij zelf mee. En nog steeds kwam het voor dat een buffetjuffrouw van een café uit de buurt een pannetje eten van huis meenam voor een bejaarde klant die zichzelf na de dood van zijn vrouw verwaarloosde.

Maar Dittmar is uit een ander soort hout gesneden. Op de binnenplaats achter het café laat hij twee gigantische biertanks van ieder vijfhonderd liter plaatsen. De oude kassa wordt vervangen door een computer met touchscreen. Op de machine tikt het personeel niet alleen de consumpties in, het apparaat registreert ook de omzet en houdt de voorraad bij. Uit alles blijkt dat Cok Dittmar tot de nieuwe moderne ondernemers behoort. Zelf komt hij weinig in het café, want hij heeft zijn handen vol aan het managen van zijn bedrijf.

Een van de eersten die Dittmar in dienst neemt, is Gunnar. Als Gunnar op een dag op aanraden van een goede vriend de Cotton Club bezoekt, is hij dadelijk verrukt van het café. Hij is enkele dagen eerder gestopt met een baan in de horeca en heeft zich net voorgenomen om zijn geld nooit meer met werk achter de bar te verdienen. Gunnar geniet van de sfeer in de Cotton Club en realiseert zich dat dit de enige kroeg is waar hij nog wel zou willen werken. Als hij zijn gedachten hardop verwoordt tegen een man die toevallig naast hem staat, neemt die man hem van top tot teen op en zegt: 'Je bent aangenomen.' Dittmar, want dat is de man naast hem, herkent in één oogopslag de kunstenaar in hem. Hij verwacht dat Gunnar nieuwe klanten zal aantrekken. En Dittmar heeft het goed gezien. Gunnar trekt met extravagante feesten, waar hijzelf in travestie optreedt, een grote groep nieuwe mensen aan. In zijn kielzog volgt een reeks aan nieuw personeel, dat samen een hecht team vormt. Hij verzorgt wekelijks achter de bar een ware performance. Naast zijn werk in de Cotton Club treedt hij op als zanger met zijn eigen jazzband Socorro, die ook regelmatig in de Cotton Club speelt.

Gunnar heeft er geen weet van dat veertig jaar geleden Nanny, die hij kent van horen zeggen, een stamgast van de Cotton Club was. Maar Nanny was een transseksueel en wilde vrouw zijn. Dat geldt niet voor Gunnar, hij geniet van zijn travestie-act, maar voelt zich zeker geen vrouw in een mannenlichaam. Het is misschien wel kenmerkend voor wat er met de Cotton Club gebeurt in de tweede helft van de jaren negentig. Het publiek en de sfeer herinneren aan het verleden, maar staan daar toch ver van af. Er komen kunstenaars, gays, Surinamers en buurtbewoners, maar het is in wezen niet meer dan een tableau vivant van wat ooit was. Ook al kent Gunnar dat verleden nauwelijks, hij is er wel gevoelig voor. 'De muren fluisterden me toe. Ik voelde dat deze plek bijzonder was en een heel verleden had, een plek die erom vroeg met respect behandeld te worden. Het verleden sprak uit de foto's aan de muur. Bovendien raakte de Cotton Club aan mijn *roots* omdat de foto's indirect verwezen naar mijn grootvader, een uit de Cariben afkomstige musicus.'

Als entertainer is Gunnar een eigentijdse persoonlijkheid en wil hij zijn kunstenaarschap professioneel uitoefenen. Aan de Cotton Club wil hij een modern karakter toevoegen met show en feesten, maar anderzijds wil hij de traditie bewaken en behouden. Al maakt hij deel uit van de nieuwe tijdgeest, toch heeft hij een diepe afkeer van een al te harde commerciële aanpak. Gunnar vermoedt dat Cok Dittmar het café alleen maar als een zakelijk object ziet. Zolang een klantengroep goed is voor de omzet, is deze welkom; wat hem doet vrezen dat er een dag zal aanbreken dat de Surinamers niet meer welkom zijn in de Cotton Club nieuwe stijl. Dittmar hoort in zijn ogen tot het soort ondernemer dat koopt om iets uit te bouwen om het dan weer zo snel mogelijk met winst te verkopen. Dat beleid zou wel eens ten koste kunnen gaan van wat zo kenmerkend is voor zijn geliefde café. Enkele jaren vecht Gunnar voor het behoud van de eigenheid van de Cotton Club en zet hij met zijn aanpak de toon. Tussen hem en zijn werkgever accordeert het steeds minder en als na verloop van tijd de andere medewerkers zijn stijl hebben overgenomen, neemt Gunnar ontslag.

Dittmar haalt niet alleen een man als Gunnar binnen om het café nieuw elan te geven. Omdat de Cotton Club veel beter loopt dan het eetcafé Pico, voegt hij een werknemer van het eethuis toe aan het personeel van de Cotton Club. Het is Mark van Heesch en hij valt op doordat hij een belangrijke inbreng heeft in de muziek die er vanaf zijn komst gespeeld wordt. Hij herintroduceert de muziek van Miles Davis en John Coltrane. Al eerder introduceerde Dittmar livejazzmuziek. Hij deed dat naar eigen zeggen niet om bij het verleden van de kroeg aan te sluiten: 'Eigenlijk vind ik het jazzverleden van de Cotton Club een beetje geromantiseerd. Er werd misschien een podium gegeven, maar de ontwikkeling in die muziek speelde zich elders in de stad af. Ik wist natuurlijk wel dat het café die jazztraditie had, maar heb daar niet bewust op aangesloten of zo. Ik ben gewoon zelf een groot jazzliefhebber.'

Mark krijgt altijd nog een bijzonder gevoel als hij aan de Cotton Club denkt. 'Het was een merkwaardige combinatie van nostalgie en modern. Dat merkte je niet alleen aan de muziek, maar ook aan de mensen achter de tap. Het was een plek waar kunstenaars kwamen. Ropie was er voor de Surinamers die aanvankelijk trouw bleven komen. Zelfs oude bekenden, als Eddy Faithfull, waren weer van de partij. Verder kwamen er nog enkele buurtbewoners. Ik vond Zwarte Wil een fenomeen. Zij had in het leven gezeten en wilde dat weten ook. Zij bewaarde haar geld altijd in haar beha en als zij betalen moest, maakte zij er een ware act van als zij het geld tussen haar borsten vandaan trok. Er was plek voor iedereen en er heerste een sfeer van verregaande tolerantie, het was een multiculturele samenleving in het klein. En Marion... Marion was het café zelf: zij was de geschiedenis van het café. Soms had ik de indruk dat Dittmar haar alleen maar in dienst had omdat zij zo met het café verbonden was. Uiteindelijk had ik bij Dittmar een wat dubbel gevoel. Enerzijds gaf Dittmar het café nieuwe energie, anderzijds vertegenwoordigde hij een harde, zakelijke wereld. Zo kocht hij ook het pand waarin de Cotton Club gevestigd was. In de verdiepingen boven het café begon hij een "bed and breakfast".'

De Cotton Club wordt een trendy café, waar algauw ook coke wordt gesnoven. Bij tijd en wijle breken er kleine vechtpartijen uit. Barman Mark merkt dat klimaat langzaam verhardt. De sfeer die Dittmar heeft opgeroepen, is in werkelijkheid niet meer dan een decor voor een commercieel goed draaiend, modern vermaakscentrum. Het is te merken aan het gedrag van het personeel, dat bij gelegenheid drank meeneemt om een feestje te bouwen. Steeds vaker blijven de Surinamers weg en zoeken hun heil elders in de stad, zoals in cafés rond de Dappermarkt in Amsterdam-Oost. Ook Anton en Alvin houden het voor gezien, maar de yuppen en de toeristen blijven voorlopig in groten getale komen. De Nieuwmarkt ontwikkelt zich tot een uitgaansplek waar tal van mensen aan het eind van de middag of 's avonds naartoe komen, om in een van de vele cafés lekker bij te praten. Zodra de zon maar even schijnt, zijn de terrassen afgeladen. Het plein heeft een facelift gekregen, waarbij het onder meer voorzien is van kunstzinnig uitgevoerde lantaarnpalen. 'Ik ben intussen aan ze gewend,' schrijft een bewoner eufemistisch in de buurtkrant *OpNieuw*.

Bij de overname van de Cotton Club door Dittmar bestaat de kroeg inmiddels zevenenvijftig jaar. Volgens de mensen die het café goed kennen, heeft het café in de loop der tijd een eigen geest gekregen, misschien zelfs wel een eigen wil. 'De Cotton Club heeft een ziel,' zegt ontwerper Herman Hennink Monkau. 'Die vind je in de ruimtelijke indeling, die ondanks alle verbouwingen vrijwel hetzelfde is gebleven, en in het interieur. Ik kom hier al jaren en als ik Marion zie, denk ik soms in een flits: zie ik nou je moeder of je grootmoeder?' Het eigenmachtig optreden van het café is ontstaan in de tijd van Teddy Cotton en Frits Smit. Bijna niemand van de familie Smit hield van jazz, maar niettemin kwam die jazz er toch. Nadat het café was verkocht, eiste de jazz opnieuw zijn plaats op. Het is ook een muziek die wel past bij het café waar altijd alles kon. De drummer Dik Verbeek, die vanaf 2002 een paar maal per maand op zaterdagmiddag met de gelegenheidsformatie de New Cotton Club All Stars in de Cotton Club speelt, zegt: 'Bij jazz wordt geïmproviseerd, je hebt als musicus te maken met regels die je vervolgens moet loslaten, in die zin is het spelen van jazz anarchistisch. Ik heb

Jazzcafé de Cotton Club

een betaalde baan en speel hier alleen maar omdat ik het leuk vind. Alle muzikanten vinden het fantastisch om hier te mogen spelen. Dat komt ook omdat het niets te maken heeft met het gesubsidieerde jazzcircuit. Daardoor is het echt. Het publiek ervaart dat ook en geeft je er iets voor terug. Musici voelen dat door de enthousiaste reactie op hun improvisaties. Hier vind je een publiek dat goed aanvoelt wanneer de jazz gaat lopen, dan gaan ze juichen, dansen. Jamsessies als deze bestaan ook wel op andere plekken, maar de sfeer hier is wel zeldzaam.'

Een jazzmusicus die het van harte met Dik Verbeek eens is en de Cotton Club al sinds de jaren vijftig kent, is Hans Dulfer. Als veertienjarige werd hij al door de jazz gegrepen en droomde hij ervan een groot en beroemd musicus te worden. 'Ik ben nooit een echt goede saxofonist geworden,' erkent hij later, 'maar wel beroemd, en daar ging het me toch uiteindelijk om. Ik kan een zaal gek krijgen. Daar doe ik het nog altijd voor. Dat ene moment dat ik een onwillig publiek toch aan het dansen krijg. Dat moet niet te snel gaan, daar mag ik een hele avond over doen. Het is net als toen ik nog auto's verkocht. Een klant moet niet te snel ja zeggen, dan is de lol eraf. Als zo'n jongen een auto dadelijk wilde kopen, zei ik steevast: "Denk er nou toch nog eens even over na. Praat er eerst met je vrouw over. Als je te snel besluit, krijg je er misschien spijt van." Op het laatst rukte zo'n klant het orderboek letterlijk uit mijn handen. Het proces naar het moment van het winnen toe is veel lekkerder dan het winnen zelf. Als je eenmaal klaar bent gekomen, is de pret over.' Hans is niet verbaasd dat de jazz uiteindelijk live naar de Cotton Club is gekomen. In de vroege jaren vijftig genoot hij al van de jazz en de Antilliaanse muziek die opklonk uit de Wurlitzer.

Er zijn jaren voorbijgegaan dat Hans de Cotton Club niet heeft bezocht, maar het café is voor hem een monument in zijn bestaan. Het herinnert hem aan zijn hoogtijdagen dat hij in de Casablanca kwam en daar Kid Dynamite zag spelen. 'Ik kwam in de Cotton Club voor de jazz en de stuff. Later speelde ik ook veel zelf met Surinamers en Antillianen. Ik herinner me hoe een van die jongens naar me toe kwam, op een blanke musicus wees en tegen me zei: "Met hem wil ik nooit meer spelen. Nooit meer." Ik vroeg hem waarom dat was. Hij zei: "Die man noemde ons bosnegers." Dat was dom van die man, zoiets zeg je niet tegen een Antilliaan.'

In 2002, zes jaar nadat hij het café had gekocht, besluit Cok Dittmar de Cotton Club te koop aan te bieden. Hij heeft het plan opgevat zijn horeca-activiteiten voort te zetten in Italië. Marion wil het zich niet weer laten overkomen dat het café in vreemde handen raakt en laat Dittmar weten dat zij wel belangstelling voor het café heeft. Dittmar is niet van plan haar een vrienden-prijs te berekenen: zij zal het hele bedrag moeten neerleggen. Marion, zes jaar ouder en wijzer, weet beter dan toen haar tante het café verkocht, hoe zij het bedrijf moet laten financieren. Maar de brouwerij wil niet het hele bedrag lenen, zij acht de vraagprijs een ton te hoog. Haar halfbroer Dino Soerel schiet haar te hulp. Op voorwaarde dat hij mede-eigenaar wordt, steekt hij de resterende ton in de zaak. Samen richten broer en zus een vennootschap onder firma op en Dittmar krijgt zijn geld. Marion is tevreden omdat het café weer in handen van de familie is. Het eerste wat zij doet is het café terugbrengen in zijn oude staat. De geluidwerende platen die Dittmar heeft laten aanbrengen, worden van de wand gehaald, de houten lambrisering wordt ontdaan van vele, vele lagen verf. Boven de lambrisering laat zij de muur weer behangen met een donker-rood velours behang, dat ook vroeger het café sierde. Achterin, waar geen behang of lambrisering is, wordt het café in dezelfde stijl aangepast. De kunstschilder Lo A Njoe maakt in die ruim-te enkele plafondschilderingen, zoals hij die eerder voor haar grootvader maakte, begin jaren zestig. De Cotton Club voelt weer als de Cotton Club. Wat zij in stand houdt, zijn de jazz-middagen op zaterdag, want zij voelt dat die jamsessions bij de Cotton Club horen, net zoals zij, de kleindochter van ome Frits, bij het café hoort.

Livejazz in de Cotton Club

HOOFDSTUK 14

HART VOOR DE ZAAK

1971-2011

'Ik was zestien en werkte bij broodjeszaak De Kuil op het Rembrandtplein, toen ik bij een topless bar in de Utrechtsestraat een advertentie zag: *Personeel gevraagd*. Thuisgekomen vertelde ik mijn opa dat ik van plan was om daar te solliciteren. "Als jij zo graag in een kroeg wil werken, dan kom je maar hier," was zijn reactie. Zo kwam ik samen met mijn tantes Annie en Willy achter de bar van de Cotton Club. Omdat ik nog zo jong was, kreeg ik natuurlijk de dagdienst van elf tot zeven. Opa zat altijd voor de bar zodat niemand me lastig durfde te vallen. Om zeven uur 's avonds moest ik op mijn brommertje naar huis: dat was in de Henriette Ronnerstraat.

Ik heb altijd bij mijn opa en oma gewoond. Mijn moeder en ik zijn bij mijn grootouders in huis gekomen toen we uit Amerika terugkwamen. Van die tijd in Amerika kan ik me niets meer herinneren, want ik was nog heel klein. Mijn moeder ging in het café werken en oma paste op mij. Ik kan me herinneren dat ik op een warme dag als kind in een teil water op de stoep voor het café zat; het terras was er toen nog niet.

Een paar jaar nadat we terug waren, kreeg mijn moeder kennis aan een nieuwe man met wie zij ging samenwonen in de Keizersstraat, hier vlakbij. Ze hadden daar ook een kamertje voor mij gemaakt. Maar ik kon niet wennen aan de nieuwe regels. Van mijn nieuwe vader moest ik om zeven uur naar bed, dat was ik helemaal niet gewoon bij opa en oma en dat wilde ik natuurlijk niet. Bij oma mocht alles. Het schijnt dat ik de hele straat bij elkaar heb gegild, zo erg dat mijn moeder mijn oma erbij haalde. Oma begreep het wel. Ze zei dat ik beter bij haar kon blijven. Zo bleef ik dus in het huis achter de Cotton Club wonen.

Mijn moeder zocht me iedere dag op, dan nam zij mijn pasgeboren broertje Dino mee. Die mocht mijn kamertje in de Keizersstraat hebben. Ik heb een topjeugd gehad: ik zag mijn moeder iedere dag, mijn oma was heel lief en de klanten van het café waren allemaal dol op me. Als er kermis was namen ze me altijd mee en had ik een hoop plezier. Op school was ik het enige gekleurde kind. Als bij het kerstspel de Drie Koningen werden uitgebeeld, was ik altijd Baltasar, de donkere. Zes jaar lang. Korte tijd werd ik gepest met mijn 'gekke' haar. Maar dat was snel over, want toen mijn oma dat hoorde, is ze op die school verhaal gaan halen.

Toen ik zo'n jaar of vijftien was, verhuisde ik met mijn grootouders naar de Henriette Ronnerstraat. Ik heb na de lagere school nog even op de spinazieacademie (huishoudschool) gezeten, maar zodra het mocht ben ik gaan werken. In mijn eerste baan was ik koffiejuffrouw bij Aurora Ateliers. Een enkele keer mocht ik daar jurken showen als jongste model, maar toch ben ik daar maar kort gebleven. Daarna heb ik nog bij Mollis Tassenatelier gewerkt. Dat heeft ook niet langer dan een halfjaar geduurd en zo kwam ik dan in die broodjeszaak op het Rembrandtplein.

Toen ik hier in 1971 begon, was het een heftige tijd. Er kwamen heel aardige jongens in de Cotton Club, van wie ik achteraf pas begreep dat zij met het dealen in heroïne hun geld verdienden. Maar wie wist in die dagen nou wat heroïne was? Zelfs commissaris Toorenaar had geen idee. Agenten kwamen wel eens de Cotton Club binnen terwijl dat spul open en bloot op een tafeltje lag. "Wat is dat?" vroeg een van die agenten. "O, dat is ve-tsin, een Chinese specerij," zei iemand dan en iedereen geloofde hem.

Bovendien dealden de meeste Surinamers hier voor eigen gebruik. In het begin kochten de jongens het nog om aan de handel te verdienen, maar in *no time* dealden zij alleen nog maar om het voor zichzelf te kunnen kopen. Mijn grootvader zat er niet zo mee dat die jongens dealden. Toen die jongens er pas mee begonnen waren, haalde hij er zelfs geintjes mee uit. Dan stampte hij stiekem een klontje suiker fijn. Als hij daarmee klaar was, legde hij het poeder in een vloeitje op de bar, zodat iedereen het kon zien. Hij rolde een shagje en strooide wat van de suiker over de tabak. Iedereen dacht dat mijn opa heroïne zat te roken. Zij hadden natuurlijk beter moeten weten. Opa was een drinker en geen gebruiker. Na verloop van tijd hield hij op met dat soort grappen. In die tijd had nog bijna niemand door wat een rotzooi die heroïne eigenlijk was, ook grootvader niet. Maar voordat je het in de gaten had, was je verslaafd aan die troep.

In het begin van de jaren zeventig had de Cotton Club een slechte naam, die al was ontstaan in de tijd dat de Amerikanen en de kunstenaars hier wiet gebruikten. Later kwam daar de heroïne bij. Dat leek de hele wereld wel te weten, want in 1973 stonden daar ineens twee mannen in de kroeg. Eerst geloofde ik mijn ogen niet, want die twee leken sprekend op Mick Jagger van de Stones en Billy Preston. Ik herinnerde me ineens dat ze hier op tournee waren en realiseerde me dat zij het echt waren. De klanten herkenden hen dadelijk en sommigen boden Preston sigaretten en snuifjes aan. Mick Jagger zei niets en liet Preston het woord doen. Preston nam een trekje, snoof een lijntje en kocht voor een habbekrats een hoeveelheid heroïne. Toen de deal gesloten was, vertrokken zij. Ik heb hen nooit meer in het café teruggezien.

Volgens mij was het in hetzelfde jaar dat er onverwacht twee agenten binnenkwamen. Zij hadden een mij volstrekt onbekende man bij zich. Dat bleek een Duitse toerist te zijn. Die kerel wees een van mijn klanten aan en beweerde dat die jongen hem had gerold. De agenten gingen op hem af om hem te arresteren. Ik denk dat er zo'n tachtig man aanwezig waren in het café. Ik stond met Humphry Spa en Rico Anijs achter de bar. Mijn grootouders waren die dag naar Emmeloord om een caravan te kopen. Toen die agenten probeerden die jongen in de boeien te slaan, bemoeiden de andere klanten zich ermee. Voordat we er iets aan konden doen, zaten er zowat tachtig man boven op die twee agenten.

Voor dat soort akkefietjes had zo'n beetje iedereen in de horeca in de buurt een bus met traangas achter de bar liggen. Dat spul kwam uit Duitsland en was hier toen nog niet verboden. Het hielp als je een stel van die dolle vechtersbazen tot rust moest manen. Dus ik pak die bus en spuit het gas op die vechtende kerels. Die stuiven huilend uiteen en de agenten weten zich in veiligheid te brengen door naar buiten te vluchten. Volgens mij heb ik die twee hun leven gered. Maar daar dacht de politie anders over. Even later zijn die twee agenten terug met versterking en word ik gearresteerd omdat ik twee agenten belaagd zou hebben. Ik duw een van die kerels van me af, dus die kerel valt tegen de bar aan. Begint een andere agent mij te slaan en te duwen zodat ik tegen de bierpomp aan val. De volgende dag was mijn hele arm blauw. En schelden dat ze deden: ik was een vuile stinkhoer die uit een klapperboom was gevallen. Ik kreeg handboeien om en moest mee naar het bureau, waar zij mij in een cel gooiden. Ik heb daar de hele nacht in die cel gezeten. Ik was als de dood dat er brand zou uitbreken en ik er niet meer uit kon. De volgende morgen kwam mijn opa naar het bureau. Ik kon hem in mijn cel horen schreeuwen. Of ze godverdomme helemaal belazerd waren geworden en of zij wel wisten dat mijn vader dit kloteland had bevrijd. Ik mocht natuurlijk niet onmiddellijk met hem mee, maar een paar uur later lieten zij me toch gaan. Ik dacht nog bij mezelf: als er weer zoiets gebeurt, steek ik geen poot meer uit.

De volgende dag stond het hele verhaal in *De Telegraaf*. Die politiemannen zouden met zijn tweeën stand hebben gehouden tegen tachtig woedende Surinamers, totdat ik me ermee bemoeide en de politie wegjoeg door ze met traangas te bespui-ten. Heb je het ooit zo zout gegeten? *De Telegraaf* was de enige krant die we zo nu en dan lazen, maar iedere keer als er weer dergelijke berichten in die krant stonden, riep mijn opa: "Ik wil die krant nooit meer zien. Die krant is niet eens goed genoeg om mijn reet mee af te vegen." Maar een paar dagen later vroeg hij mij: "Haal een *Telegraaf* voor mij want die leest zo lekker."

Mijn opa was een heel leuke man, maar niet zo'n goede on-dernemer. Hij vond de mensen leuk, net als ik. Hij had rijk van de zaak kunnen zijn als hij wat strenger voor zijn personeel en zijn klanten was geweest en de borrel had laten staan. Oma was lief voor de kinderen, maar zij was ook een keiharde. Ik weet nog goed dat opa een diamanten ring voor haar had gekocht. Dat was toen ze met de zaak stopten. Hij had dat ringetje ver-stopt tussen de steentjes in een cactusplant. Je weet wel, dan leggen ze wat grind op de pot waar de cactus in staat. Mijn oma zag die steen natuurlijk niet, dus zei mijn opa dat ze beter moest kijken. Toen ze het ringetje vond, zei ze helemaal niets, maar stopte het wel weg. Waarschijnlijk dacht ze: hij heeft ze-ker iets goed te maken. Maar zo was het niet: opa was gewoon heel erg lief.

De politie bleef de Cotton Club tot 1975 herhaaldelijk binnen-vallen. Een van de agenten die het op ons gemunt hadden, stond onder de Surinamers bekend als "Bigi Noso", de grote neus. Als de zaak vol zat, hoorde je keer op keer van buiten roepen: "Bigi Noso!" Dan waren er altijd wel een paar jongens die zo snel mo-gelijk probeerden weg te komen. Meestal vonden de agenten dan helemaal niets. Diezelfde Martin Hoogland ging later voor de Joegoslavische maffia werken.

Het was een woelige tijd. In bijna alle cafés in de buurt ge-beurde wel eens wat. Zo kregen twee jongens op de Zeedijk in een café ruzie tijdens het gokken. Ze gaan uit elkaar en een van die twee jongens komt hier het café binnen om verder te gok-ken. Maar die andere jongen is hem gevolgd, omdat hij nog geld van hem wilde hebben. Komt die gek hier het café binnen en begint in het wilde weg om zich heen te schieten. Hij let wel op dat hij niemand raakt en schiet voornamelijk in de lucht, maar de klanten schrikken zich rot. Er zit een meisje aan de bar een jointje te roken en die duikt in elkaar. Alleen haar hand met die joint komt nog boven de bar uit. Die gek met het pistool loopt langs haar om de kroeg weer te verlaten. In het voorbijgaan neemt hij die joint uit haar hand. Die meid was niet eens in de war van de schietpartij, maar ze was wel razend dat haar joint was gejat.

Het zat mijn grootvader toch wel dwars dat de Cotton Club zo onder vuur bleef liggen. Eigenlijk was dat al jaren aan de gang. Het gebeurde in 1963 al dat de politie het café binnenkwam en een man arresteerde die daar net zat. Bleek die vent voor een moord te worden gezocht, die hij in Den Haag had gepleegd. Mijn opa was razend: "Godkolere, er zijn honderdduizend cafés op de Zeedijk, waarom moet die klotekerel nu juist hier in mijn kroeg komen. Ik heb al zo'n slechte naam. Misschien dacht die kerel: het is hier donker, ik zit hier goed." Op het laatst werd opa doodmoe van die dingen. Hij zat daar aan de bar met zijn hoofd te schudden, het leek wel of hij parkinson had. In 1974 stopte hij ermee en deed hij de zaak over aan Annie.

Pas nadat ik er al jaren werkte, hoorde ik dat het café een tijd op de nominatie heeft gestaan om te worden afgebroken. Laatst kwam hier iemand binnen, die zei: "Ik heb nog meegedaan met die kraakacties, zonder ons zou je café er niet meer zijn geweest." Ik zeg: "Meen je dat nou?" Hij zegt: "Ja, anders zou er een snelweg gekomen zijn." Ik zeg: "Nou nog steeds bedankt." Volgens mij wist Annie ook niks van die voornemens. Ik kon me wel iets voorstellen bij de plannen van de gemeente om de buurt af te breken en dat gold ook voor heel veel bewoners. De huizen waren oud en slecht onderhouden. Veel woningen waren onbewoonbaar verklaard en er waren overal gaten tussen de huizen, omdat ze op de plaats waar de huizen werden afgebroken, geen nieuwe meer bouwden. De wijk leek veel op een verrot gebit en het was logisch dat de buurt verloederde.

Misschien zijn die metrorellen ook daarom wel grotendeels langs me heen gegaan. Ik dacht steeds: wat een gedoe voor een paar onbewoonbaar verklaarde woningen. Ik herinner me een dag waarop de ME was uitgerukt. Een stel van die activisten rende bij ons naar binnen. Zij liepen via de keuken de woning binnen, waar Annie toen sliep. De politie kwam erachteraan, maar ze hadden een kast voor de keukendeur gezet zodat de politie er niet in kon. De agenten zijn toen weggegaan en niet meer teruggekomen.

Uiteindelijk zijn heel wat van die activisten ook na de renovatie van de buurt hier blijven wonen. De woningen, die ze eerst gekraakt hadden, zijn intussen heel redelijk opgeknapt en ze zitten er nog steeds voor een heel lage huur. Soms hebben ze de huizen zelfs voor een schijntje gekocht. En nu klagen die relschoppers van toen over de geluidsoverlast van de cafés. En wat ik helemaal schandalig vind, is dat ik er wel eens eentje heb horen protesteren dat er een kleurling in hun buurt kwam wonen. Wel is door de aanleg van de metro de boel hier verzakt. Dat zie je aan de Waag, maar ook aan de spiegels hier aan de wand. Die zijn allemaal gebarsten, doordat de vloer is verzakt.

In het jaar voor de rellen, toen ik net achttien was, kreeg ik een vriend. Hij reed in zo'n grote Pontiac. Ik woonde toen nog bij mijn opa en oma in de Henriette Ronnerstraat. Als mijn vriend me dan in die grote auto kwam ophalen, vroeg mijn opa nieuwsgierig wat die jongen eigenlijk deed voor de kost. Toen, in het begin, wist ik nog niet dat hij in heroïne handelde. Hij had me verteld dat hij slijper was in een scheermesjesfabriek. Misschien is hij ooit zo begonnen, dat weet ik niet eens, maar dat zei ik dan ook tegen mijn opa. Maar die zei dadelijk: "Ja, ja, diamantslijper zal je bedoelen." Dat mijn vriend een dealer was, merkte ik pas later. Maar ondanks dat verwende hij me ontzettend, wat ik natuurlijk heel erg prettig vond. Hij betaalde mijn rijlessen, ik kreeg een bontjas, een diamanten ring. Van mijn eigen geld kocht ik een tas van 600 gulden. Achteraf heb ik er wel eens spijt van dat ik al dat geld ook onmiddellijk heb uitgegeven. Ik zou het nu heel wat beter kunnen gebruiken.

Het duurde niet zo heel lang voor Willy erachter kwam dat ik met een dealer ging. Zij vroeg me steeds of ik niet iets voor haar mee kon nemen, maar dat vergat ik keer op keer. Dat komt ook omdat het spul zelf mij helemaal niets interesseert. Ik lijk wat dat betreft op mijn opa: geef mij maar een borrel. Toen begon Willy te klagen dat ik niets om haar gaf. De volgende dag, ik sliep toen bij mijn vriend, schoot het me vlak voordat ik de deur uit ging te binnen dat Willy me er herhaaldelijk om gevraagd had. De dope stond meestal in een zak op de keukentafel, dus ik loop nog even terug en doe een graai in die zak. Omdat ik ook niet zo gauw wist hoe ik het spul mee moest nemen, heb ik het maar in mijn broekzak gestopt. Toen ik eenmaal in de Cotton Club was, was ik het hele voorval alweer vergeten, totdat Willy me vroeg of ik nog aan haar gedacht had. "Natuurlijk heb ik aan mijn liefste tante gedacht," zei ik tegen haar, "ik heb je droompoeder hier in mijn zak zitten." Ze keek me werkelijk aan alsof ik diep gestoord was. Ik moest mee naar de keuken en mijn broek uittrekken. Nadat ze de heroïne uit mijn zak had gehaald en in een busje had gestopt, heeft zij de naden van mijn broek heel zorgvuldig met een aardappelmesje schoon staan krabben. Maar je kon zeggen van haar wat je wil, Willy was wel een klassejunk, ze heeft nooit de hoer gespeeld. Kort daarna heb ik het met die jongen uitgemaakt. Het bleef natuurlijk wel een dealer.

In 1974 gebeurde er ineens heel veel. Mijn opa stopte ermee en ik kreeg een nieuwe vriend en raakte zwanger. In datzelfde jaar was er weer een schietpartij in de Cotton. Hoewel het er aanvankelijk heel ernstig uitzag, bleek het wel mee te vallen. Erik, een Surinamer die in de Bijlmer woonde, viel nadat er geschoten was kermend op de vloer en bleef maar roepen dat hij getroffen was en doodging. We hebben toen meteen de ambulance gebeld. Al snel was die er en de broeders legden Erik

Marion ongeveer achttien jaar oud (met pruik en valse wimpers)

op een brancard en droegen hem naar buiten. Daar ontstond ineens een heel tumult en plotseling kwam Erik kerngezond weer naar binnen lopen. Zijn klompen lagen nog op het tafeltje. "Ben je dan niet geraakt?" vroeg iemand. Bleek dat er met een alarmpistool was geschoten en het platte kogeltje hem geraakt had. Het tragische van het geval was dat hij twee dagen later, toen hij in de galerij van zijn flat liep, iets zei tegen een man die zijn hond uitliet. Ze kregen ruzie en die man steekt hem dood.

Een jaar nadat mijn dochter Dewi werd geboren, dus in 1976, verlengde de gemeente de drankvergunning van het café niet meer. Dat was natuurlijk een regelrechte ramp waar niemand echt op gerekend had. De Surinamers bleven komen, maar Annie verbood hun om nog te gebruiken. Daar hielden zij zich bijna allemaal aan en dat er geen drank was, vonden zij niet erg, want ze gebruikten toch allemaal frisdrank. Dat heb je met verslaafden. Annie probeerde er een ander café van te maken en op de geluidsinstallatie werd alleen nog maar Johnny Jordaan en André Hazes gespeeld.

Begin jaren tachtig kreeg Annie de vergunning weer terug. Nadat haar jongste zusje, Riekie, van haar man gescheiden was, kwam zij hier ook werken. Riekie heeft me opgegeven voor het programma *Spoorloos* van de NCRV. In 1987 was mijn moeder overleden; je wordt ouder, ik wilde toch graag weten wie mijn vader was. Ik verbeeldde me soms hoe het zou zijn als hij zomaar de kroeg binnen zou lopen en een biertje zou bestellen. Die jongens van dat programma moesten er natuurlijk voor naar de VS en ze hebben 'm nog gevonden ook, maar hij was al overleden. Dat is *the story of my life*, ik ben altijd te laat, hiermee ook. Het was wel raar om te horen dat hij altijd over mij sprak en dat mijn naam op de rouwkaart stond, tussen de drie kinderen die hij bij zijn tweede vrouw had gekregen. Toch heeft hij nooit naar me gezocht, hij had zo naar Amsterdam kunnen bellen. Ik moest wel even aan het idee wennen dat ik nog twee halfbroers en een halfzus bleek te hebben.

De NCRV haalde ze naar Nederland. Op de opnamen in Amerika leken ze heel vroom, actief in de kerk daar. "We willen dat Marion weet dat we van haar houden," riepen ze stuk voor stuk, maar toen ze eenmaal op kosten van de NCRV in Amsterdam waren, bleken ze wel heel erg op de centen. Ze wilden alles voor niks en wat de NCRV niet vergoedde, heb ik betaald. Ik heb geen contact meer met ze.

Toen Annie vijfenzestig werd in 1996, wilde ze het café verkopen. Riekie en ik wilden het café samen overnemen, maar we hadden natuurlijk geen geld. Daarom gingen we met de leverancier van de gokkasten praten, omdat hij ons misschien wel geld wilde lenen. Maar die man zei dat de tijd ongunstig was en dat hij niet het risico wilde nemen zo'n groot bedrag te financieren. Hij had al te veel geld uitstaan en ried ons af om in die tijd voor onszelf te beginnen. We gingen ervan uit dat de bank ons het geld ook niet wilde lenen, bovendien was het bij mijn opa en oma thuis niet de gewoonte om schulden bij de bank te maken. Toen opa indertijd het pand kon kopen voor 11 000 gulden, zei hij: "Misschien verdien ik morgen een stuk minder en kan ik de aflossing niet meer betalen." Wie kon op dat moment, in 1996, nu weten dat die Nieuwmarkt korte tijd later zo *booming* zou worden? Cok Dittmar, die hiernaast al een zaak had, heeft de Cotton toen gekocht. Annie maakte vaak een praatje met 'm als ze buiten stond te vegen. Ze maakte zelf schoon, net als ik, het is gewoon zwaar. Als ze dan weer eens stond te mopperen, zei Dittmar vaak dat hij het café wel wou kopen als zij er genoeg van had.

Nee, ik lag er niet wakker van dat het café niet meer in de familie zat. Ik kon er blijven werken en ik had het meeste verleden met de kroeg, daar kwamen de mensen voor. Het verhaal van het café was leuk, en dat was het verhaal van mijn familie. De Cotton werd een hype. We hadden de beste muziek van de Nieuwmarkt. De Zeedijk was voor een deel opgeknapt en de hele Nieuwmarkt zat in de lift. Er kwamen steeds meer buitenlanders en op hoogtijdagen veel mensen van buiten Amsterdam. We waren bang dat de Nieuwmarkt een Leidseplein zou worden, ze stonden hier met drie rijen dik op straat. Je zag de omzet omhoogvliegen. Met de Uitmarkt hadden we een eigen tent voor de deur, op Koninginnedag was het stampvol, 2000 was een topjaar met 'Sail Amsterdam' en 2002 met het huwelijk van prins Willem-Alexander. Maar de Cotton werd wel een beetje een jeugdhonk, de oude buurtbewoners kwamen hier niet meer.

In die tijd kocht Cok een hotel in Italië en hij kon zijn zaken in Nederland moeilijk vanuit de verte leiden. In 2002 bood hij de Cotton Club te koop aan. De prijs bepaalde hij op grond van de jaaromzet en die was behoorlijk gestegen in de tijd dat hij het café had gerund. De prijs werd onder meer bepaald door het feit dat de Nieuwmarkt een A-locatie was en ook de geschiedenis van het café droeg bij aan de hoogte van de prijs. Ik wilde de kans het café te kopen niet voor een tweede keer voorbij laten gaan, ook al moest ik dan voor mijn eigen verleden betalen. Ik ging daarom met de brouwerij praten. Dat had ik in 1996 al moeten doen. De brouwerij wilde mij geld lenen, maar op voorwaarde dat ik een ondernemersplan overlegde. Uiteindelijk kwam ik ondanks de lening van de brouwerij nog honderdduizend euro tekort. Ik was radeloos omdat ik dat bedrag niet bijeen kon krijgen. Het was dan wel veel geld, maar zoals Cok het me had voorgerekend, klonk het heel logisch. Het café had de afgelopen jaren goed gedraaid en het was er dagelijks stamp- en stampvol. De grote biertanks op de binnenplaats waren in die dagen geen overbodige luxe.

Ik was zo ten einde raad dat ik er op een verjaardagspartijtje van mijn familie over ben begonnen. Dat is eigenlijk heel raar van me, want gewoonlijk ben ik niet zo'n flapuit, maar de hele geschiedenis zat mij goed dwars. Op die verjaardag was ook mijn halfbroer. Toen ik mijn verhaal verteld had, zei hij dat hijzelf zoveel geld niet had, maar wel iemand kende die het hem zou willen lenen. Eerlijk gezegd leek dat mij een uitkomst. Ik zag er toch wel een beetje tegen op om de zaak in mijn uppie te drijven. "Waarom doen we het niet samen, Dino?" vroeg ik hem zonder er langer over na te denken. Dino zag daar wel iets in. We zouden ons bij de Kamer van Koophandel als vennootschap onder firma kunnen laten inschrijven.

Uiteindelijk was ik dolgelukkig toen ik te horen kreeg dat mijn broertje erin geslaagd was dat geld te lenen. Toen het café eenmaal van mij en mijn halfbroer was, bracht ik het zo veel mogelijk in de oude staat terug. Mijn oma had altijd van die ouderwetse lampjes hangen, die kon ik voor een prikkie ergens op de kop tikken. Ik haalde ook het oude buffet terug. Ik plakte van dat rode behang op de muur, zodat het er weer helemaal als vroeger uitzag. De houten lambrisering schilderde ik weer bruin. Dat viel me nog tegen, want als mijn opa half lazarus was, zei hij soms ineens: "Ik ga schilderen." Je wilt het niet weten, die wanden zijn groen, rood en grijs geweest. We hebben weken werk gehad om al die lagen verf eraf te krabben. De tegels van de wc's waren groen geschilderd, daar ging iedereen natuurlijk op krassen. Ik heb daarom een vriendje van mij gevraagd om er van die oud-Hollandse tegels voor te maken. Dat is echt heel mooi geworden. Ik had een hoop schuld, dus moest ik het personeel dat Dittmar had aangenomen voor een groot deel ontslaan. Dat was jammer, want er waren aardige mensen bij.

Op het moment dat ik de zaak kocht, heb ik er geen seconde bij stilgestaan dat ik door die samenwerking met Dino later in de problemen kon komen. Dat is ook pas begonnen toen er in 2006 een opsporingsbevel naar hem uitging omdat hij werd verdacht van handel in drugs en afpersing. Ik kreeg dadelijk justitie op mijn nek met de vraag voor hoeveel geld Dino in de zaak zat. Als ik het contract met Dino niet ontbond en van de Cotton Club geen eenmanszaak maakte, dreigde de gemeente het café te sluiten. De boekhouder rekende voor me uit dat de zaak in de afgelopen vier jaar 54 procent in waarde was gedaald op basis van de vermindering in omzet. De Nieuwmarkt was niet het uitgaansgebied geworden waar iedereen op had gerekend. Dat betekende dat er nog maar 46 000 euro over was van de ton die Dino erin had gestoken. Dat was volgens hen crimineel geld en moest niet aan Dino, maar aan hen terugbetaald worden in het kader van de pluk-ze-wetgeving. Dat was uiteindelijk het bedrag dat ik aan justitie moest betalen.

Ik dacht dat ik daarmee van het gezeur af was. Nou, dat had ik dan mooi mis. Nu de zaak veranderd was van een vof in een eenmansbedrijf, moest ik een nieuwe vergunning aanvragen. De gemeente hield mijn vergunning aan, omdat ze de zaak niet vertrouwde. De gemeente wilde eerst uitzoeken of mijn broer niet op de een of andere manier belangen in de zaak had. Dino was ondergedoken in die tijd en de politie deed er alles aan om erachter te komen waar hij zat. Zijn dochter vertelde een keer dat de politie hun huis in Purmerend dag en nacht in de gaten hield. Toen zij met de familie sinterklaas vierden, hadden ze een Sinterklaas ingehuurd. Toen die na afloop het huis verliet, werd hij op straat aangehouden door een paar stillen die hem stonden op te wachten. Zij lieten Sinterklaas een foto van mijn broer zien en wilden weten of die man ook bij het feestje aanwezig was.

De problemen die Dino met justitie heeft, hebben dus ook allerlei gevolgen voor mij. Soms word ik daar doodmoe van. Als er iemand met een sigaret mijn zaak binnenkomt, moet ik hem gelijk doorsturen naar het rookhok, omdat ik weet dat er extra op me gelet wordt. Een andere keer hoor ik via via dat er binnenkort mensen langskomen om te kijken of mijn muziek niet te hard staat. De ambtenaren komen dan met hun decibelmeters om de sterkte van het geluid op te nemen en als het maar een paar decibel te veel is, krijg je een waarschuwing en als je niet oppast een flinke boete. Zolang de gemeente mijn vergunning aanhoudt, moet ik op mijn tenen lopen. Dat is begonnen in 2006, dus het duurt nu al zo'n jaar of vijf.

Het gaat er niet altijd even eerlijk aan toe. Er komt hier een vrouw in de kroeg van wie ik hoorde dat zij jaren achtereen de belasting had ontdoken. Toen de FIOD haar zaak binnenviel, heeft zij een deal kunnen sluiten. Ze stonden haar toe om een navordering van 50 000 euro af te kopen voor 20 000 euro. Maar als een café-eigenaar hier in de buurt een kleine belastingschuld heeft, staat er binnen de kortste keren een deurwaarder voor zijn deur en krijgt hij nog een boete ook.

Dino is veroordeeld voor onder andere handel in drugs, maar ik vind dat we met drugs nogal merkwaardig omgaan in dit land. Dagelijks verkoop ik een harddrug, die toevallig legaal is, terwijl een of andere sloeber opgepakt wordt omdat hij een paar grammetjes hasj of coke verkoopt. Dezelfde coke die door de nette jongens van justitie gesnoven wordt als zij een party hebben.

Nu vind ik dat we niet te veel mogen klagen, want we leven in een heel redelijk land. Mijn moeder is de States letterlijk uit gekeken, omdat ze met een neger was getrouwd. Aan de andere kant leven we wel in een land met klassenjustitie. Mijn opa zei dat altijd al tegen me en hij kon het weten, want hij heeft het een en ander meegemaakt met mijn neef Fritsie. Maar ook in kleine dingen merk je die ongelijke behandeling. Neem nou het parkeerverbod hier op de Nieuwmarkt. Ik heb hier een bedrijf, maar als ik even voor het café te lang sta te lossen, krijg ik een bekeuring. Terwijl laatst toen er een bijeenkomst van de gemeente was hier aan de overkant, er midden op de Nieuwmarkt vier auto's geparkeerd stonden, allemaal met een parkeerontheffing. Hadden ze dat even voor die jongens van de gemeente geregeld, als dank voor het feit dat ze de Wallen kapotmaken met hun 1012-beleid.

Niemand in de buurt is blij met dat beleid. Ze willen van het Oudekerksplein en de Oudezijds Voorburgwal een duur uitgaanscentrum maken. De hoeren moeten weg om de misdaad, die aan een deel van de prostitutie kleeft, te bestrijden. Ik heb een hekel aan vrouwenhandel, maar ik geloof niet dat je die misdaad bestrijdt door het grootste deel van de ramen te sluiten. Wat fout is, gaat dan ondergronds en dat wil niemand hebben. En waarom ze hier dure toeristen heen willen halen begrijp ik al helemaal niet. De Wallen zijn het hele jaar door druk en gezellig.

Toch blijf ik het werk leuk vinden. Je hoort verhalen waarvan je weet dat ze glashard gelogen zijn, maar je doet er gewoon aan mee. Soms heb je de hele avond geen moer te doen, maar komt er de laatste tien minuten een gast binnen die gewichtig doet en zegt dat hij bedrijven adviseert, maar er zelf niet uitziet. Dan lig ik in mijn bed nog in een deuk. Ik houd van al die verschillende soorten mensen. Schotten, dat zijn de leukste mensen die er zijn. Ze komen met z'n tienen de zaak binnen en dan is het: "Mag ik alstublieft een biertje?" Er komt hier een meissie wel eens een biertje drinken. Zij speelt hier in de buurt de hoer en als het werk erop zit, moet ze nog twee uur met de trein of zo. "Wat vind je vent daar nou van?" vraag ik. "Ach, we doen het voor het geld, ik kan het makkelijker verdienen dan hij," zegt ze. Zo maak je toch pooiers, denk ik dan, wat een kind. En volgens mij verdient ze ook niks want zo mooi is ze niet. Gelukkig is de zaak nog een beetje gemengd, hoewel ik het zo langzamerhand te blank vind. Het is hier een beetje een yuppenbuurt geworden.

Twee jaar terug is mijn tante Willy overleden. Ze had al een paar jaar kanker. Van de morfinetabletten die zij kreeg, bewaarde zij er steeds een paar. "Voor later," zei ze dan, "als ik eruit wil stappen." En toen, op een dag in mei, was het zover. Willy liet al haar vrienden en bekenden komen. Ze had gevraagd of we drank en sigaretten mee wilden nemen, omdat zij een afscheidsfeestje gaf. Eigenlijk vond ik het heel gek, want terwijl we allemaal wisten dat zij het eind van de avond niet mee zou maken, werd het toch nog een vrolijk feest. Toen ze zo lachend en vrolijk op haar bed zat, vroeg iemand of ze geen spijt had dat het haar laatste avond was. Maar zij bleef lachen en zei: "Ik weet precies hoe ik me morgen voel als ik er niet mee ophoud. Het is mooi geweest. Alleen moeten jullie me beloven dat als ik word opgebaard in de Cotton jullie je boven mijn kist lam zuipen. Maar ik sta erop dat iemand van jullie een gaatje in die kist boort, want ik wil het wel allemaal kunnen zien." Diezelfde avond overleed Willy heel vredig. De opgespaarde morfinetabletten waren niet nodig. De huisarts had voor een laatste drankje gezorgd.

Net als Willy is mijn moeder overleden aan kanker, terwijl Annie een paar jaar terug aan kanker is geopereerd. Die rotziekte zit kennelijk in de familie. Sinds kort gaat het ook met Annie weer niet zo goed. Dat komt wel op een lullig moment, want ik heb gisteren een brief van de gemeente ontvangen dat ze de Cotton Club per 1 februari 2011 gaan sluiten. Mijn broertje is vorig jaar augustus opgepakt en nu zetten ze er na vijf jaar ineens haast achter. Hoewel mijn broer niets meer met het café te maken heeft, doen ze nog steeds alsof de kroeg een onderdeel is van een criminele organisatie. In het kader van de BIBOB-wet moet ik nu dicht. Alles is voor niets geweest. Annie heeft me laten weten dat zij net als Willy in het café wil worden opgebaard. Ik vind het best, als ze maar voor 1 februari overlijdt, anders is het te laat. Ik heb haar overigens niets over die brief verteld, dat hoeft ze niet te weten. Ze heeft al genoeg met zichzelf te stellen.'

De portemonnee van Teddy

HOOFDSTUK 15

BIBOB OF BEBOP

GISTEREN

Nadat Annie op haar zevenenzestigste jaar aan kanker is geopereerd, ontfermt haar zoon Henry zich over haar. Hij heeft niet ver van zijn eigen woning in Diemen een leuk huisje voor haar weten te huren. Zo kan hij haar dagelijks bezoeken en kan Annie haar kleindochters regelmatig zien. Het is een zware operatie geweest en hoewel deze redelijk gelukt is, heeft Annie er blijvende gevolgen aan overgehouden: de gezichtsspieren aan de rechterkant van haar gezicht zijn verlamd en zij kan nog slechts fluisterend praten. Ondanks die handicap weet zij zich de eerste jaren na de operatie heel goed te redden.

Hoewel de verhouding met Ropie al sinds het einde van de jaren tachtig voorbij is, blijft hij haar trouw iedere donderdag opzoeken. Ropie voelt zich ondanks zijn jicht nog jong: hij is pas tweeënzeventig en heeft alweer tijden een nieuwe vriendin. Maar Annie heeft een speciale plek in zijn hart veroverd. Als hij donderdag in de middag komt, is er altijd wel iets te doen in huis. Het bankje in de voortuin moet gerepareerd worden of de achtertuin is aan een onderhoudsbeurt toe. Op het gasfornuis staat dan al een pannetje met eten te wachten. Rond de klok van zes eten zij gezamenlijk de door Annie klaargemaakte maaltijd, daarna kijken ze samen tv en praten zij over vroeger.

Er gaat in die jaren geen dag voorbij of Annie vraagt zich af of ze niet liever in de Flesseman op de Nieuwmarkt wil wonen. Ze mist haar oude buurt, net als haar café. De radio in haar woonkamer staat onveranderlijk afgestemd op een zender met

Amsterdamse levensliederen. Een kast in haar slaapkamer herbergt de vele dozen met foto's van feesten in de Cotton Club en kleinoden van Teddy Cotton, zoals een portemonneetje, met ballpoint beschreven: NEW ORLEANS, NEW YORK.

Nog altijd kijkt ze verwachtingsvol op als ze aan bezoekers een foto van de donkere man met zijn sprekende ogen laat zien: 'Teddy.' Het gesprek gaat dan verder over de Cotton Club en de tijden dat Annie na sluitingstijd met haar vriendinnen in de stad ging dansen. Als het zo uitkomt, doet ze graag een dans voor. 'Kom je, Roop?' Langzaam schuifelt ze naar voren, een arm op de bovenarm van Ropie, het hoofd omhooggeheven. Onder de lange blauwe fluwelen rok zijn blote voeten zichtbaar, gestoken in simpele muiltjes. De coltrui, die tot op haar heupen reikt, kan niet verhullen dat ze mager is geworden. Bijna tachtig is ze, maar met haar dunne lichte pony heeft ze nog steeds het gezicht van een meisje. Het zwarte lapje voor haar zwakke oog werkt als een zachtmoedig accessoire.

Op 20 januari 2011 overlijdt Annie, negenenzeventig jaar, en op woensdag de 26e ligt ze op haar uitdrukkelijke wens opgebaard in haar Cotton Club, net als haar zusje Willy een aantal jaren eerder. Vrienden en bekenden kunnen in de tot rouwkamer omgetoverde rokersruimte afscheid van haar nemen. Vlak voor haar overlijden is Annie met Henry nog eenmaal in de Cotton Club geweest. Ze hebben samen naar de foto's aan de muur gekeken en Annie heeft laten weten dat er op haar uitvaart muziek van Willy Alberti, van Louis Armstrong en Sam Cooke moet worden gedraaid. De sfeer in de Cotton Club is intiem als zij daar ligt, de rode gordijnen zijn dicht, er branden kaarsen, langs de wanden staan bloemstukken met lange linten. Op de kist ligt een boeket met rode Surinaamse bloemen. Dood en leven, privé en beroep vormen even een volstrekt natuurlijke eenheid. Annie achter, de stamgasten voor in het lawaaiige café, rokend, drinkend, etend, en pratend. Er is worst, kaas en later op de avond pindasoep. Zo moet het vroeger vaak gegaan

Annie, opgebaard in haar Cotton Club

zijn, de kroegbaas, maar soms ook stamgasten, opgebaard op het cafébiljart en van daaruit 'uitgedragen'.

Jetty Suijkerbuijk is gekomen. Ooit was zij het veel gefotografeerde meisje dat model stond voor de pleinerjeugd, maar nu is zij zelf geschiedenis geworden. Nog altijd wordt haar geregeld door journalisten gevraagd om over haar pleinerverleden te vertellen. Jan Smit, die, nadat hij zijn kroeg op de Zeedijk aan zijn zoon had overgedaan, nog graag bij Annie in het café kwam, is weggebleven. Hij vreest dat de kist nog niet gesloten is. Morgen, bij de uitvaart, zal hij wel aanwezig zijn. Chris de zeeman zit op een barkruk. De drank heeft zijn tol geëist, hij heeft jicht en loopt moeizaam.

Ook de pers, die over de dreigende sluiting door enkele vaste klanten is gewaarschuwd, is aanwezig. Marion weet niet goed wat zij met de mensen van de pers aan moet. Kort voor het overlijden van Annie heeft ze het bericht gekregen dat zij per 1 februari de deuren moet sluiten op grond van de Wet BIBOB, de Wet bevordering integriteitsbeoordelingen door het openbaar bestuur. De wet is in 2003 in werking getreden naar aanleiding van de onderzoeksresultaten van de parlementaire onderzoekscommissie-Van Traa en beoogt de Nederlandse georganiseerde misdaad aan te pakken. De wet geeft de gemeenten de ruimte om bedrijven te sluiten die opgericht zijn om geld wit te wassen: een optreden dat voorheen alleen maar voorbehouden was aan justitie. De gemeente kan in het kader van die wet ook vergunningen weigeren of subsidies intrekken.

Het draait allemaal om Marions halfbroer Dino Soerel. Op 30 december 2009 is deze door de rechtbank van Haarlem bij verstek veroordeeld tot acht jaar cel wegens het leidinggeven aan een criminele organisatie die internationale transporten van drugs organiseerde. Zijn naam wordt ook in verband gebracht met afpersing en betrokkenheid bij liquidaties. Hij staat op de nationale opsporingslijst en is geregistreerd bij Interpol, maar al tijden onvindbaar. Als hij op 27 augustus 2010 door een arrestatieteam wordt opgepakt, is dat landelijk nieuws. Na zijn arrestatie is voor de gemeente het ideale moment aangebroken om de Cotton Club aan te pakken. De ambtenaren op het Amsterdamse stadhuis redeneren dat Dino zijn uit criminele bronnen verkregen geld zou hebben kunnen witwassen dankzij het aandeel dat hij ooit in het café had. Daarmee zou verondersteld kunnen worden dat het café banden had met een criminele organisatie.

Het bericht komt hard aan na de vijf jaar dat de tapvergunning formeel niet is verlengd terwijl het tappen in de Cotton Club wel werd gedoogd. De gemeente heeft nooit vaart achter de zaak gezet, maar nu Soerel onlangs is gearresteerd, blijkt het gemeentebeleid veranderd. Marion is bang dat publiciteit een negatieve uitwerking op haar relatie met de gemeente zal hebben. Toen enkele weken eerder een filmploeg van de hoofdstedelijke omroep AT5 langskwam om opnames te maken voor een documentaire over Amsterdamse jazzcafés, heeft zij met een beslist 'nee, schat' de journalisten nog de deur gewezen. Haar neef Henry maakt haar duidelijk dat het geen zin meer heeft om zo terughoudend te zijn. Hij maakt een afspraak met de journalisten voor een van de dagen daarop.

Op 27 januari verwelkomt in uitvaartcentrum de Nieuwe Ooster de ijle klank van een trompet de bezoekers. Het is de melodie van 'Summertime' uit de opera *Porgy and Bess*:

Summertime... and the livin' is easy
Fish are jumpin'... and the cotton is high...

In de week na de begrafenis heeft Henry enkele interviews met *Het Parool* en *de Volkskrant*. Bart Middelburg, misdaadverslaggever van *Het Parool*, schrijft een positief stukje over de Cotton Club en ook in *de Volkskrant* komt het café er gunstig van af. Inmiddels heeft Henry bij de rechtbank te kennen gegeven dat hij het besluit van de gemeente de Cotton Club te sluiten, namens Marion in een kort geding wil aanvechten. Zolang de zaak aanhangig is, hoeft het café niet dicht. Nu moet er nog een advocaat gevonden worden en dat is voorlopig een probleem, want daar is geen geld voor.

Marion ziet de toekomst somber in. Tot voor kort was er alleen sprake van een schuld die zij had aan justitie. Die betrof het geld dat Dino in de kroeg had gestoken. Bij haar pogingen om dat geld af te lossen, nadat zij Dino heeft uitgekocht, stuit ze op een muur van wantrouwen. Dat blijkt als een vaste zaterdagavondklant, een groot jazzliefhebber, zich voor het openstaande bedrag garant wil stellen – hij is zelfs bereid het Marion voor te schieten. De gemeente, hiervan op de hoogte gesteld, wijst het voorstel af onder het motto: het zal wel crimineel geld zijn en wie vertelt ons dat die geldschieter geen contacten met Soerel heeft? De ambtenaren nemen niet eens de moeite om de financier na te trekken.

Op zaterdag 12 februari 2011 is het stampvol in de Cotton Club. Van alle kanten krijgt Marion steunbetuigingen. Sommige bezoekers houden de hele middag en avond echter een dubbel gevoel en vragen zich af of ze getuige zijn van de zwanenzang van de Cotton Club. Er zijn klanten die het zekere voor het onzekere hebben genomen en naar de Nieuwmarkt zijn gekomen om in ieder geval nog eenmaal een avond in de Cotton mee te kunnen maken. Ondanks de twijfel en onzekerheid swingt de avond als nooit tevoren. Dat is te danken aan de New Cotton Club All Stars, maar ook aan Hans Dulfer, die onaangekondigd met zijn sax op de rug de kroeg in komt om mee te doen aan een spontane jamsessie. 'De Cotton Club mag niet dicht,' scanderen de bezoekers aan het eind van die zaterdagavond de 12e in de microfoon van RTV Noord-Holland. Hans Dulfer roept dat zijn Cotton Club open moet blijven, dat hij daar voor het eerst in zijn leven geconfronteerd werd met de bebop, wat hem gevormd heeft als saxofonist. En dat nu godbetert die club gesloten moet worden door de wet BIBOB. 'Wat BIBOB,' roept hij, 'er is maar één BIBOB en dat is bebop.'

Een van de vaste zaterdagmiddagklanten filosofeert: 'Ze zeggen dat de wereld klein is geworden omdat de grenzen zijn weggevallen en we via de computer met mensen over de hele wereld kunnen communiceren, maar eigenlijk is de wereld heel groot geworden. Toen ik een kind was en in de Kinkerbuurt woonde, was mijn wereld maar een paar straten groot. Tegenwoordig speelt een kind nauwelijks nog op straat, maar zit het te gamen met een computervriendje in China of Amerika. Hier in de Cotton Club is de wereld nog besloten en veilig, zoals het ooit was en zoals het hoort te zijn, daarom mag de Cotton Club niet gesloten worden.' De overweging maakt bij iemand uit het gehoor een schampere opmerking los: 'Wat wij nu nodig hebben is een goede advocaat, geen filosoof.'

Het artikel in *de Volkskrant* komt onder ogen van de advocaat Rob IJsendijk. Hij is als advocaat gespecialiseerd in bestuursrecht en heeft een naam gevestigd als advocaat van ondernemers op de Wallen die een geschil hebben met de gemeente, waaronder geschillen in het kader van de wet BIBOB. IJsendijk is bovendien een fervent muziekliefhebber: hij speelt in zijn vrije tijd basgitaar in een combo en in verschillende gelegenheidsformaties. Hij besluit Marion te hulp te schieten. Hij biedt aan om als pro-Deoadvocaat de Cotton Club te verdedigen. Het is kort dag, de situatie is nijpend. Het is hem vrijwel dadelijk duidelijk dat de gemeente ten aanzien van de Cotton Club een tamelijk chaotisch beleid heeft gevoerd. Aanvankelijk beweren de ambtenaren de vergunning niet af te geven omdat Marion het geld dat zij justitie schuldig is, nog steeds niet betaald heeft. Dat punt sleept zich nu al voort sinds 2006. Nu Soerel gearresteerd is, komt de gemeente plotseling in actie met het besluit het café te sluiten op grond van de wet BIBOB.

Op 16 februari neemt de actrice Nelly Frijda afscheid van de gemeenteraad, waar zij voor Red Amsterdam een raadszetel heeft. Die partij ageert tegen hoofdstedelijke megaprojecten zoals de Noord-Zuidlijn, een metroverbinding die van Amsterdam-Noord via het Centraal Station naar het zakencentrum aan de Zuidas moet gaan lopen. Ook Nelly heeft de onheilspellende berichten over de Cotton Club gelezen en zij besluit haar afscheidsrede in de raad met de mededeling dat zij haar afscheidsborrel op 1 maart in de Cotton Club wil geven. Na het aanvankelijke gelach dat opstijgt, volgt een luid applaus. De raadsleden lijken een ander oordeel over de Cotton Club te hebben dan de gemeenteambtenaren.

Op 18 februari staan Marion, Henry, zijn vriendin en een grote groep medewerkers en trouwe klanten van de Cotton Club in het gebouw van justitie. Er is iemand gevonden die Marion het geld wil lenen dat justitie claimt. De weldoener wil dat alleen doen als het café openblijft, opdat Marion het op termijn kan terugbetalen. Dat betekent dat de gemeente Amsterdam de garantie moet geven dat Marion haar vergunning terugkrijgt.

De belangstelling voor de zitting is zo groot dat het kort geding enige tijd wordt uitgesteld, omdat er een grotere zaal gevonden moet worden. Als het eenmaal zover is en iedereen zijn plaats heeft gevonden, blijkt dat de gemeente door een groot aantal ambtenaren is vertegenwoordigd. Twee dames, juristen van de gemeente, nemen rechts voor de rechter plaats. Links voor de rechter zitten Marion en Henry en naast hen zit Rob IJsendijk, een lange man die zich, gestoken in een ruime zwarte toga, ietwat zwierig beweegt.

De rechter neemt het woord en wijst de juristen van de gemeente op een vormfout. Het officiële stuk dat de sluiting eist van de Cotton Club is niet ondertekend door burgemeester en wethouders, maar door het hoofd van de ambtelijke dienst, waardoor het stuk mogelijk niet rechtsgeldig is. De toon lijkt gezet. Vervolgens geeft hij het woord aan de advocaat van Marion.

Rob IJsendijk stelt dat hij maar weinig heeft op te merken, omdat de zaak meer dan duidelijk is. Los van de vraag of het gemeentebesluit wel rechtsgeldig is, wijst hij erop dat de overeenkomst tussen Soerel en Marion van 2002 is. Hoewel die overeenkomst niet langer geldig is omdat zij in 2006 is verbroken en Marion toen een eenmanszaak is begonnen, wil de advocaat er ook nog eens op wijzen dat de overeenkomst uit het pre-BIBOB-tijdperk stamt. In 2002 bestond de wet nog niet.

Uiteindelijk lijkt het meest steekhoudende argument van de gemeente te zijn dat zij Marion de vergunning weigert, omdat deze de verschuldigde uitkoopsom van 46 000 euro, als crimineel aangemerkt geld, nog niet aan justitie heeft betaald. Er valt haar wellicht laksheid te verwijten, maar hetzelfde kan ook van de gemeente gezegd worden, die de zaak per saldo vijf jaar lang op zijn beloop heeft gelaten. Tot slot vraagt IJsendijk zich in goeden gemoede af wat Marion als persoon in hemelsnaam voor de toekomst aan gevaar voor de samenleving kan betekenen, zoals de gemeenteambtenaren kennelijk van mening zijn aangezien zij de wet BIBOB willen toepassen. Er lijkt hem derhalve geen enkele reden tot sluiting.

In antwoord op het pleidooi van IJsendijk lezen de juristen van de gemeente van papier voor dat de gemeente het voornemen heeft de Club te sluiten omdat Marion in haar verplichtingen is tekortgeschoten en er sprake kan zijn van criminele inmenging. Zodra de rechter een vraag stelt aan de juristen, valt er een stilte. 'En dat zit daar met z'n allen te stuntelen van mijn belastingcenten,' laat Hans Dulfer zich hoorbaar ontvallen.

Ondanks het betoog van de advocaat blijft de gemeente volhouden dat er crimineel geld in de Cotton Club is gestoken. Een situatie die in de ogen van de gemeente is blijven bestaan, omdat Marion het geld nog steeds niet heeft afgelost, ook al is Soerel uitgekocht. Het probleem kan eenvoudig opgelost worden, omdat er een geldschieter is gevonden. Maar deze is alleen bereid de Club het vereiste bedrag te lenen, als Marion in de gelegenheid is het geld op termijn terug te betalen, en dat kan alleen als het café openblijft. Een toezegging die de gemeente pas wil doen als het geld betaald is en de Cotton Club opnieuw is gewogen. Rob IJsendijk bedenkt ter plekke een constructie waarmee het probleem omzeild kan worden. Wellicht kan de gemeente ermee instemmen dat het geld op een aparte rekening wordt gezet, en pas voor justitie beschikbaar komt, nadat de gemeente de vergunning heeft afgegeven.

De juristen verklaren dat de gemeente hiermee akkoord gaat onder voorwaarde dat de boekhouding van de geldschieter over de afgelopen vijf jaar smetteloos is. Zij willen daarvoor niet alleen de belastingoverzichten inzien, maar ook alle bankafschriften over die periode en wel binnen een week. Als er iets met de financiën van de weldoener niet in orde mocht blijken, zal de rechtszaak worden voortgezet. Uit de zaal stijgt een gemompel van onvrede op. 'Een week! Waarom zo weinig tijd?' Voordat er meer commotie kan ontstaan, grijpt de rechter in. Een week is onmogelijk, want op zo'n korte termijn kan de rechtbank niet bijeenkomen.

Uiteindelijk wordt de volgende zitting vastgesteld op 8 maart 2011 en heeft de redder van de Cotton Club tot die dag de tijd om aan te tonen dat hij zijn zaken op orde heeft. Van de zijde van de juristen van de gemeente komt nog een laatste reactie: 'Mochten de financiën niet aan de door de gemeente gestelde eisen voldoen en treft men iets aan dat als verdacht gekenmerkt kan worden, dan behoudt de gemeente zich het recht voor de Cotton Club alsnog te sluiten.' De rechter reageert dadelijk. De rechtbank kan ook in dat geval niet instemmen met een onvoorwaardelijke sluiting, want de raadsman heeft nog enige andere zaken aangestipt die om nadere aandacht vragen.

Opgelucht verlaat iedereen de zaal. Marion gaat slapen. Ze heeft de hele nacht wakker gelegen. Zij heeft last van haar maag en geen hap door haar keel kunnen krijgen.

JAZZ

Het biljart achter in het café is aan de kant geschoven om plaats te maken voor de New Cotton Club All Stars, de huisband van de Cotton Club. Vlak voor het denkbeeldige podium staat een vrouw zachtjes te praten met een man in een leren jasje, de namaakdiamanten ringen aan haar vingers flonkeren in het gedempte licht. Een donkere Surinaamse man leunt tegen de achterwand. Met zijn glas pils in de hand kijkt hij zwijgend het café in. Zoals hij daar staat, met zijn geruite pet nonchalant op zijn hoofd, lijkt hij weggelopen uit de opera *Porgy and Bess*. Een ouder echtpaar waagt zich voor een dans op het kleine stukje granieten vloer dat is vrijgelaten. Hij is geheel in het zwart en draagt een donkere hoed met brede rand, zij is gehuld in een zwart-rood jurkje en draagt kokette rode laarsjes. Nog onwaarschijnlijk soepel voor hun leeftijd dansen zij de jive. Een jonge Surinaamse, lang en lenig, haakt samen met haar blanke vriendin in.

Langzaam loopt het café vol met het zaterdagmiddagpubliek. De meeste vaste gasten zoeken een plek buiten onder de luifel, die als regenscherm dient. Af en toe lopen zij voor een consumptie naar binnen. Vooraan, dicht bij het combo, staat Nelly Linden. Zij komt sinds de jaren negentig in de Cotton Club. Het café roept een gevoel van nostalgie bij haar op, een gevoel van vertrouwdheid. 'Mensen raken elkaar aan, zijn blij elkaar te zien en de wereld van het geld, de computer en het internet bestaat even niet meer.' De sfeer herinnert haar aan de tijd dat er nog romantiek was. Nelly dreef samen met haar dochter jarenlang een winkel voor erotische lingerie op de Wallen, vlak naast de Casa Rosso. Haar dochter ontwierp de kleding, voornamelijk in zwart rubber en leer. 'Zwarte Joop liep nog wel eens langs. Aardige man, groette mij altijd heel vriendelijk. "Gaan de zaken goed, Nelly?" vroeg hij altijd. Maar die tijd is voorbij. De gemeente heeft ons daar weggepest. De warmte is er niet meer. Onze mooie winkel is gesloten. In de etalage staat nog een in lingerie van zwart leer gehulde modepop, anders is het zo'n kaal gezicht. We verkopen nog wel, maar alleen via internet.'

Ook Jerry van der Putt bezoekt de avonden trouw. Hij kent de leden van de verschillende combo's die in willekeurige samenstelling met elkaar optreden. Jerry, grijs halflang haar, in Indonesië geboren, heeft zijn geld verdiend in de filmwereld. In de Cotton Club heeft hij op zaterdag zijn vaste plek aan de bar niet ver van de plaats waar de band speelt. Bijna iedereen maakt wel even een praatje met hem. Jerry, die ook de andere jazzcafés in de stad kent, waardeert de Cotton Club om zijn gemêleerde gezelschap. Volgens hem kun je er 'zowel de psychiater als zijn patiënt tegenkomen'.

Een toerist komt binnen en kijkt naar de gebarsten spiegels langs de wand. Zijn blik blijft hangen bij de spiegel die tegenover het biljart aan de muur hangt. Vanuit drie kleine ronde gaatjes trekken vele barsten door de spiegel. Wijzend op de gaatjes vraagt hij, terwijl de verbazing in zijn stem doorklinkt: 'Zijn dat kogelgaten?' Niemand die het fijne ervan weet of het wil zeggen. 'Ach, er is hier in het verleden wel eens geschoten,' zegt iemand schouderophalend. Als zijn drankje op is en de man wil afrekenen, vraagt hij: 'Kan ik hier pinnen?' De jongen achter de bar, Ammon Faithfull, zoon van de inmiddels legendarische Eddy Faithfull, kijkt hem verbaasd aan. 'Nee, we nemen alleen contant geld aan,' zegt hij. Iets in de toon van zijn stem vertelt de klant dat zijn vraag bijna onbehoorlijk is. Ammon slaat het bedrag aan op de touchscreen. Maar er hangt geen computer meer aan het scherm, evenmin als een elektronische kassa. Naast het scherm ligt een groot kasboek waarin de drankjes als vanouds per klant worden bijgehouden, onder het scherm is een geldla.

Marion, die 's ochtends in het café begonnen is, heeft de rest van de dag op haar kleinzoon gepast, terwijl haar dochter Dewi achter de tap staat. Als zij het kind vroeg in de avond mee naar het café neemt, is het droog. Marion gaat op haar vaste plek buiten, vlak bij de deur zitten. De kleine jongen, net vijf, wringt zich naar binnen op zoek naar zijn moeder. Barman Ammon brengt Marion haar longdrink: Seven-Up met rosé. Een klant die met de fiets langskomt, stapt af en loopt naar voren om haar gedag te zeggen. Daarna vervolgt hij zijn weg.

Marion heeft haar vergunning eindelijk terug. Na de voor de Cotton Club positief verlopen rechtszaak heeft de gemeente de vergunning enige tijd aangehouden, omdat zij eerst een paar lopende zaken af wilde handelen. Zo had Marion een keer een lastige beschonken toeriste het café uit gezet. De vrouw, een Amerikaanse, voelde zich beledigd en diende een klacht tegen haar in. Maar uiteindelijk geeft de gemeente in 2012 de door Marion in 2006 aangevraagde vergunning af.

Dewi komt met haar zoontje het café uit, haar dienst zit erop. Terwijl zij even blijft staan voor een praatje met haar moeder, aait zij de kleine over zijn bol. Zij is trots op hem: 'Vandaag heeft hij zijn eerste pilsje getapt.'

Binnen wordt de muziek weer ingezet. Even lijkt het – wat wazig tussen de bezoekers van het overvolle café door – alsof achter in het café een zwarte man in een wit pak een trompet aan zijn lippen zet, maar het beeld lost op. Buiten op het plein vervagen de klanken van de muziek om plaats te maken voor het getoeter van taxi's en het geroezemoes van stemmen.

VERANTWOORDING

Het verhaal van de Cotton Club is niet alleen het verhaal over een café en zijn klanten, het is ook het familieverhaal van Frits Smit, zijn vrouw Da en hun vijf kinderen. Daarnaast is het ook het verhaal van hun oudste dochter Annie, die het café van haar vader overneemt, en later dat van hun kleindochter Marion, die de huidige eigenaresse is. Ieder voor zich hebben zij de kroeg gedreven vanuit hun eigen unieke persoonlijkheid, waarbij zij zich niet hebben kunnen onttrekken aan de invloed van de tijd en van hun omgeving. We hebben het verhaal, dat begint in 1940 en tot op de dag van vandaag doorgaat, zo nauwkeurig mogelijk proberen te reconstrueren. De feiten die aan die reconstructie ten grondslag liggen, zijn voornamelijk ontleend aan wat wij kennen als oral history, aangevuld met gegevens ontleend aan kranten, tijdschriften en ander journalistiek werk. Waar meer beschouwende literatuur voorhanden was, hebben wij daar gebruik van gemaakt.

Omdat Frits, Annie en Marion zo'n centrale rol hebben gespeeld in de geschiedenis van het café, hebben zij in ons verhaal een bijzondere positie gekregen. Ieder van hen is vertegenwoordigd met een lange monoloog, waarin zij hun kijk op de geschiedenis van het café vertellen. Bij het schrijven van de monologen hebben wij het gebruik van literaire stijlmiddelen niet geschuwd. De monoloog van Frits is in zijn geheel een reconstructie. Wij zijn nooit in staat geweest Frits te interviewen aangezien hij al in 1979 is overleden. De verhalen die wij hem laten vertellen zijn opgetekend uit de mond van zijn dochters Annie en Riekie en zijn kleinkinderen Marion Lewis en Henry Bernard. Een enkele anekdote, zoals die over Anton Geesink, is Frits toegedicht, maar werd in werkelijkheid verteld door een musicus, die in de jaren vijftig in de Casablanca speelde. Het betrof een anekdote die wij bij Frits vonden passen en die hem tekent als de man zoals hij bij ons uit de verhalen naar voren is gekomen.

Ook de monoloog van Annie is een reconstructie. De interviews die wij met haar hadden, werden bemoeilijkt omdat Annie door haar ziekte nauwelijks nog kon spreken. Wij hadden veel steun van Roland Blokland, die bij veel van de interviews aanwezig was en vaak functioneerde als 'tolk'. Daarnaast hebben wij veel te danken aan haar zoon Henry Bernard, die kritisch met ons heeft meegelezen en ons steeds duidelijk maakte in hoeverre hij zijn moeder herkende in onze aan haar toegedichte monoloog. Ook van Annies zuster Riekie en haar nichtje Marion hebben wij in dezen veel steun gehad. Om het tijdsbeeld te completeren hebben wij enkele anekdotes toegevoegd die niet door Annie verteld zijn, zoals de scène waarin Joop de Vries de kroeg binnenkomt en het verhaal van de jongen die 'De vlieger' van André Hazes uitbeeldt. De gebeurtenissen hebben echter wel daadwerkelijk plaatsgevonden.

De monoloog van Marion daarentegen is gebaseerd op een groot aantal interviews met haar en mag gezien worden als een *full quote interview*.

Bij de vele anekdotes die wij in ons boek aanhalen, kan de vraag gesteld worden in hoeverre de vertellingen overeenstemmen met de feitelijke werkelijkheid. Vaak zal de lezer bij deze anekdotes denken dat het verhaal uit een dikke duim is gezogen. Zo'n gedachte is niet altijd ongegrond, omdat het verhaal in de overlevering is 'gegroeid' en opgesierd, zoals de verhalen van Jan Smit over de penoze en hun pistolen. In zekere zin is er een overeenkomst tussen dergelijke anekdotes en een mythe. Het verhaal is op het eerste gezicht zo onwaarschijnlijk dat we ervan uitgaan dat het volledig verzonnen is, maar in feite is er altijd sprake van een kern van waarheid, waardoor het verhaal een symbolische waarde krijgt. Hoe fictioneel de verhalen ook mogen aandoen, zij lichten wel een tip van de sluier op die de waarheid verhult, vaak meer zelfs dan de feiten zelf. Zo vertellen de verhalen van Jan dat het aantal vuurwapens in de jaren zeventig en tachtig explosief toeneemt in Amsterdam. De waarde van de anekdotes is dan ook dat zij vaak een scherper beeld geven van de werkelijkheid achter de feiten dan de kale feiten zelf, die de werkelijkheid lang niet altijd in haar volle omvang weergeven. De geschiedenis rond de zoon van de familie Smit mag daarvan getuigen. De vechtpartijen waarbij hij is betrokken, zijn vaak voor de politie en justitie, en zelfs voor de pers, redenen om hem te veroordelen, maar wie door de feiten heen kijkt ziet dat geen van die partijen vrij is van vooroordelen. Discriminatie en vooroordelen hebben het café, de familie en zijn bezoekers vaak in een kwaad daglicht gesteld. Uit de geschiedenis van het café mag ook blijken dat politie en justitie niet altijd even objectief te werk zijn gegaan.

Hoe complex de relatie tussen vertelling, verslag en feiten is, blijkt ook uit de geschiedenis over de herhaalde malen dat er in de Cotton Club wiet is gevonden. In eerste instantie vertelde een betrouwbare bron ons dat de politie in 1956 drie kilo wiet in beslag heeft genomen. In diezelfde maand zag een van onze geïnterviewden een tas met wiet in het bezit van een Amerikaanse officier bij café Schiller. Bij de inval van die maand worden twee dealers gearresteerd waar de dagbladen over berichten. Vier jaar later worden er op de binnenplaats van de Cotton Club drie pakketten met wiet gevonden. De politie arresteert Frits Smit en Eddy Faithfull en een Afrikaanse matroos. Een getuige vertelt ons dat in datzelfde jaar Max Zeegelaar ervandoor gaat met twee tassen gevuld met wiet die in de Cotton Club waren verborgen. De krant bericht over de vondst en de arrestatie.

De conclusie dat er zeker twee keer iets in de Cotton Club is gevonden, lijkt wel gerechtvaardigd, maar omdat het in het ene geval om drie kilo en in het andere om drie pakketten gaat, is niet duidelijk in hoeverre het geheugen van de getuigen hun na zoveel jaar parten speelt. De juiste feiten zijn niet meer te achterhalen. Maar de verhalen, verdicht of niet, verwisseld of niet, vertellen ons iets over de werkelijkheid zoals die zich heeft voltrokken, meer zelfs dan de krantenberichten die keer op keer laten zien dat zij de feiten onjuist weergeven. Zo schrijft *De Telegraaf* dat de zoon van Frits Smit, Fritsie, in zijn been is geschoten en niet in zijn buik. Als schrijvers hebben we ervoor gekozen om een logisch en zo aannemelijk mogelijk verhaal te reconstrueren. In de verantwoording per hoofdstuk geven wij nauwkeurig weer hoe wij met onze bronnen zijn omgegaan en wat de herkomst is van de aanvullende informatie.

Maar hoe interessant al deze verhalen en anekdotes ook mogen zijn, uiteindelijk heeft ons het meest geboeid hoe de geschiedenis van het café ons een spiegel van de tijd voorhoudt en laat zien hoe een gevoel van geborgenheid en persoonlijke betrokkenheid in een steeds grootschaliger en internationaler wordende wereld stap voor stap verloren ging.

Onze dank gaat in de eerste plaats uit naar allen die aan dit boek hun medewerking hebben verleend door deel te nemen aan de vele interviews die wij hebben afgenomen. In de verantwoording die hierna volgt, is beschreven welke personen ons bij welk hoofdstuk van informatie hebben voorzien.

Veel dank zijn wij ook verschuldigd aan onze meelezers Marijke Beek, Henry Bernard, Peter Douma, Niesje Johannes, Marion Lewis, Riekie Smit.

Hun verbeteringen, aanwijzingen en kritiek waren voor ons onontbeerlijk.

Tot slot gaat onze dank uit naar Bertram Mourits van Uitgeverij Atlas Contact voor zijn steun en kritische begeleiding.

VERANTWOORDING PER HOOFDSTUK

Als er sprake is van een enkel citaat en de geïnterviewde in de tekst al duidelijk bij naam genoemd wordt, herhalen we dat meestal niet meer in de verantwoording.

Stamgasten en anderen die anoniem wilden blijven, zijn met 'stamgast' aangeduid, of met een gefingeerde naam. Deze passages worden hieronder verantwoord. In enkele gevallen worden stamgasten alleen onder hun bijnaam vermeld (bijvoorbeeld Jay Jay). De volledige titels van boeken, documentaires en websites worden vermeld onder de geraadpleegde bronnen.

Inleiding Gebroken spiegels
De beschrijving van de Cotton Club is gebaseerd op een bezoek aan het café door de auteurs in april 2009.

Hoofdstuk 1 Teddy
De beschrijving van het interieur van het woonhuis van de familie Smit is ontleend aan een interview met Riekie Smit.

De passage over 'hoertje spelen' is ontleend aan een interview met Annie Smit.

De beschrijving van het interieur van de dansgelegenheid de Casablanca en de achtergrond van Marie Wagenaar en haar man zijn ontleend aan een interview met Jetty Suijkerbuijk, passages over de bezoekers en het citaat 'strenge tucht' zijn ontleend aan de roman van Simon Vestdijk *De dokter en het lichte meisje* (1951), waarin de Casablanca wordt beschreven onder de naam Ebanova. Verder maakten wij gebruik van een interview met een musicus die destijds in de Casablanca optrad en niet bij naam genoemd wil worden.

Het citaat over 'dansende negers' van Henk van Gelder uit *Elsevier* is overgenomen uit het boek *De eerste neger* (2006) van Rudie Kagie.

De ontmoeting met Teddy Cotton, details over het samenleven van Annie met Teddy, de werving van Amerikanen voor café Smit en de transformatie van het café naar de Cotton Club zijn ontleend aan interviews met Annie Smit, aan opmerkingen die Annie maakt in de documentaire *Vreemd Land* (uitgezonden in 1995) en opmerkingen die zij maakt in de radiodocumentaire *Aardse Zaken* (1997). Wij hadden het privilege niet alleen gebruik te kunnen maken van de documentaire *Vreemd Land* maar ook van het draaiboek voor de documentaire en de daaraan toegevoegde interviews, waarvoor we programmamaker Theo Uittenbogaard bijzonder dankbaar zijn.

De serie *Vreemd Land (Nederland gezien door de ogen van vreemden)* is een serie over de multiculturele samenleving. In dit boek is gebruik-gemaakt van de aflevering 'De Cotton Club'. Omdat de aanpak van de samensteller Theo Uittenbogaard 'geen overwegend gunstig beeld van een minderheid schetst', loopt de documentaire een prijs voor multi-culturele televisieprogramma's (de Prix Iris) mis.

Dat Teddy Cotton in de Casablanca optrad bewijst een advertentie in *De Waarheid* van 24 december 1946.

Voor de levensloop van Teddy Cotton werd het VPRO-radiopro-gramma *Aardse Zaken* (1997) geraadpleegd, voor zijn jazzcarrière als musicus van Surinaamse afkomst *Kid Dynamite* (1995) van Herman Openneer en *Surinaamse muziek in Nederland* (1990) van Marcel Wel-tak. Deze auteurs schrijven onder meer over Kid Dynamite en de op-komst van uitgaansgelegenheden zoals het Negro Palace in Amster-dam.

Over bokswedstrijden met kleurlingen schrijft Rudie Kagie in *De eerste neger* (2006), zie verder ook de catalogus bij de tentoonstelling *Black is beautiful* (2008) en *Vreemd Land* van Theo Uittenbogaard.

De passage over de aanleg die Teddy Cotton heeft voor trompet spelen komt uit *Kid Dynamite* (1995) van Openneer.

De passage over danseressen van wie de huidskleur niet donkerder mocht zijn dan de lichtbruine kleur van een papieren zak is ontleend aan de documentaire *Cab Colloway. The Hi De Ho Man* (2010). Enige in-formatie over de Cotton Club uit New York is te vinden op internet.

Het citaat van Tulp is terug te vinden bij *Kid Dynamite* (1995) van Openneer. Het citaat van de Surinaamse timmerman (George Harri-son) is ontleend aan het draaiboek met toegevoegde interviews voor de documentaire *Vreemd Land* van Theo Uittenbogaard, aflevering 'De Cotton Club'.

De biografische details over de Surinaamse achtergrond van Eddy Faithfull zijn ontleend aan een interview met zijn zoon Ewald Rettich.

Dat Teddy Cotton doorgaans niets van andere Surinamers moest hebben, is ontleend aan een interview met Annie Sterman.

Summiere informatie over Mien Veth is terug te vinden in *De wereld van de Amsterdamse wallen* (1993) van Rob van Hulst.

Hoofdstuk 2 De zwarte prins

De beschrijvingen van het gezin Smit en het reilen en zeilen van het café in de jaren vijftig en diverse informatie over kunstenaars die het café bezochten, zijn ontleend aan interviews met Herman Hennink Monkau, Marion Lewis, Guillaume Lo A Njoe en Riekie Smit.

De beschrijving van de levensomstandigheden van de Surinaamse bezoekers van de Cotton Club in de jaren vijftig is ontleend aan *Vreemd Land* van Theo Uittenbogaard.

De passage over Frits van de Wereld die een jongeman aanraadt de Olofsbar te mijden, is ontleend aan een interview met Erik van Breemen.

De lotgevallen van Nanny zijn ontleend aan een interview met Nanny (Aaïcha Bergamin). Zie verder ook haar biografie *Aaïcha* (1991), geschreven door Ab Pruis en Aaïcha Bergamin.

De passage over Joop de Vries die enkele jonge jongens naar de hoeren stuurt, is ontleend aan een interview met Henk Dolman.

De vechtpartij tussen Zeedijkers en Surinamers en het verhaal van het pistool van Jaap Veth zijn ontleend aan een interview met Henk Dolman.

De scène over het wapengebruik in Het Witte Paard is ontleend aan een interview met Jef Prenger. De informatie over Frits Smit als kroegbaas (zoals over het lenen van geld aan klanten) is ontleend aan een interview met Marion Lewis, informatie over Da aan interviews met Marion Lewis en Riekie Smit.

De passage over het schoonmaken van kassies is ontleend aan een interview met een bezoekster van de Cotton Club die niet bij name genoemd wil worden. De gebeurtenis heeft in werkelijkheid later plaatsgevonden dan hier is vermeld.

Het relaas over de ontmoeting tussen Alie Smit en Charles Lewis is ontleend aan interviews met haar dochter Marion Lewis.

De passages uit de brieven van Alie Smit uit Wiesbaden zijn ontleend aan de brieven die in het bezit zijn van Marion Lewis.

Hoofdstuk 3 Café achter prikkeldraad

De achtergrond van de koop van het café in 1940 en de beschrijving van de schoonfamilie van Frits Smit zijn ontleend aan interviews met Annie Smit, Riekie Smit en Marion Lewis en aan een door René Varenkamp gemaakte stamboom van de familie Smit/Brienen. De familie bezit de originele koopakte van het café uit juni 1940.

De verschillende adressen van de schoonfamilie van Frits Smit en het jonge gezin Smit waren te volgen aan de hand van de gezins- en woningkaarten van het gemeentearchief van de gemeente Amsterdam. Datzelfde archief verschafte ons informatie over de achtergrond van het pand Nieuwmarkt 5 begane grond. Uit de betreffende woningkaart van het café op nummer 5 (de Cotton Club) blijkt dat het in 1923 al als horecabedrijf in gebruik is.

Details over de opleiding van Annie en haar kennismaking met Teddy Cotton zijn ontleend aan interviews met Annie Smit.

Aan de hand van een woningkaart van de Goudsbloemdwarsstraat nummer 80 kan worden afgelezen dat Frits Smit ten tijde van het Jordaanoproer in 1934 vlak boven een opgeworpen barricade woonde. Zijn gedachten bij die gebeurtenissen zijn fictief.

Gegevens over rantsoenering tijdens de oorlog zijn ontleend aan *De borrel is schaarsch en kaal geworden* (1994) van Paul Arnoldussen.

Via de website *Joods Monument* waren wij in staat te reconstrueren welke Joodse mensen gewoond hebben op de Nieuwmarkt 1 tot en met 15 en in de Koningsstraat achter het huis van de familie Smit.

De geschiedenis van de familie Flesseman in relatie tot het gebouw op de Nieuwmarkt staat beschreven in *Dit volckje seer verwoet* (1988) van Flip ten Cate.

Het verhaal over de WA'er Koot en de daaropvolgende afsluiting van de Jodenbuurt is ontleend aan *Het koninkrijk der Nederlanden in de Tweede Wereldoorlog* (deel 4) van Lou de Jong.

Voor de houding van de politie tijdens de oorlog is *Dienaren van het gezag* (1999) van Guus Meershoek geraadpleegd.

Het verhaal over de beurtschipper is ontleend aan een interview met zijn zoon Jef Prenger.

De passage over penozelid Prenger is ontleend aan een interview met Jef Prenger.

Het verhaal over de inbraak in de snoepfabriek van Sajet is ontleend aan een interview met Annie Smit.

De beschrijving van de houding van de Chinezen tijdens de oorlog is ontleend aan *Het huis van Han* (2000) van Karina Meeuwse.

Het bedrag dat Frits Smit betaalde voor de jukebox is ontleend aan het artikel in *Het Vrije Volk* van 25 november 1955 'Harlem aan de Amstel' van Hans Sternsdorff. Het bedrag dat de auteur daar noemt (6900 gulden) is onwaarschijnlijk hoog voor die tijd. Familieleden corrigeerden dat tot de door ons vermelde 690 gulden.

De informatie over café De Zon is ontleend aan artikelen in *De IJdijker* (2005) en *d'Oude Binnenstad* (1997).

Het vissen van Frits is ontleend aan een interview met Herman Hennink Monkau; de intocht op de Zeedijk aan een interview met Anneke Pannenkoek.

Het verhaal over Buck Jones is ontleend aan een interview met Jan Smit. Jan Smit gaf ook veel informatie over het leven op de Wallen.

Het verhaal over Anton Geesink is ontleend aan een interview met een musicus uit de jaren vijftig die niet bij naam genoemd wil worden. Wij hebben ervoor gekozen het verhaal door Frits Smit te laten vertellen omdat wij vinden dat het verhaal hem heel goed past. De smoes die Frits vertelt als hij een nacht afwezig is geweest omdat hij op de pont in slaap zou zijn gevallen, is ontleend aan interviews met Marion Lewis en Riekie Smit.

Hoofdstuk 4 Witte penoze, zwarte penoze
De beschrijving van de auto van Max Zeegelaar is afkomstig van zijn voormalige chauffeur Jef Prenger. De beschrijving van de persoon Zeegelaar komt van Roland (Ropie) Blokland.

Het pooierschap van Berie Helder is onder anderen bevestigd door verschillende Surinaamse stamgasten en Riekie Smit en Annie Smit.

Het verhaal over de deal in de Amsterdamse haven is ontleend aan een interview met Jef Prenger.

De vechtpartij op de Nieuwmarkt is waargenomen door Jay Jay (zo luidt de naam waaronder deze stamgast bij velen bekendstaat).

Het verhaal over café Smit en de bikkers wordt verteld door caféhouder Jan Smit.

Het verhaal over Rooie Gerard vond plaats in 1952 en werd verteld door J.R.Woortman, hier in de mond gelegd van Jan Smit.

De geschiedenis van Alie in Amerika en de briefwisseling met thuis is ontleend aan interviews met Marion Lewis en Annie Sterman en aan het tv-programma *Spoorloos* van januari 1997, waarin Marion verenigd wordt met haar Amerikaanse familie.

Het verhaal over Nanny is ontleend aan interviews met Riekie Smit en Aaïcha Bergamin.

De geschiedenis van Annie en Teddy in Hamburg is ontleend aan een interview met Annie Smit.

Informatie over de Amsterdamse penoze, onder wie Frits van de Wereld en Joop de Vries (Zwarte Joop), staat op verschillende sites op internet; een meer gedetailleerde beschrijving van Joop de Vries is te vinden in *De maffia in Amsterdam* (1988) van Bart Middelburg, een meer gedetailleerde beschrijving van Frits van de Wereld staat in *Met groot verlof* (2009) van Eric Slot.

Hoofdstuk 5 Kunst, jazz en marihuana
Het citaat 'just inhale cowboy' en de vertelling daaromheen zijn ontleend aan de aflevering 'Hasj' van *Andere tijden*, NPS/VPRO (2004).

Het citaat van Mike Lorsch is ontleend aan de documentaire *Vurrukkulluk was die tijd* uit *Andere tijden*, NTR/VPRO (2011).

De beschrijving van de Lucky Star is ontleend aan een artikel van Annejet van der Zijl in de *Haagse Post* nummer 4 uit 1992.

Het nachtconcert waarin Lionel Hampton 'Hebaberiba' zingt en de reacties daarop zijn ontleend aan een artikel uit *Het Parool* van 21 september 1953.

De passage over Ria Rettich is ontleend aan een interview met Ina Tientjes en Ewald Rettich. Ria hebben wij niet kunnen interviewen omdat zij reeds in 2006 overleden is.

De voormalige vriendin van Eddy Faithfull wilde om persoonlijke redenen niet aan het boek meewerken. Daarom komt zij hier voor met een gefingeerde naam. Om haar verzoek te respecteren hebben wij verder geen onderzoek naar achtergronden gedaan. De gegevens over Gerda zoals wij die hier vermelden zijn verteld door de stamgasten van de Cotton Club.

De veroordeling van Small Boy en Blackie is beschreven in *De Waarheid* van 15 maart 1956: 'De hoofdverdachte H. geboren te Suriname, die blokjes morfine, cocaïne in voorraad had en bovendien marihuana verwerkte tot sigaretten.'

Het verhaal van de marihuana bij café Schiller is ontleend aan een interview met Herman Hennink Monkau.

Het interview met een vrouwelijke dealer staat in de *Haagse Post* van 8 december 1979.

Biografische gegevens over kunstenaars zoals Donald Jones zijn ontleend aan internet.

De beschrijving en namen van de klantenkring zijn ontleend aan interviews met Erik van Breemen, Herman Hennink Monkau en Ina Tientjes.

Dat Da de sokken van Ramses Shaffy stopt, is ontleend aan een interview met Riekie Smit.

Hoofdstuk 6 Vetkuiven

Voor het plan-Kaasjager en de plannen van de gemeente Amsterdam met de Nieuwmarktbuurt is *Amsterdam op de helling* (2010) van Herman de Liagre Böhl geraadpleegd.

Voor informatie over lijn 8, de zogenaamde Jodentram, is het internet geraadpleegd.

De geschiedenis van Riekie en Anneke als dijkermeisjes is ontleend aan interviews met Riekie Smit en Anneke Pannenkoek.

De artikelen van Vrijman worden geciteerd in *Magiër van een nieuwe tijd* (2009) van Eric Duivenvoorden. Het betreft artikelen in *Vrij Nederland* van 20 en 28 augustus en 3 september 1955.

De geschiedenis van de beeldend kunstenaar Alphons Freijmuth is ontleend aan een interview met deze kunstenaar.

Het verhaal over de plafondschilderingen is ontleend aan een interview met Guillaume Lo A Njoe.

Het citaat over het woord 'pinaren' is ontleend aan *Vreemd Land*.

De drugsgeschiedenis van Willy Smit is ontleend aan een interview met Marion Lewis.

Het citaat: 'Je kan er inschepen op de maan' is ontleend aan het boek van Karina Meeuwse *Het Huis van Han* (2000).

Het halen van opium in de Binnen Bantammerstraat is ontleend aan uitgeschreven interviews in het draaiboek voor de documentaire *Vreemd Land*.

De sfeerbeschrijving rond de Nieuwmarkt is ontleend aan een interview met Henk Dolman.

Informatie over de rellen rond de Dam is ontleend aan *Het Parool* van 28 augustus 1959 en *de Volkskrant* van 2 september 1959.

De beschrijving van Grootveld en de Cotton Club is ontleend aan *Magiër van een nieuwe tijd* (2009) van Eric Duivenvoorden.

Hoofdstuk 7 De dievenwagen

De muzikale voorkeur van Frits en Da is ons bekend uit interviews met onder anderen Marion Lewis.

Over de eis van drie jaar gevangenisstraf voor Frits Smit schrijft *De Telegraaf* van 30 juli 1960. *Het Nieuwsblad van het Noorden* publiceert het jaar erop over dezelfde zaak (18 maart 1961).

Zie voor de vrijspraak van Frits Smit en Eddy Faithfull 'Eigenaar

Cotton Club vrijgesproken' in *De Waarheid* van 30 juni 1960.

Over de voetbalclub Real Sranang is geschreven in de *Diemer Courant* van 7 juni 2000. Verdere informatie is ontleend aan een gesprek met Louis Kaersenhout.

De geschiedenis van Roland Blokland (Ropie) is ontleend aan verschillende interviews met hem.

De geschiedenis van Albrecht Soerel is ontleend aan een interview met Roland Blokland, Annie Smit en Marion Lewis.

Het verhaal over het huwelijk tussen Annie Smit en Lloyd Bernard is ontleend aan een interview met Annie Smit.

De meidenstreken zijn ontleend aan interviews met Riekie Smit en Marion Lewis.

Over de vechtpartij van Fritsie in de Koningsstraat is geschreven in *De Telegraaf* van 8 september 1962. Er is een kort ooggetuigenverslag van een toeschouwer te beluisteren in de documentaire *Welkom in het leven, lieve kleine* (1963) van Ed van der Elsken. Een ooggetuigenverslag is ontleend aan een interview met Henk Dolman. Verdere informatie is ontleend aan interviews met Anneke Pannenkoek, Riekie Smit en Marion Lewis.

Over de Baarnse moordzaak is zeer veel informatie te vinden op internet. Zie ook *De Telegraaf* van 24 januari 1963.

De passage over de verdachte van moord die zijn toevlucht zoekt in de Cotton Club staat in *De Waarheid* van 7 februari 1963 en *De Telegraaf* van 9 februari 1963.

De gegevens over de gevangenisstraf van Fritsie (anderhalf jaar) zijn ontleend aan een brief van de advocaat aan Fritsie Smit d.d. 25 april 1963 (erven Annie Smit).

De brief van Frits Smit aan zijn zoon is in het bezit van de erven Annie Smit.

Over de vechtpartij tussen twee Surinamers schrijft *De Telegraaf* van 17 augustus 1963.

De passage over de houding van justitie ten opzichte van het gebruik van marihuana is ontleend aan de documentaires *Allemaal Rebellen* (1983) van Louis van Gasteren.

Het verhaal van de officier van justitie Hartsuiker achter de viskraam is ontleend aan een interview met Erik van Breemen.

Hoofdstuk 8 Kerend tij
Het citaat 'Zo zagen we er op zondag uit' is ontleend aan de documentaire *Vreemd Land* van Theo Uittenbogaard.

De citaten van Ed van der Elsken zijn ontleend aan zijn documentaire *Welkom in het leven, lieve kleine* (1963).

Het verhaal over Mieke van der Pol en beeldend kunstenaar Jaap van der Pol is ontleend aan gesprekken met Mieke en Jaap van der Pol.

Het verhaal over de ambtenaar Willem de Visser is ontleend aan een interview met zijn dochter die niet met name genoemd wenst te worden. De naam Willem de Visser is fictief.

De passage over gebouw de Flesseman is ontleend aan *Dit volckje seer verwoet* (1988) van Flip ten Cate.

Over de eerste liquidaties in het Chinese drugscircuit schrijft Eric Slot in *Met groot verlof* (2009).

Het verhaal over Max Zeegelaar is ontleend aan een interview met Jef Prenger.

De anekdotes over het dansen van de madison, de polonaise en het pannetje met eten voor Fritsie zijn ontleend aan een interview met Anneke Pannenkoek.

Dat Tolloway Nederlands kampioen twisten was, wordt vermeld in *De Telegraaf* van 1 maart 1962. Verdere gegevens over Tolloway zijn ontleend aan interviews met Annie en Riekie Smit en Henry Bernard.

Het verhaal over Cassavé is ontleend aan een interview met Jay Jay.

Het verhaal over de undercoveractie waar Eddy Faithfull het slachtoffer van is, is ontleend aan een interview met Herman Hennink Monkau.

De manier waarop Zeegelaar Eddy Faithfull oplicht is ontleend aan een interview met Jef Prenger.

De wederwaardigheden van Eddy Faithfull na zijn gevangenschap zijn ontleend aan een interview met Ina Tientjes. De beschrijving van de inrichting van zijn café en zijn persoonlijkheid op latere leeftijd is ontleend aan een interview met zijn zoon Ewald Rettich.

De brief waarin de vechtpartij in de Warmoesstraat wordt beschreven en waarin Frits Smit zijn beklag bij justitie doet over de behandeling van zijn zoon Fritsie is in het bezit van de erven Annie Smit.

Hoofdstuk 9 Bruine suiker
Het bericht over de dood van Fritsie en de verklaring van de schipper is afkomstig uit *De Telegraaf* van 25 mei 1971.

Het verhaal over Boyd die voor Marion en Henry zorgt, is ontleend aan interviews met Henry Bernard en Marion Lewis.

De lotgevallen van Jay Jay zijn ontleend aan een interview met hem.

De passage over Emile Camron en de paardenrennen is ontleend aan de documentaire *Vreemd Land* van Theo Uittenbogaard. Meer informatie is ontleend aan de verhalen van diverse stamgasten.

Het verhaal over heroïne die voor ve-tsin wordt aangezien is ontleend aan een interview met Marion Lewis.

De passage over de corruptie op bureau Warmoesstraat die begint met de anekdote over een fles cognac is ontleend aan *Bureau Warmoesstraat* (2000) van Cees Koring. Het verhaal wordt verteld door agent Teun (achternaam onbekend, door iedereen 'De Neus' genoemd, niet te verwarren met Martin Hoogland die door de Surinaamse stamgasten 'Bigi Noso' werd genoemd).

De naam van de prostituee Mariëlle is gefingeerd. Het verhaal is gebaseerd op een interview met een vrouw die om redenen van privacy niet bij haar eigen naam genoemd wil worden.

De passage over heroïnehandel rond 1971 is ontleend aan *Uit de dossiers van commissaris Toorenaar* (1985) van Peter R. de Vries. In datzelfde boek schrijft De Vries over de onbekendheid van de politie met Chinese triades.

De passage over de oorlog tussen de Chinese triades in 1922 is ontleend aan het boek van Eric Slot *Met groot verlof* (2009).

Het verhaal over het speeltje dat Henry wordt afgenomen door Bigi Noso is ontleend aan een interview met Henry Bernard.

De passage over de jonge politieagent die begin jaren zeventig spreekt over de Cotton Club is ontleend aan *De Warmoesstraat* (1983) van Maurice Punch.

Over het Winkeltje wordt in *De Warmoesstraat* (1983) van Maurice Punch meermalen geschreven; er werd gedeald en het etablissement werd onder druk van de politie gesloten.

De passage waarin verteld wordt dat de politie wist dat de Surinaamse dealers loopjongens waren van de Chinezen is ontleend aan *De Warmoesstraat* (1983) van Maurice Punch.

De geschiedenis van Willy Smit is ontleend aan interviews met Marion Lewis en Riekie Smit.

De anekdotes over het toenemen van het aantal vuurwapens zijn ontleend aan interviews met Jan Smit.

De passages over Joop de Vries zijn ontleend aan de documentaire *Hoge bomen in de misdaad* (2007) en aan *De maffia in Amsterdam* (1988) van Bart Middelburg.

Over Frits van de Wereld is veel informatie op internet te vinden. Zie ook *De maffia in Amsterdam* (1988) van Bart Middelburg.

Het verhaal dat Frans Krabshuis in het pand waarin het Winkeltje was gevestigd, een illegaal gokhuis beheert en later café Populair overneemt, is ontleend aan een interview met zijn dochter Francis Krabshuis.

De passage over de Surinamer die verklaart dat hij de Cotton Club eng vond, is ontleend aan een interview met een man van Surinaamse afkomst die niet bij naam genoemd wilde worden.

Familiegegevens over wonen en verhuizen zijn ontleend aan interviews met Marion Lewis, Riekie Smit en Henry Bernard.

De passage over de schietpartij in de Cotton Club in september 1973 staat in *De Telegraaf* van 2 oktober 1973 en het blad *Amigoe di Curaçao* van 3 april 1974.

Hoofdstuk 10 Café Annie

Het verhaal over Café Annie is voornamelijk ontleend aan interviews met Annie Smit, Ropie Blokland, Jay Jay, Marion Lewis en Henry Bernard.

Het incident van de Surinamer die door agenten gevolgd wordt, is ontleend aan *De Warmoesstraat* (1983) van Maurice Punch en nooit in deze vorm door Annie verteld.

De passages over de operaties van Nanny zijn gebaseerd op een interview met Nanny (Aaïcha Bergamin) zelf en zijn ons nooit door Annie in deze vorm verteld.

De komst van Joop de Vries naar de Cotton Club is gebaseerd op de documentaire *Hoge bomen in de misdaad* (2007) en nooit in deze vorm door Annie verteld.

De gebeurtenis rondom de cafébezoeker die vraagt om het lied 'De vlieger' van André Hazes heeft in werkelijkheid later plaatsgevonden en is ontleend aan een interview met Marion Lewis en de betreffende stamgast zelf, Bram van de Ven.

Hoofdstuk 11 Peruanen en ander tuig

Gegevens over de protesten rond de bouw van de metro en het beleid van de gemeente zijn ontleend aan *Amsterdam op de helling* (2010) van Herman de Liagre Böhl.

De passage over protesten in de jaren zeventig en het tijdsbeeld van dit decennium is ontleend aan *Nederland en de jaren zeventig* (2012) van Duco Hellema.

Verhalen rond en over Café Annie zijn ontleend aan interviews met Roland Blokland (Ropie).

Over de toename van de misdaad in de jaren zeventig schrijft Eric Slot in *Met groot verlof* (2009).

Achtergronden over de nieuwe bewoners van de Nieuwmarkt en het gemeenschapsgevoel zijn ontleend aan een interview met Caroline Nevejan.

De geschiedenis van café Van Beeren is ontleend aan een interview met Coby en Mieke van Beeren en Gerrit Wijnhoud.

De geschiedenis van het café De Bank is ontleend aan een interview met Beppie van Bilderbeek.

De informatie over de toename van vuurwapens in Amsterdam en de afname van een erecode onder de penoze is ontleend aan een interview met Jef Prenger.

Gegevens over de NV Zeedijk zijn te vinden op het internet. Zie ook *De Zeedijk* (2004) van Eveline Brilleman en *Zeedijk* (1993) van Hans Brouns.

De reden dat de Cotton Club niet meer in het *Groot Amsterdams Kroegenboek* werd opgenomen, is door Ben ten Holter per mail meegedeeld aan de auteurs.

De verhalen over de Peruanen in de Cotton Club zijn ontleend aan interviews met Anneke Pannenkoek, Riekie Smit, Roland Blokland en Henry Bernard.

Hoofdstuk 12 Stamgasten
Over de verloedering van de Zeedijk en de oprichting van de NV Zeedijk is veel informatie op internet te vinden. Verdere gegevens zijn ontleend aan een interview met Jan Smit.

De geschiedenis van Chris Romp is ontleend aan een interview met hemzelf en Jan Smit.

Veel stamgasten, onder wie Alphons Freijmuth, vertelden ons anekdotes over Zwarte Wil, de vrouw van Chris Romp.

Informatie over de artistieke vrienden van Marion is ontleend aan een interview met Jeanette Snik.

Panorama schrijft in maart 1985 een romantisch gekleurde reportage over de Wallen.

Playboy schrijft in oktober 1992 in de vaste rubriek 'Na vijven' over de tandeloze neger van de Cotton Club.

De verhalen van en over twee studenten in de Cotton Club zijn ontleend aan interviews met Alvin Mangel en Anton Reijinga.

De passage over Riek Krabshuis die vertelt over Chinezen is ontleend aan de documentaire *Vreemd Land* van Theo Uittenbogaard.

De verhalen over de dood van Max Zeegelaar zijn ontleend aan interviews met Jef Prenger, Roland Blokland en Jay Jay.

Over de ontwikkeling van de misdaad in Amsterdam spreekt het rapport van de commissie-Van Traa, 'Inzake Opsporing', en het 'Rijksrechercherapport RCID Kennemerland' (1994). Zie verder ook *Chaos aan de Amstel* (1999) van Jos Verlaan.

Het verhaal over het jazzcafé dat door onbekenden kort en klein geslagen wordt, is ontleend aan een interview met Caroline Nevejan.

Hoofdstuk 13 *In vreemde handen*

De geschiedenis van de overname van de Cotton Club door Cok Dittmar is ontleend aan interviews met Cok Dittmar, Riekie Smit, Marion Lewis, Annie Smit en Henry Bernard.

Informatie over de gang van zaken rond de nieuwe bestemming van de Waag is te vinden op internet, onder meer op de website van de Vereniging Vrienden van de Amsterdamse Binnenstad. Verdere informatie is ontleend aan interviews met Cok Dittmar en Caroline Nevejan.

Informatie over De Digitale Stad is voorhanden op internet.

Voor het tijdsbeeld is *80's dilemma* (2011) van Jouke Turpijn geraadpleegd. Gegevens over de tegenbeweging in die tijd zijn ontleend aan *Nederland en de jaren zeventig* (2012) van Duco Hellema.

Informatie over beleid en personeel ten tijde van Dittmar is ontleend aan interviews met Cok Dittmar, Gunnar Smit, Mark van Heesch en Marion Lewis.

Informatie over het ontstaan van de livejazzuitvoeringen in de Cotton Club is ontleend aan interviews met drummer-musicus Dik Verbeek en saxofonist Hans Dulfer.

Hoofdstuk 14 *Hart voor de zaak*

Het *full quote interview* is gebaseerd op een aantal interviews met Marion Lewis.

Over het traangasverhaal publiceert *De Telegraaf* van 19 september 1973.

Hoofdstuk 15 BIBOB *of Bebop*

Achtergronden zijn ontleend aan interviews met Marion Lewis, Annie Smit, Roland (Ropie) Blokland en Henry Bernard en gesprekken met de advocaat Rob IJsendijk, die optrad als verdediger van de Cotton Club.

De rechtszitting in dit hoofdstuk wordt verslagen door de auteurs, die ter plaatse aanwezig waren.

Informatie over Dino Soerel laten wij bewust achterwege. Wat wij zijn tegengekomen over de achtergronden van Soerel is zo complex dat we dit onderwerp niet met enkele alinea's kunnen afdoen. Zijn persoon zou dan te veel nadruk krijgen in een boek dat niet over hem maar over de Cotton Club moet gaan, temeer omdat uit de rechtszitting is gebleken dat zijn kortstondige rol als mede-eigenaar van ondergeschikt belang is.

De weldoener die Marion 50 000 euro wil lenen, wil in dit boek niet bij naam genoemd worden.

Slot Jazz
Gebaseerd op diverse bezoeken op de zaterdagmiddag en -avond.

De gespreksstof tijdens die middag is ontleend aan een interview met Nelly Linden en Jerry van der Putt en de waarneming van de auteurs op diverse zaterdagavonden.

ILLUSTRATIEVERANTWOORDING

De foto's zijn afkomstig uit persoonlijke archieven, met uitzondering van: p. 6 © Sannah de Zwart, styling Judith de Zwart; p. 18 Jazzarchief, p. 31 uit: A. Pruis en A. Bergamin, *Aaïcha*, 1999, met toestemming van A. Bergamin, p. 48 Stadsarchief Amsterdam, p. 62 Jan Smit, p. 67 Jan Smit, p. 109: Archief *De Telegraaf*, p. 114, © Annet Gelink Gallery, p. 118 Stadsarchief Amsterdam, p. 117: foto in bezit van de auteurs, geschonken door Henk de Gier, eigenaar van café Stopera, p. 199, Stadsarchief Amsterdam.

GERAADPLEEGDE BRONNEN

LITERATUUR

Arnoldussen, P., *De borrel is schaarsch en kaal geworden, Amsterdamse horeca 1940-1945*, Amsterdam 1994

Black is beautiful (catalogus), De Nieuwe Kerk Amsterdam, Zwolle 2008

Brilleman, E., *De Zeedijk*, Bussum 2004

Brouns, H., ZEEDIJK, *'de dijk' binnenstebuiten*, Amsterdam 1993

Cate, F. ten, *Dit volckje seer verwoet: een geschiedenis van de Sint Antoniesbreestraat*, Amsterdam 1988

Duivenvoorden, E., *Magiër van een nieuwe tijd. Het leven van Robert Jasper Grootveld*, Amsterdam 2009

Hellema, D., *Nederland en de jaren zeventig*, Amsterdam 2012

Hennink Monkau, H., *De kleurling*, Amsterdam 2006

Holter, B. ten, *Groot Amsterdams Kroegenboek*, Amsterdam 1977

Hulst, R. van, *De wereld van de Amsterdamse Wallen. Uit het leven*, Den Haag 1993

Jong, L. de, *Het Koninkrijk der Nederlanden in de Tweede Wereldoorlog*, Deel 4 - Mei '40 - maart '41 (2e band)

Kagie, R., *De eerste neger*, Metsenschilt, 2006

Koring, C., *Bureau Warmoesstraat*, Den Haag 2000

Liagre Böhl, H. de, *Stad op de helling*, Amsterdam 2010

Meershoek, G., *Dienaren van het gezag: de Amsterdamse politie tijdens de bezetting*, Amsterdam 1999

Meeuwse, K., *Het huis van Han*, Utrecht 2000

Middelburg, B., *De maffia in Amsterdam*, Amsterdam 1988

Openneer, H., *Kid Dynamite*, Amsterdam 1995

Pruis, A. en Bergamin, A., *Aaïcha. Het bizarre conflict van een als man geboren vrouw*, Stichting Vrije Kommunicatie 1999

Punch, M., *De Warmoesstraat. Politiewerk in de binnenstad*, Deventer 1983
Slot, E., *Met groot verlof. Liquidaties in crimineel Nederland*, Amsterdam 2009
Turpijn, J., *80's dilemma*, Amsterdam 2011
Commissie-Van Traa, *Inzake Opsporing*. Zie ook: *Het Rijksrechercherapport RCID Kennemerland 1994*
Vestdijk, S., *De dokter en het lichte meisje*, Amsterdam 1951
Verlaan, J., *Chaos aan de Amstel*, Nijmegen 1999
Vries, Peter R. de, *Uit de dossiers van commissaris Toorenaar*, Baarn 1985
Weltak, M., (red.), *Surinaamse muziek in Nederland*, Utrecht 1990

FILMS EN RADIO- EN TV-DOCUMENTAIRES
Aardse Zaken, 'Mijn vader was Teddy Cotton', februari 1997. VPRO-radio-programma
Allemaal rebellen, drie documentaires over de Leidsepleiners tussen 1955 en 1965, regie Louis van Gasteren, 1983
Cab Calloway. The Hi De Ho Man, documentaire in de serie 'Close up', september 2010
Elsken, E. van der, *Welkom in het leven, lieve kleine*, 1963
Hoge bomen in de misdaad. Serie biografieën, 'Joop de Vries: Het leven van de laatste penozekoning van de Amsterdamse Wallen', AVRO-tv 2007
Kerbosch, R., *Rondom het Oudekerksplein*, 1968
Uittenbogaard, Theo, (eindredactie) *Vreemd Land – Nederland gezien door de ogen van vreemden*, programma's over de multiculturele samenleving, aflevering 'De Cotton Club' (uitzending 1995). Ook werden geraadpleegd de uitgewerkte en op schrift gestelde interviews voor deze aflevering, die in bezit zijn van Theo Uittenbogaard
Spoorloos, KRO, uitzending van januari 1997
'Vurrukkulluk was die tijd', aflevering uit het tv-programma *Andere tijden*, 2011

OVERIG
d'Oude Binnenstad, december 1997 en *De IJdijker* nummer 2, 2 februari 2005
Joods Monument, http://www.joodsmonument.nl
Stadsarchief Amsterdam

Bij de productie van dit boek is gebruikgemaakt van papier dat het keurmerk Forest Stewardship Council® (FSC®) draagt. Bij dit papier is het zeker dat de productie niet tot bosvernietiging heeft geleid. Ook is het papier 100 procent chloor- en zwavelvrij gebleekt.